广东省哲学社会科学“十一五”规划2007年度规划特别委托项目

走向法治

——广东法制建设30年

刘　恒等　著

廣東省出版集團
广东人民出版社
·广州·

图书在版编目（CIP）数据

走向法治：广东法制建设30年／刘恒等著．—广州：广东人民出版社，2008.11

（广东改革开放30年研究丛书）

ISBN 978-7-218-05970-9

Ⅰ．走… Ⅱ．刘… Ⅲ．社会主义法制—建设—概况—广东省—1978～2008 Ⅳ．D927.65

中国版本图书馆CIP数据核字（2008）第160851号

出版人	金炳亮
责任编辑	郑 宁
装帧设计	张力平 陈小丹
责任技编	周 杰
出版发行	广东人民出版社
印刷	佛山市浩文彩色印刷有限公司
开本	787毫米×960毫米 1/16
印张	23
插页	1
字数	331千
版次	2008年11月第1版 2008年11月第1次印刷
书号	ISBN 978-7-218-05970-9
定价	46.00元

如果发现印装质量问题，影响阅读，请与出版社（020-83795749）联系调换。

【出版社网址：http://www.gdpph.com 电子邮箱：sales@gdpph.com
图书营销中心：020-37579695 37579604】

总序

汪洋

中国的改革开放走过了30年的伟大历程。广东是中国改革开放的先行地区，在改革开放和现代化建设中一直走在全国前列，充分发挥了“试验田”、“窗口”和“示范区”作用。在纪念中国改革开放30周年之际，认真研究总结广东改革开放的成就和经验，有助于深化人们对改革开放重要意义的认识，对于全省人民深入贯彻落实科学发展观，继续解放思想，坚持改革开放，促进经济社会又好又快发展，夺取全面建设小康社会的新胜利，加快推进社会主义现代化，具有深远的历史意义和重大的现实意义。

第一，研究广东改革开放，要系统总结广东改革开放30年的伟大成就，进一步坚定深化改革、扩大开放的信心和决心。

30年来，广东历届省委、省政府团结带领全省人民，高举中国特色社会主义伟大旗帜，发扬敢为天下先的精神和“杀出一条血路”的勇气，解放思想，实事求是，与时俱进，开拓创新，推动经济社会发展取得了举世瞩目的巨大成就。

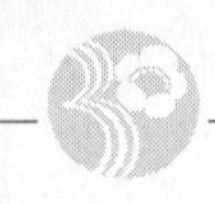

实现了从一个经济比较落后的农业省份向全国第一经济大省的历史性跨越。1978—2007年，全省GDP总量增长41倍，人均生产总值翻了四番，经济总量先后超过了亚洲“四小龙”中的新加坡、香港和台湾地区，已处于世界中等收入国家水平。目前，全省经济总量约占全国的1/8，源于广东的财政总收入约占全国的1/7，进出口总额占全国的近30%。

实现了从计划经济体制向社会主义市场经济体制的历史性转变。30年来，广东人民以改革创新精神推动着改革开放的伟大实践，率先创办经济特区，率先引进“三来一补”、海外的先进技术设备和管理经验及创办“三资”企业，率先进行价格改革，率先改革投资体制，率先进行金融体制改革，率先实行土地有偿转让，率先实行产权制度改革，等等，在建立和完善社会主义市场经济体制方面走在全国前列。同时，政治、文化和社会等领域的改革也取得了重大进展。

实现了从封闭半封闭向全方位开放的历史性转变。积极加强对外往来和友好合作，努力推进与港澳地区和内地省市区的区域经济合作，大力实施“走出去”战略，形成了多层次、多形式、多功能的全方位对外开放新格局。对外贸易不断扩大，1978—2007年，广东进出口总额增长近400倍，约占全国的30%；到2007年底，累计实际利用外资达到1945亿美元，约占全国的1/5；全省经核准的非金融类境外企业已超过1800家，业务遍及90多个国家和地区。

实现了从温饱向宽裕型小康迈进的历史性跨越。改革开放30年是人民群众得到最多实惠的时期。1978—2007

年，全省城镇居民人均可支配收入、农民人均纯收入分别增加了43倍和29倍，居民消费结构优化，公共服务明显增加，人民生活水平总体达到小康，珠三角地区率先达到宽裕型小康。经济快速发展提供了越来越多的就业岗位，大量的外来务工人员在广东安居乐业。社会保障体系加快向城乡居民覆盖，保障能力不断增强。教育、文化、卫生、体育等各项事业迅速发展。

30年来，广东充分利用毗邻港澳的地理优势，大力推进粤港澳合作，对香港、澳门顺利回归祖国并保持繁荣稳定发挥了重要的促进作用，为彰显“一国两制”伟大构想的成功实践作出了积极贡献。作为中国先发展起来的区域之一，广东十分注重推动国家区域发展总体战略的实施，努力帮助和带动中西部地区发展，为促进全国共同发展、共同富裕发挥了重要作用。

广东的实践雄辩地证明，改革开放符合党心民心、顺应历史潮流，方向和道路是完全正确的。只要坚定不移地推进改革开放，广东就一定能继续书写科学发展的奇迹，中国特色社会主义道路就一定会越走越宽广。

第二，研究广东改革开放，要深入概括广东改革开放30年的宝贵经验，进一步开创改革开放和社会主义现代化建设新局面。

广东作为全国改革开放的试验区，每前进一步都离不开党中央的亲切关怀和正确领导，都是坚定不移学习实践中国特色社会主义理论、坚定不移贯彻党的路线方针政策的结果。1992年春，邓小平同志视察南方发表重要谈话，要求广东“力争用二十年的时间赶上亚洲‘四小龙’”。2000年春，江泽民同志视察广东，提出了“三个代表”重要思想，要求广东“增创新优势，更上一层楼，率先基本实现社会主义现代化”。2003年春，胡锦涛总书记视察广东，提出了科学发展观的思想，要求广东抓住机遇，加快发展、率先发展、协调发展，在全面建设小康社会、加快推进社会主义现代化进程中更好地发挥排头兵作用。广东时刻牢记中央的重托，始终坚持以邓小平理论、“三个代表”重要思想为指导，深入贯彻落实科学发展观，坚定不移地用党的创新理论武装头脑、指导实践、推动工作，结合广东实际创造性地贯彻落实中央的路线、方针、政策，努力为全国的改革开放探索道路、积累经验、做出贡献。

坚持以解放思想引领改革开放，不断冲破不合时宜的观念束缚。我们深刻认识到解放思想是正确行动的先导，是扫除思想障碍、引领发展的“法宝”，是推动改革开放的强大动力。我们坚持一切从实际出发，求真务实，求新思变，积极将解放思想形成的共识，转化为政策、措施、制度和法规，把解放思想贯穿于改革开放和社会主义现代化建设的全过程。

坚持以经济建设为中心，推动经济社会又好又快发展。我们深刻认识到发展对于全面建设小康社会、加快推进社会主义现代化，具有决定性意义。我们坚持把发展作为党执政兴国的第一要务，牢牢扭住经济建设这个中心，坚持聚精会神搞建设、一心一意谋发展，不断解放和发展社会生产力。着力把握发展规律、创新发展理念、转变发展方式、破解发展难题，不断提高发展质量和效益，推动经济社会又好又快发展，为率先基本实现社会主义现代化打下坚实基础。

坚持以人为本，激发和保护人民群众的积极性和创造

性。我们深刻认识到全心全意为人民服务是党的根本宗旨，党的一切奋斗和工作都是为了造福人民。我们始终把实现好、维护好、发展好最广大人民的根本利益作为党和国家一切工作的出发点和落脚点，尊重人民主体地位，发挥人民首创精神，保障人民各项权益，走共同富裕道路，促进人的全面发展，做到发展为了人民、发展依靠人民、发展成果由人民共享。

坚持全面协调可持续发展，积极构建社会主义和谐社会。我们深刻认识到社会和谐是中国特色社会主义的本质属性，科学发展与社会和谐是内在统一的，没有科学发展就没有社会和谐，没有社会和谐也难以实现科学发展。我们按照民主法治、公平正义、诚信友爱、充满活力、安定有序、人与自然和谐相处的总要求和共同建设、共同享有的原则，着力解决人民最关心、最直接、最现实的利益问题，努力形成全体人民各尽其能、各得其所而又和谐相处的局面，为发展提供良好社会环境。

坚持统筹兼顾，以世界眼光谋划广东的发展。我们深刻认识到统筹兼顾是在新的历史条件下保证中国特色社会主义事业顺利推进的根本方法。我们统筹城乡发展、区域发展、经济社会发展、人与自然和谐发展、国内发展和对外开放，统筹个人利益和集体利益、局部利益和整体利益、当前利益和长远利益，充分调动各方面积极性。着力把握国内国际两个大局，树立世界眼光，加强战略思维，善于从国际形势发展变化中把握发展机遇、应对风险挑战，营造良好国际环境。

坚持加强和改进党的自身建设，充分发挥党的领导核心作用。我们深刻认识到做好各项工作关键在党。我们坚持党要管党、从严治党，以提高执政能力和保持先进性为重点，贯彻为民、务实、清廉的要求，抓理想塑灵魂，抓班子带队伍，抓基层打基础，抓作风反腐败，全面加强党的自身建设，充分发挥领导核心作用，不断提高各级党组织的凝聚力、创造力和战斗力，为促进改革发展稳定提供坚强政治保证。

这些经验，既是广东历届省委、省政府带领全省干部群众锐意进取、开拓创新取得的宝贵精神财富，又是广东继续开创改革开放新局面必须坚持的重要原则。

第三，研究广东改革开放，要继续解放思想、坚持改革开放，努力争当实践科学发展观的排头兵。

改革开放是广东的魂。广东靠改革开放起步，也靠改革开放起飞；广东靠改革开放赢得今天，也必须靠改革开放开创未来。经过30年的快速发展，广东已经站在新的历史起点之上，改革开放面临着新机遇、新挑战和新任务。我们要继承和发扬改革开放初期敢为人先的精神和气魄，继续解放思想，坚持改革开放，努力争当实践科学发展观的排头兵，把广东建设成为提升我国国际竞争力的主力省，探索科学发展模式的试验区，发展中国特色社会主义的先行地。

一是继续解放思想，坚定不移地走在实践科学发展的前列。解放思想永无止境。要按照科学发展观的要求，打破阻碍科学发展的思维定势，加快转变发展方式，着力提高自主创新能力，积极建设现代产业体系，切实增强可持续发展能力，使速度、结构、效益相协调，人口、资源、环境相协调，消费、投资、出口相协调，城乡、区域发展相协调，促进经济社会又好又快发展。

二是不断深化改革，坚定不移地走在构建有利于科学发展体制机制的前列。以行政管理体制改革、财政和投融资改革、要素市场体系建设等为重点，统筹经济和社会事业改革，加快建立完善的市场经济体制机制，形成市场配置资源、企业自主发展、政府科学调控的良好格局。建立健全科学发展的综合考核体制，把贯彻落实科学发展观的目标要求转化为可考核的客观指标。

三是继续扩大开放，坚定不移地走在提高区域国际竞争力的前列。要树立全局和世界眼光，抢抓经济全球化和区域经济一体化的发展新机遇，加快构建粤港澳紧密合作区，加强与美国、日本、欧盟等发达国家和地区以及与东盟等新兴经济体的合作，加快完善内外联动、互利双赢、安全高效的开放型经济体系，不断扩大开放领域，优化开放结构，提高开放水平，增创广东国际竞争新优势。

四是着力改善民生，坚定不移地走在构建社会主义和谐社会的前列。要坚持民生为重，稳步实施城乡居民收入倍增计划，加快完善覆盖城乡惠及全民的社会保障网，切实解决住房、医疗、教育和食品安全等突出民生问题，使全体人民学有所教、劳有所得、病有所医、老有所养、住有所居，努力实现好、维护好、发展好最广大人民群众的根本利益，推进和谐广东建设。

五是以改革创新精神全面推进党的建设新的伟大工程，坚定不移地走在加强和改进党的建设的前列。要把党的执政能力建设和先进性建设作为主线，坚持党要管党、从严治党，以坚定理想信念为重点加强思想建设，以造就高素质党员、干部队伍为重点加强组织建设，以保持党同人民群众的血肉联系为重点加强作风建设，以健全民主集中制为重点加强制度建设，以完善惩治和预防腐败体系为重点加强反腐倡廉建设，使党始终成为领导改革开放和社会主义现代化建设的坚强核心。

广东有辉煌的过去、美好的现在，一定会有灿烂的未来。这次出版的《广东改革开放30年研究丛书》，对广东改革开放30年巨大成就、实践经验和未来前进方向等问题进行了系统总结和深入研究，内容涵盖经济、政治、文化、法律、城市、农村、科技、教育、社会、党建等10个方面，为全面深入研究广东改革开放做了大量有益工作，迈出了重要一步。在隆重纪念改革开放30周年之际，希望全社会高度重视广东改革开放问题的研究，希望有更多的专家学者和实际工作者积极投身到广东改革开放问题研究中去，进一步把广东改革开放的伟大意义、巨大成就、成功经验和前进方向总结好、阐述好、宣传好，为推动广东现代化建设迈上新台阶，开辟广东更加美好的未来作出更大的贡献！

（作者系中共中央政治局委员、广东省委书记）

目　录

前言

1978年，在百废待兴的日子里，一场影响深远的复苏正在中华大地上悄然进行，建国以来党的历史上具有深远意义的会议——中共十一届三中全会——在北京召开，就是在这次会议上，中国共产党作出了决定当代中国命运的关键选择。针对我国政治经济发展的现实，在这次会议上，我们党和国家重新确立了解放思想，实事求是的思想路线，作出了改革开放的战略举措，开辟了中国特色社会主义道路。从此，我国社会主义建设事业进入了一个崭新的时代，古老的中国迎来了前所未有的大变革。用诗人的话说：时间开始了！

在这场声势浩大的革命中，广东省自始至终高举改革开放的伟大旗帜，站在历史浪潮的最前沿。1978年，广东省主动请缨，临危受命，按照中央提出的“杀出一条血路来”的要求见证了改革开放这一伟大的历史时刻，开启了广东省改革开放事业的征途。1992年，邓小平南方视察，神州大地又一次春潮涌动，中国的改革开放和社会主义现代化建设事业进入了一个更高更新的发展阶段。在邓小平南方讲话的鼓舞下，广东省继续解放思想，不断深化改革开放，再一次站在历史的最前沿。到了2008年，我们迎来了改革开放30年。30年来，广东省艰苦奋斗，自强不息，亲历了改革开放的风云变幻，艰苦曲折；30年来，广东省大胆试错，小心践行，为中国特色社会主义的伟

大实践试水探路；30年来，广东省锐意进取，兼容并包，铸就了广东的魂与根，成就了广东省历史上前所未有的辉煌和荣耀，为实现中华民族伟大复兴谱写了光辉的一页。

尽管1978年以来改革开放的起点和立足点都在经济改革，但是，改革开放不单纯是经济领域的改革和发展，改革开放是我国社会主义历史新时期国家在政治、经济、文化等领域全方位的转型。同样，作为改革开放先锋的广东省所进行的改革不仅承载了经济功能，还承载了更为广泛的政治、法律、文化、教育、技术功能。可见，作为上层建筑的民主法治建设是广东省改革开放整体功能中的重要环节。事实也证明，30年来，在改革开放的伟大历史背景之下，在解放思想的伟大旗帜的指导下，广东人民勇于开拓创新，顺应世界发展的潮流，迈入一个法治的时代，为中国政治文明的繁荣谱写了光辉的一页。30年来，在历届广东省委的领导下，在人大、政协、“一府两院”的大力推进下，广东省在法制建设的方方面面取得了前所未有的成就。

在地方人大立法层面。30年来，地处改革开放前沿腹地的广东省、广州市、深圳市、珠海市、汕头市以及几个地方自治县的人大与常委会在中国共产党的领导下，以邓小平理论、“三个代表”重要思想、科学发展观为指导思想，紧紧围绕中共广东省委关于改革和发展的重大决策开展地方立法工作。在地方市场经济、环境资源保护、城市管理、公民权利保障、基础产业、规范政府权力、人大自身建设等领域制定了一系列的地方法规，为广东省改革开放构筑了一个相对完备的法律体系。

在构建法治政府层面。30年来，广东省地方各级人民政府高举中国特色社会主义伟大旗帜，以邓小平理论和“三个代表”重要思想为指导，深入贯彻落实科学发展观，执行党的路

线方针政策，全面履行政府职能，坚持依法行政、合理行政、程序正当、高效便民、诚实守信和权责统一，不断完善在行政立法、行政执法和行政复议等领域的工作，已经建立了一个相对完善的法治政府。

在人民检察和人民审判的司法领域。30 年来，广东省各级人民检察院和各级人民法院从维护司法公正出发，不断完善检察系统和审判系统的组织机构、人员队伍和业务能力，在司法改革总体目标的推进下，大胆创新，积极探索，在法律规定的范围内实行改革的新措施，以改革保公正，以改革促效率，以改革求发展，促进了检察工作和审判工作的深入发展，取得了良好的法律效果和社会效果。

在司法行政工作方面。广东省在改革开放以来的30 年间也实践和提出了很多值得全国其他地方借鉴的优良经验。在法制宣传、法制教育、律师制度、仲裁、公证、司法鉴定制度、基层司法与基层法律服务、监狱与劳动教养制度等领域的司法行政工作取得了卓越的成就，对广东省经济社会的发展起了非常重要的保障和促进作用。

在人类历史的长河中，30 年不过是弹指一挥间。但是，置身于近代中国法制的发展脉络中，30 年来广东省法治建设成就却续写了中国百年来的变法图存历史画卷中崭新的一页，是中国百年法制变革进程中浓墨重彩的一笔。历史和现实告诉我们，依法治国，建设社会主义法治国家，是我国政治体制改革的一项重要内容，也是社会主义政治文明建设的重要组成部分，它对建设中国特色的社会主义，促进市场经济的全面发展具有重要意义。为此，也为了纪念广东法制发展30 年的辉煌成就，更为了总结广东法制发展30 年的历史经验，本书将从广东省地方人大立法、法治政府构建、地方检察和审判、司法行政工作四个领域来提炼、回顾与记录过去30 年来广东省法

制建设的风雨苍华和光辉伟大。

本书所提及的地方性法规、地方规章括号后面的时间，无如特别注明，一律为地方性法规、地方规章的通过时间。

第一章
改革与变法
——30 年来的广东地方立法

法治是人类文明的标志，一个国家的法治发展状况，代表着这个国家政治文明的水准。由于各种复杂的原因，在我国实行“依法治国，建设社会主义法治国家”经历了一个长久而曲折的历史过程。建国初期，在废除旧法制的基础上新中国建立了社会主义法制，但是，由于受“左”倾思潮的影响，“文化大革命”十年陷入了法律虚无主义的泥潭，社会主义法制建设的成就几乎丧失殆尽。1978 年党的十一届三中全会召开，邓小平同志总结了国内与国际的历史经验，提出了发展社会主义民主与建设社会主义法制的方针，从此，我国法制建设迈入了新的起点。1997 年中国共产党的十五大把“依法治国，建设社会主义法治国家”确定为党领导人民治理国家的基本方略。1999 年 3 月，九届全国人大二次会议通过的宪法修正案规定：“中华人民共和国实行依法治国，建设社会主义法治国家。”从此，依法治国不仅是中国共产党领导人民治理国家的政治方略，它还是我国宪法的一项基本原则。

依法治国，就是广大人民群众在党的领导下，依照宪法和法律的规定，通过各种途径和形式，管理国家事务，管理经济和文化事业，管理社会事务，保证国家各项工作都依法进行，逐步实现社会主义民主的制度化、法律化，使这种制度和法律不因领导人的改变

而改变，不因领导人看法和注意力的改变而改变。依法治国的首要前提是要有法可依，具体来说，依法治国之“法”在形式要件方面的要求是，一个部门齐全、结构严谨、内部和谐、体例科学和协调发展的完备的法律体系；在实质要件方面，依法治国之“法”应当充分体现社会主义的价值取向和现代法律的基本精神。可见，立法是建立法治的基本前提，是社会主义法制建设的首要环节，也是推动科学发展最有力的武器。只有有法可依，才有可能实现依法治国。30年来，改革开放向广东地方立法工作提出了前所未有的挑战，广东地方立法又为改革开放提供了契机和保障。回顾30年来的立法进程，一个个耀眼的亮点，不仅折射着广东省在经济、政治、文化和社会各个领域的不断创新和进步，也见证了广东省在构建法治广东、和谐广东的社会主义事业上的伟大实践。

●1980年2月2日，通过《广东省计划生育条例》。

这是广东省制定的第一个地方性法规。该条例在全国率先明确规定夫妻双方均有实行计划生育的义务；实行计划生育的合法权益受法律保护，不实行计划生育是违法行为等。首开全国计划生育先河。

●1981年11月17日，通过《深圳经济特区土地管理暂行规定》。

该条例果敢地将土地使用权和所有权分开，确定特区土地有偿使用和转让制度。这一创举，不仅促进了特区经济的发展，而且为随后《宪法》和《土地管理法》的修订提供了有益的借鉴，成为中国土地改革新起点。

●1986年7月30日，通过《广东省技术市场管理规定》。

该条例首开我国技术市场立法先河。这个法规明确规定技术是商品，是技术成果商品化的一个重大突破。

●1992年7月1日，第七届全国人民代表大会常务委员会作出的《第七届全国人民代表大会第二次会议关于国务院提请审议授权深圳市制定深圳经济特区法规和规章的议案的决定》授予深圳市人民代表大会及其常务委员会立法权。

截至2008年4月1日，深圳市人大及其常委会共通过法规及有关法规问题的决定265项，覆盖了全市经济、政治、社会和文化的方方面面。

●1993年5月14日，通过《广东省公司条例》。

在全国率先以地方性法规的形式倡导产权明晰、管理科学的现代企业制度，成为当时国内最完备的一部规定现代公司制度的地方性法规。

●1993年，委托专家学者起草法规草案。

广东省八届人大常委会第五次会议通过的《广东省经纪人管理条例》，记载了在立法程序和立法形式上的重大突破，是国内立法机关首次委托专家学者起草法规草案。

●1995年《深圳经济特区律师条例》出台。

该条例在律师体制、律师行业管理，尤其是率先规定律师提前介入案件，为1995年的《律师法》和1997年《刑事诉讼法》的修订，提供了宝贵的经验。

●1996年3月，八届全国人大四次会议通过《关于授权汕头市和珠海市人大及其常委会、人民政府分别制定法规和规章在各自的经济特区实施的决定》，授权珠海市和汕头市人大及其常委会根据经济特区的具体情况和实际需要，遵循宪法的规定以及法律和行政法规的基本原则，制定法规，在经济特区实施，并报全国人大常委会、国务院和所在省的人大常委会备案。

●1999年，广东省人大常委会就《广东省建设工程招标投标管理条例（修订案）》的修订首次公开举行立法听证会，广泛征求社会各界意见。

这次立法听证会是广东省地方立法历史上的一个标志性事件，是完善立法技术和立法程序的一次尝试，也是对我国立法民主化进程的一大贡献。

●2000年7月28日，通过《广东省各级人民代表大会常务委员会讨论决定重大事项规定》。

该规定对本行政区域内的重大事项作了初步的具体界定，规定了讨论决定重大事项的程序、规划和时限。这是全国首部各级人大常委会讨论决定重大事项的地方性法规。

●2000年9月建立了立法顾问制度。

为了充分发挥法学、经济学等理论工作者和具有较丰富立法实践经验的专家在广东省立法工作中的参谋作用，2000年9月，广东省人大建立了立法顾问制度，首次聘任7位省九届人大常委会立法顾问，2004年又聘任了20位省十届人大常委会立法顾问，安排每个立法顾问参与2到4个法规草案的调研、论证和修改工作，提高了立法工作的科学性。

●2003年7月25日，广东省十届人大常委会第五次会议废止《广东省收容遣送管理规定》。

2003年孙志刚在收容所被收容人员救治站人员殴打致死之后，国务院颁布《城市生活无着落的流浪乞讨人员救助管理办法》，同时废止《城市流浪乞讨人员收容遣送办法》。基于“立、改、废”并重，维护国家法制统一的原则，在国家废除收容遣送制度之后，广东省人大常委会及时废止了不适应人权保障和形势发展需要的《广东省收容遣送管理规定》。

●2003年11月开始，广东省人大向社会公开征集立法项目和法规草案稿。

在此之前，广东省人大已在全国率先就与群众利益密切相关的法规草案公开征求意见，而此举更意味着公民参与立法已从对拟定的法规条文发表意见，进入到法规的立项甚至法规草案的拟就层面。这无疑是广东省地方立法民主化迈出的一大步。

●2005年10月1日，《广东省政务公开条例》经省十届人大常委会第十九次会议通过。

这是全国省级人大首次为政务公开制定的法规。该条例是继《广东省村务公开条例》、《广东省厂务公开条例》之后出台的又一个重要法规。条例的出台标志着广东省政务公开工作已经纳入法制轨道，是基层民主建设的一件大事，是打造阳光政府的重要举措。

●2007年5月31日，广东省十届人大常委会第二十二次会议

全票通过了新修订的《广东省实施〈中华人民共和国妇女权益保障法〉办法》。

该办法从实际出发，对涉及妇女权益保障的政治权益、文化教育权益、劳动和社会保障权益、财产权益、人身权利、婚姻家庭权益保障等方面作出了全面、具体规定，体现了广东的地方特色，增强了适用性、针对性、操作性和时代性，使保障妇女权益、促进男女平等有了更坚实的法律后盾。

…………

地方立法是我国社会主义立法体制的重要组成部分，是地方人大及其常委会行使地方国家权力的重要途径。在不同宪法、法律和行政法规相抵触的前提下，根据本地方的具体情况和实际需要，制定地方性法规，对本行政区域内重要的经济社会生活关系进行规范，从而实现本行政区域经济社会健康有序发展，这是宪法和法律赋予地方人大及其常委会的重要职权。切实履行好这一重要职权，加强地方立法，对于推进依法治国基本方略的实施，促进和保障社会主义现代化建设顺利进行，具有十分重大的意义。30 年来，广东省各级人民代表大会及其常委会在立法工作中坚定不移地坚持党的领导，践行邓小平理论、“三个代表”重要思想和科学发展观，把发展和健全社会主义民主法制作为人大工作的根本任务，人大立法在质和量、内容和方式上一直走在全国前列，在规范市场经济秩序、完善市场经济体制、深化行政管理体制改革、完善重大事项决策制度、保护公民的合法权益、生态环境保护、加强文化建设等领域中取得了举世瞩目的成就，铸就了我国法制建设领域的“广东现象”。

一、30 年来广东省地方立法权限的变迁

30 年来，随着改革的深入，广东省地方立法权经历了一个从无到有，再到立法权多元化的发展过程。根据 1979 年《地方各级人民代表大会和地方各级人民政府组织法》的规定，广东省人民

代表大会享有地方立法权；根据1981年全国人大常委会的授权决议，广东省人民代表大会常务委员会享有制定经济特区经济法规的立法权；根据1982年《宪法》，广东省人民代表大会常务委员会享有地方立法权；至此，广东省人民代表大会及其常务委员会的地方立法权正式确立。1992年深圳经济特区的人民代表大会及其常委会获得了全国人大常委会的授权立法；1996年珠海和汕头经济特区的人民代表大会及其常委会获得了全国人大常委会的授权立法；2000年《立法法》确认了广州市、深圳市、珠海市、汕头市的人民代表大会及其常委会较大的市的地方立法权。至此，广东省形成了以广东省人民代表大会及其常委会为主体，以广州市、深圳市、珠海市、汕头市的人民代表大会及其常委会为辅助的多元多层次的地方立法体制。此外，广东省的三个民族自治地方——连山壮族瑶族自治县、连南瑶族自治县和乳源瑶族自治县的人民代表大会也享有制定自治条例和单行条例的立法权。30年来，在邓小平理论、“三个代表”重要思想和科学发展观的指引下，在广东省委的领导下，经过多方面的共同努力，广东省各级地方立法工作取得了卓然的成绩。

根据现行《宪法》、《地方各级人民代表大会和地方各级人民政府组织法》和《立法法》的规定，广东省享有地方立法权的主体有：

（一）广东省人民代表大会及其常委会

广东省人民代表大会，是广东省行政区域的地方国家权力机关。按照法律规定，广东省人民代表大会由下一级人民代表大会和驻粤部队选举产生的代表组成。从1953年至今，广东省人民代表大会已经经历10届。1977年“文化大革命”刚刚结束，广东省人民代表大会第五届一次会议在广州举行。1979年成立广东省人大常委会，自此，广东省人大历史掀开了崭新的一页。

广东省人大及其常委会的立法权经历了一个不断发展和完善的过程。根据1979年《地方各级人民代表大会和地方各级人民政府

组织法》的规定，只有广东省级人民代表大会才有权制定地方性法规。之后为了适应特区开放和发展的需要，1981 年 11 月 26 日第五届全国人大常委会第二十一次会议通过了《关于授权广东省福建省人民代表大会及其常委会制定所属经济特区的各项单行经济法规的决议》，据此，广东省人大常委会享有为经济特区制定经济法规的授权立法权。1982 年《宪法》第一百条正式规定了省级地方人大常委会的立法权。至此，我国省级人大常委会的地方立法权才真正确立。

自 1979 年 12 月至 2008 年 5 月，广东省人大及其常委会根据《宪法》、《地方各级人民代表大会和地方各级人民政府组织法》和《立法法》的规定，结合广东省改革开放和社会发展的实际需要，制定和批准的地方性法规和有关法律问题的决定、决议总数为 532 项（省人民代表大会制定 7 项），修改决定和修正案 115 项除外。具体来说，制定和批准地方性法规 483 项，其中，制定本省的地方性法规 280 项，批准较大的市的地方性法规 191 项（广州市 112 项、深圳市 33 项、珠海市 28 项、汕头市 18 项）；批准自治条例和单行条例 12 项；制定和批准有关法律问题的决定、决议 49 项，其中，制定本省有关法律问题的决定、决议 32 项，批准广州市有关法律问题的决定、决议 14 项，批准自治县有关法律问题的决定、决议 3 项。

（二）广州市人民代表大会及其常委会

根据《地方各级人民代表大会和地方各级人民政府组织法》和《立法法》的规定，广州市人大及其常委会根据本市的具体情况和实际需要，在不同宪法、法律、行政法规和本省、自治区的地方性法规相抵触的前提下，可以制定地方性法规，报省、自治区的人民代表大会常务委员会批准后施行，并由省、自治区的人民代表大会常务委员会报全国人民代表大会常务委员会和国务院备案。

迄今为止，广州市人大及其常委会根据《宪法》、《地方各级人民代表大会和地方各级人民政府组织法》和《立法法》的规定，结合广州市经济、政治、文化和社会发展的实际需要，共制定地方性法规112项。

（三）深圳市人民代表大会及其常委会

根据1992年7月1日第七届全国人大常委会第二十六次会议作出的《第七届全国人民代表大会第二次会议关于国务院提请审议授权深圳市制定深圳经济特区法规和规章的议案的决定》，第七届全国人民代表大会常务委员会第二十六次会议审议了国务院关于提请授权深圳市人民代表大会及其常务委员会和深圳市人民政府分别制定深圳经济特区法规和深圳经济特区规章的议案，决定授权深圳市人民代表大会及其常务委员会根据具体情况和实际需要，遵循宪法的规定以及法律和行政法规的基本原则，制定法规，在深圳经济特区实施，并报全国人民代表大会常务委员会、国务院和广东省人民代表大会常务委员会备案；授权深圳市人民政府制定规章并在深圳经济特区组织实施。

根据《立法法》第六十五条："经济特区所在地的省、市的人民代表大会及其常务委员会根据全国人民代表大会的授权决定，制定法规，在经济特区范围内实施。"深圳经济特区继续拥有特区立法权。根据《立法法》第六十三第二款："较大的市的人民代表大会及其常务委员会根据本市的具体情况和实际需要，在不同宪法、法律、行政法规和本省、自治区的地方性法规相抵触的前提下，可以制定地方性法规，报省、自治区的人民代表大会常务委员会批准后施行。"深圳还拥有了较大的市的地方立法权。

至此，深圳市的立法权有两种权源，一是《立法法》直接规定的"较大的市"立法权，根据该立法权限，深圳市人大及其常委会可制定通行全市六区的地方性法规；二是全国人大或者常委会特别授予的"特区立法权"，根据该立法权限，深圳市人大及其常委会可以制定先行性、试验性的特区条例，当然，特区条例只适用于特区内的福田、罗湖、南山、盐田四区，宝安区和龙岗区被排除在外。

截至2008年4月1日，深圳市人大及其常委会根据《第七届全国人民代表大会第二次会议关于国务院提请审议授权深圳市制定深圳经济特区法规和规章的议案的决定》行使“特区立法权”，共通过法规及有关法规问题的决定265项。

自2000年获得“较大的市”的立法权至2008年3月，深圳市人大及其常委会根据《宪法》、《地方各级人民代表大会和地方各级人民政府组织法》和《立法法》的规定，结合深圳市经济、政治、文化和社会发展的实际需要，共制定地方性法规33项。

（四）珠海市人民代表大会及其常委会

1996年3月，第八届全国人大第四次会议通过《关于授权汕头市和珠海市人大及其常委会、人民政府分别制定法规和规章在各自的经济特区实施的决定》，授权珠海市人大及其常委会根据经济特区的具体情况和实际需要，遵循宪法的规定以及法律和行政法规的基本原则，制定法规，在经济特区实施，并报全国人大常委会、国务院和所在省的人大常委会备案。

根据《立法法》第六十五条：“经济特区所在地的省、市的人民代表大会及其常务委员会根据全国人民代表大会的授权决定，制定法规，在经济特区范围内实施。”珠海经济特区继续拥有特区立法权。根据《立法法》第六十三第二款：“较大的市的人民代表大会及其常务委员会根据本市的具体情况和实际需要，在不同宪法、法律、行政法规和本省、自治区的地方性法规相抵触的前提下，可以制定地方性法规，报省、自治区的人民代表大会常务委员会批准后施行。”珠海市还拥有了较大的市的立法权。

所以，同深圳市一样，珠海市也享有“双重立法权”，既享有经济特区立法权，又享有地方立法权。

截至2008年3月，珠海市人大及其常委会根据《关于授权汕头市和珠海市人大及其常委会、人民政府分别制定法规和规章在各自的经济特区实施的决定》行使“特区立法权”，共制定法规24项。

自2000年获得“较大的市”的立法权至2008年3月，珠海市人大及其常委会根据《宪法》、《地方各级人民代表大会和地方各级人民政府组织法》和《立法法》的规定，结合珠海市经济、政治、文化和社会发展的实际需要，共制定地方性法规28项。

（五）汕头市人民代表大会及其常委会

1996年3月，第八届全国人大第四次会议通过《关于授权汕头市和珠海市人大及其常委会、人民政府分别制定法规和规章在各自的经济特区实施的决定》，授权汕头市人大及其常委会根据经济特区的具体情况和实际需要，遵循宪法的规定以及法律和行政法规的基本原则，制定法规，在经济特区实施，并报全国人大常委会、国务院和所在省的人大常委会备案。

根据《立法法》第六十五条：“经济特区所在地的省、市的人民代表大会及其常务委员会根据全国人民代表大会的授权决定，制定法规，在经济特区范围内实施。”汕头经济特区继续拥有特区立法权。根据《立法法》第六十三第二款：“较大的市的人民代表大会及其常务委员会根据本市的具体情况和实际需要，在不同宪法、法律、行政法规和本省、自治区的地方性法规相抵触的前提下，可以制定地方性法规，报省、自治区的人民代表大会常务委员会批准后施行。”汕头市还拥有了较大市的立法权。

同深圳、珠海一样，汕头市也享有“双重立法权”，既享有经济特区立法权，又享有地方立法权。

从1996年3月至2007年12月，汕头市人大及其常委会根据《关于授权汕头市和珠海市人大及其常委会、人民政府分别制定法规和规章在各自的经济特区实施的决定》行使“特区立法权”，共通过法规29项。

自2000年获得“较大的市”的立法权至2008年3月，汕头市人大及其常委会根据《宪法》、《地方各级人民代表大会和地方各级人民政府组织法》和《立法法》的规定，结合汕头市经济、政治、文化和社会发展的实际需要，共制定地方性法规18项。

（六）连山壮族瑶族自治县、连南瑶族自治县和乳源瑶族自治县的人民代表大会

根据《立法法》和《民族区域自治法》规定，广东省这三个民族自治地方的人民代表大会有权依照当地民族的政治、经济和文化的特点，制定单行条例，可以依照当地民族的特点，对法律和行政法规的规定作出变通规定。

截至2008年3月，广东省的三个民族自治地方的人民代表大会共制定自治条例和单行条例12项。

二、30年来广东省地方立法历程回顾

“依法治国，建设社会主义法治国家”是我国宪法确立的基本治国方略，是我国社会主义政治文明的重要组成部分，也是现代社会发展的一个重要趋势和时代特征。中国社会主义法治事业的成败，直接影响着中国特色社会主义事业的成败。“法治的前提是有一套内部逻辑一致而且由全体社会成员的一致同意而产生的法律规则”，因此，在法治建设的系统工程中，立法是一个首要且重要的环节，有法可依是社会主义法治建设顺利进行的基础和前提。

30年来，地处改革开放前沿腹地的广东省，特别是广州市、深圳市、珠海市、汕头市以及几个民族自治县的人大与常委会紧紧围绕中共广东省委关于改革和发展的重大决策开展工作，在保证一定数量的基础上，把提高立法质量作为重点，积极探索、不断推进立法工作的科学化、民主化，努力把立法同改革开放的重大布局结合起来，通过立法反映人民群众愿望、维护人民群众根本利益，通过立法来回应经济、政治、文化和社会等各个方面的需求，经由立法来引导改革开放的健康运行，借助立法来完善地方政府行政权力运行机制和市场运行监管机制，从而促进改革和发展，推进广东省社会主义法治建设。

具体来说，广东省的地方立法发展大致经历了四个阶段。

第一阶段是 1979 年 12 月到 1984 年，这是广东省地方立法的起步探索阶段。根据 1979 年 7 月党中央、国务院批准的广东省委关于发挥广东优越条件、扩大对外贸易、加快经济发展的报告精神，广东省提出要尽快制定一些必要的经济法令、条例和规章制度。其中加强经济特区立法，建立和完善外商投资法律环境，就成为这一时期广东地方立法的主要任务。

第二阶段是 1985 年到 1992 年，这是广东省地方立法初步发展阶段。这一时期广东地方立法围绕经济发展这个中心开始进入初步发展阶段，在这个阶段广东地方人大大胆创新，在经济立法方面已经走在全国前列。

第三阶段是 1993 年至 1999 年，这是广东地方立法加快发展阶段。邓小平南方视察发表讲话后，我国从宪法上正式确立了建立社会主义市场经济体制的目标。相应的，在市场经济建设立法领域，广东省地方人大也加快了步伐。这一阶段立法的一个突出特征是数量多，作为立法“试验田”的广东省的人大立法工作硕果累累，每年制定的法规都在十项以上。根据统计，仅 1993 年到 1998 年五年时间所制定的地方法规就超过了 1979 年到 1992 年 13 年的总和。

第四阶段是 2000 年《立法法》颁布实施后，广东省地方立法进入规范提高阶段。这个时期在思想上，广东省地方立法以邓小平理论、“三个代表”重要思想、科学发展观为指导思想，在立法理念上，广东省地方立法不断贯彻落实以人为本，立法为民；在立法领域上，这个阶段广东地方立法的领域不断拓展，从过去侧重经济立法转向以经济立法为中心，通过立法促进政治、文化和社会各个领域的科学发展；从立法工作思路上看，这个阶段立法工作以提高立法质量为重点，立法开始从数量向质量转移；在立法方式上，坚持科学立法、民主立法，立法技术和立法程序等立法制度也不断成熟和健全。

（一）广东省地方立法的起步探索阶段（1979—1984 年）

从 1978 年 12 月中共十一届三中全会到 1984 年 10 月《中共中央关于经济体制改革的决定》发表，是广东省地方立法的创立阶段。在这个历史时期，广东省的基本状况体现在两个方面。一方面，当时的广东省地方经济十分落后。当时的广东作为一个农业省，实施的是计划经济体制，农副产品全面匮乏，粮食不足，蔬菜有限，鱼肉禽蛋紧缺，消费资料工业品也是极端缺乏。因此，这个阶段广东省改革的一个特点是：以放开价格和改革经济体制为突破口，打破传统的计划经济体制，针对计划经济体制明显阻碍特区建设的一些方面进行局部改革。另一方面，试办经济特区是这个时期广东省改革开放的重要内容，因此，在这一时期，广东省对经济特区的立法相当重视，并把建立和完善外商投资法律环境作为中心任务。所以，这个历史时期，广东省地方立法的特点集中体现为：通过推进广东地方经济发展，即充分利用国家授予的地方立法权来推动经济特区改革与发展。具体来说，这个时期的地方立法从广东省的实际出发，初步探索广东省地方性立法的发展方向，把中央赋予的在经济体制改革和对外开放中的特殊政策和灵活措施用地方性法规的形式确立下来，从而适应改革开放的迫切需要。

1. 《广东省经济特区条例》确立了经济特区建制和运作。

一个国家为了集中和有效地利用外国资金及技术在本国进行生产，发展贸易，繁荣经济而设置交通条件比较优越的特别地区，在这个地区推行对外开放政策和优惠制度，是吸收外国投资、实现国际经济合作的一种方式。试办经济特区是广东省实行特殊政策的重要内容，因此，在这一时期，广东省人大对经济特区的立法相当重视。1980 年 4 月 15 日，《广东省经济特区条例》经广东省第五届人大常委会第三次会议通过，并经 1980 年 8 月 26 日第五届全国人大常委会第十五次会议批准执行。这部由广东省人大常委会会同广东省人民政府起草创制，再由国务院报全国人大常委会审议批准生效的地方性法规，为广东省三个经济特区的建制和运作构建了蓝图。

该条例由六个部分组成：第一章总则指出广东省设立经济特区的目的是“鼓励外国公民、华侨、港澳同胞及其公司、企业（以下简称客商），投资设厂或者与我方合作设厂，兴办企业和其他事业”，总则还明确表示：“特区为客商提供广阔的经营范围，创造良好的经营条件，保证稳定的经营场所。”第二章注册和经营，规定了客商在特区投资设厂，兴办各种经济事业的程序。第三章优惠办法，为客商在经济特区设厂兴办各种经济事业提供多种优惠，包括：① 客商用地的优惠。② 特区企业进口生产所必需的机器设备、零配件、原材料、运输工具和其他生产资料，免征进口税；对必需的生活用品，可以根据具体情况，分别征税或者减免进口税。③ 税收优惠，规定特区企业的所得税税率为百分之十五。第四章劳动管理，规定“各特区设立劳动服务公司。特区企业雇用中国职员和工人，或者由当地劳动服务公司介绍，或者经广东省经济特区管理委员会同意由客商自行招聘，都由企业考核录用，同职工签订劳动合同”。第五章规定了经济特区的组织管理权限：“广东省经济特区管理委员会行使以下职权：1. 制订特区发展计划并组织实施；2. 审核、批准客商在特区的投资项目；3. 办理特区工商登记和土地核配；4. 协调设在特区内的银行、保险、税务、海关、边检、邮电等机构的工作关系；5. 为特区企业所需的职工提供来源，并保护职工的正当权益；6. 举办特区教育、文化、卫生和各项公益事业；7. 维护特区治安，依法保护特区内人身和财产不受侵犯。”

2. 经济特区的配套法规完善了经济特区的投资环境。

美国著名跨国公司问题专家邓宁，将法律环境比喻为投资环境的“晴雨表”、“风向计”，是否有健全的法律法规，是投资者决定是否投资的重要方面。一个安定、可预期的法治环境是市场经济的必备条件，是外来投资者信心的保障。基于这种认识，广东省人大又相继为经济特区制定了一系列规范投资环境方面的单行法规，这

些地方性法规有力地促进了经济特区建设的快速健康发展。具体来说，根据《广东省经济特区条例》，广东省人大常委会陆续制定、施行了《广东省经济特区入境出境人员管理暂行规定》（1981年）、《广东省经济特区企业劳动工资管理暂行规定》（1981年）、《广东省经济特区企业登记管理暂行规定》（1981年）、《深圳经济特区土地管理暂行规定》（1981年）等单行法规，经济特区改革开放所需要的法律环境日趋完备。

《广东省经济特区入境出境人员管理暂行规定》

广东省的深圳、珠海、汕头三个经济特区毗邻港澳，外国人、华侨、港澳同胞、台湾同胞出入境频繁。为了保卫国家的主权和安全，1981年11月17日广东省人大通过了《广东省经济特区入境出境人员管理暂行规定》。该规定的适用对象是：从各经济特区境内的国家对外开放口岸和对外开放的特区专用口岸进入特区，或从特区出境的外国人、华侨、港澳同胞、台湾同胞。这一规定规范了广东省三个经济特区的边防检查制度，在保障符合条件的人员及行李物品等顺利入出境和防止违反边防检查规定、非法出入境方面发挥了重要作用。

《广东省经济特区企业登记管理暂行规定》

根据1979年《中华人民共和国中外合资经营企业法》和1980年通过的《广东省经济特区条例》，经济特区企业的经营范围十分广泛。一切在国际经济合作和技术交流中具有积极意义的工业、农业、畜牧业、养殖业、旅游业、住宅和建筑业、高级技术研究制造业，以及客商与特区共同感兴趣的其他行业，都可以投资兴办或与特区合资兴办。经营方式一般有：① 合资经营。为股权式合营，由客商依照《广东省经济特区条例》、《中华人民共和国中外合资经营企业法》及其实施细则，向特区提出申请，经审核、批准后，与特区举办合营企业。企业为有限责任公司，设有董事会，人员组成、投资比例等依中国法律及合同规定。在中国，合营企业还可采用客商、特区、内地三结合的联合经营方式。② 合作企业。指由客商投资，由中方合作者提供土地（场地）、资源和劳力共同兴办事业、企业，双方权利、义务由双方以合同形式予以确定，合作期满后设备全部归特区所有。③ 独资经营。指外资独资经营的企业。它通过与特区政府签订协议，取得企业用地，并商定使用期限、费用等事项，由客商独自经营。这种企业具有较大的独立性和自由权，但由其独自承担一切风险及经济责任。此外还有补偿贸易、来料对外加工装配等方式。

为了进一步细化和完善1979年《中华人民共和国中外合资经营企业法》和1980年《广东省经济特区条例》中有关特区外资企业、中外合资企业和合作企业的规定，广东省人大常委会于1981年制定了《广东省经济特区企业登记管理暂行规定》。该法规规定了特区企业成立、变更和终止的条件、程序等商事登记制度，是广东省管理特区企业的重要依据。具体来说，该规定具有以下几个方面的意义：① 规范了市场主体资格，为市场主体自主经营，平等竞争创造了条件，维护了社会主义经济秩序；② 有利于加强监督管理，贯彻实施国家有关方针、政策、法律、法规，从而维护特区经济交易的安全和当事人的合法权益；③ 有利于合理引导产业结构，促进稀缺资源在宏观上的优化配置，提高资源使用效益；④ 为广东省国民经济的发展和管理提供了必要的基础信息和统计资料。

《广东省经济特区企业劳动工资管理暂行规定》

经济特区不仅要为资方提供良好的投资环境，也要维护良好的劳资关系。劳动关系建立的依据是签订劳动合同，劳动报酬权益是劳动合同、劳动关系的核心内容，涉及劳动者的切身利益。如果劳动关系紧张、侵权事件不断、劳资矛盾激化，健康稳定的特区经济环境就无从谈起。而且在奉行市场逻辑的经济特区中，政府不能够像计划经济体制那样直接来确定企业职工工资水平和增长幅度，而应该通过法律、经济和必要的行政手段，对企业工资分配进行规范、引导、调节和监督。

但是，当时国家在三资企业的劳动关系方面的立法完全空白。为此，1981年广东省人大常委会通过了《广东省经济特区企业劳动工资管理暂行规定》，该规定明确规定特区外资企业、中外合资

企业和合作企业雇用职工，实行合同制，并由企业同职工签订劳动合同。劳动合同应包括以下内容：职工的雇用、解雇和辞职；生产和工作任务；劳动服务费和奖惩规定；工作时间和假期；劳动保险和生活福利；劳动保护；劳动纪律。此外，该规定还规定了特区内的外籍职工、华侨职工、港澳职工在缴纳个人所得税后的工资及其他正当收入，均可按特区外汇管理办法汇出。

《深圳经济特区土地管理暂行规定》

1949年后，新中国确立了土地的社会主义公有制，1982年《宪法》明确规定“任何组织或者个人不得侵占、买卖、出租或者以其他形式非法转让土地”。这一规定构成了我国旧的国有土地使用制度的主要特征：一是土地无偿使用，二是无限期使用，三是不准转让。因此，改革开放之前，广东省城镇国有土地实行的是单一行政划拨制度，除国家因建设需要征用农村集体土地须支付征地补偿费外，国家和农村集体所有制的土地使用者均为无偿无限期使用土地，相应的，土地使用权不能在土地使用者之间流转。

经济特区成立后，深圳在“外引内联”的巨大需求和压力下，急需解决城市基本建设资金匮乏这个最基本也是最紧迫的问题。正是建设资金不足这一根本性问题的约束，逼出了深圳的“拓荒牛”们向土地要资金，从最初的以合作开发土地的形式向外商收取费用，到收取土地使用费，再到公开有偿出让国有土地使用权，从而实现了将国有土地由无偿使用向有偿使用转变的历史性改革。这一新中国土地制度史上的重大突破为1981年广东省人大通过的《深圳经济特区土地管理暂行规定》所确认。

该规定共四章，第一章总则，规定“本特区范围内已开发和尚待开发的矿藏、水流、荒地、耕地、山林和其他海陆资源，均由广东省深圳市人民政府统一管理；市人民政府可根据建设需要，依照有关法令的规定，对土地实行征购、征用或者收归国有”。“经批准使用土地的单位和个人，对其所使用的土地只有使用权，没有所有权；禁止买卖和变相买卖土地，禁止出租和擅自转让土地；不得开采、动用或破坏地下资源和其他资源”。第二章规定了土地的经营管理。第三章规定了土地使用年限和土地使用费。第四章规定了客商用地范围内按合同或协议书规定应承担建设的供电、供水、排水、下水道、煤气通管和电讯设备等公共设施，须按城市规划要求修建。

可以说，在广东省地方立法的起步探索阶段，最具有创新性的一项立法就是《深圳经济特区土地管理暂行规定》。该条例突破当时宪法的规定，果敢地将土地使用权和所有权分开，确定特区土地有偿使用和转让制度。根据当时宪法的规定，国有土地的使用权不得转让。因此，这一创举，事后被讥有违宪之嫌。然而，处在改革开放的特殊历史背景之下，这种对宪法的僭越或许可以称为伟大的僭越。事实证明这一立法不仅促进了特区经济的发展，而且为我国宪法和土地管理法的修订提供了有益的借鉴，成为全国土地产权制度改革的一帖催化剂。

（二）广东省地方立法的初步发展阶段（1985—1992年）

进入1984年，中国经济体制改革事业已经跨入了第6个年头。在农村第一步改革取得成功和城市局部改革的探索进展顺利的基础上，以城市为重点的整个经济体制的全面改革已成为社会主义现代化建设事业发展的必然趋势。改革大业犹如一艘航船，已经驶出相对来说是风平浪静的内河，即将进入波涛汹涌的大洋，从而使改革之轮及其舵手们面临着严峻的挑战和难得的机遇。

在这个背景下，1984年10月20日中国共产党召开了十二届三中全会。在此次会议上，中共中央发布了《中共中央关于经济体制改革的决定》，确认社会主义经济是在公有制基础上的有计划的商品经济，确认全民所有企业的所有权和经营权可以适当分开，提出了实行政企职责分开、简政放权的原则，强调在社会主义全民所有制经济占主导地位的前提下，其他各种经济形式是我国社会主义经济的必要的和有益的补充，必须长期坚持发展多种经济形式和经营方式。由此，当代中国进入了全面改革开放的新时期。1987年，

中国共产党召开了十三大，对继续高举改革开放大旗，对实行社会主义有计划商品经济的总方针进一步给予肯定，强调要“深化改革、扩大开放”。在深化改革、扩大开放的大环境、大背景下，广东将近十年率先进行的“市场导向的改革”，得到了中央的认可和赞扬，中共中央要求广东进一步“放开手脚”，探索建立新的体制，加快广东的发展。因此，中央决定广东作为“全国改革开放的综合试验区”，要采取更加得力的改革措施，加快发展。有了决策阶层的鼓舞，身处改革开放前沿阵地的广东省大胆创新，又一次走在了历史的前面，在全国率先提出了“社会主义市场经济”的改革目标模式。三年多后，即 1992 年春天，邓小平在南方谈话中正式肯定了广东省关于市场经济的提法，公开申明：“计划多一点还是市场多一点，不是社会主义与资本主义的本质区别。计划经济不等于社会主义，资本主义也有计划；市场经济不等于资本主义，社会主义也有市场。计划和市场都是经济手段。”1992 年秋，党的十四大正式作出决策，把建立社会主义市场经济体制作为我国经济体制改革的目标。

可见，在这一阶段从中央到广东地方，改革开放工作的中心就是经济体制改革。市场经济的本质是法治经济，即经济活动中各个经济主体的权利、义务和行为规则、政府行为等方面都应该通过法律的形式来全面规范。经济体制改革的迅速发展为广东省的地方性立法工作拓展了更为广阔的领域，提供了更为丰富的立法实践内容。从 1985 年到 1992 年这段时间，围绕社会主义市场经济建设这个时代主题，广东省的地方立法出现了第一个高潮，到 1992 年共制定和批准了60 多项地方性法规，广东地方立法进入初步发展阶段。

具体来说，这一时期广东地方立法具有以下特点：

第一，立法者清楚认识到立法与经济发展的辩证关系，大胆探索地方性立法的新领域，为改革开放和经济发展提供法律保障。如在这一时期制订了关于经济特区抵押贷款管理、技术市场管理、消费者合法权益保护、经济特区企业工会等一批地方性法规。

第二，针对改革开放中出现的新情况、新问题，在国家当时尚未制订相关法律的情况下，改革地方性立法模式，开展先行性立法，为全国制定法律、法规摸索经验。如《广东省经济特区涉外公司条例》，是我国第一部地方性公司立法；《深圳经济特区涉外公司破产条例》关于涉外公司破产方面的规定，弥补了国家法律的不足；此外，广东省关于经济特区涉外企业会计管理、经济特区抵押贷款管理和技术市场管理的立法，在全国来说都是具有试验性和首创性的。

第三，顺应市场经济是权利经济的时代需要，广东省地方人大还制定了一系列有关公民权利保障、社会保障以及环境保护方面的立法。

1. 关于社会主义市场经济方面的立法。

市场经济是自主性经济，即承认和尊重市场主体的意志自主性，这就要求用法律来确认市场主体资格，明确自然人和法人作为市场主体资格必须具备的条件，明确产权，充分尊重和平等保护各类市场主体的财产权及其意志自由。同时还要规定市场主体的权利和义务、原则、保障权利的程序以及其作出法律行为需要承担的法律后果乃至法律责任。

(1) 规范市场主体方面的法律。

建立社会主义市场经济体制，首先要解决市场主体的问题，到市场上从事经营活动，需要有一定的资格。具体来说，这种类型的立法主要调整各类经济民事主体组织结构、行为、设立、资格、权利、义务、法律地位等等，如我们熟知的《公司法》、《合伙法》、《独资企业法》。

在改革开放的初级阶段，各类市场主体日益活跃，社会经济加速发展。在“快”与“活”中，一些问题也随之暴露，如一些皮包公司坑蒙拐骗，劳务市场存在虚假信息，令求职者无所适从。为了更好地规范市场主体的行为和秩序，广东省制定了三部非常重要的规范市场主体组织方面的地方法规，即1985年广东省人大常委会批准的《广东省经济特区涉外企业会计管理规定》、1986年广东省人大常委会制定颁布的《广东省经济特区涉外公司条例》和

1986 年通过的《深圳经济特区涉外公司破产条例》。《广东省经济特区涉外企业会计管理规定》有利于规范特区涉外企业的会计行为，保证会计资料真实、完整，有利于维护特区经济秩序和会计秩序，促进经济良性循环，提高特区涉外企业的经济效益，同时，利用法律机制调整和规范特区涉外企业的经济活动，也有利于维护社会主义市场经济秩序。而《广东省经济特区涉外公司条例》则在我国公司法立法历史上写了重重的一笔。改革开放初期，我国法制建设百废待兴，在国家立法层面存在大量立法缺失，其中就包括以规范公司的组织和行为，保护公司、股东和债权人的合法权益为宗旨的公司法。这样一来，特区内的中外合资公司、中外合作公司、外资公司和中外股份有限公司的组织和行为就没有法律依据。为了改变这种无法可依的局面，广东省第六届人民代表大会常务委员会第二十二次会议通过了《广东省经济特区涉外公司条例》。该法规共八章，创造性地将我国当时实行的三资企业法与公司法律制度的基本规范糅合在一起，是当时特区三资企业的主要行为依据。具体来说，该条例规定了特区的中外合资公司、中外合作公司、外商独资公司的设立程序、组织机构、经营细则、转让和抵押、资产处理，也规定了中外股份有限公司设立程序、组织机构、股票、债券、财务会计、公司的重整、公司的期限、变更和合并、公司的解散和清算等制度。从某种意义上看，这部法律可以视为我国公司领域内立法的雏形，对随后公司领域的立法起了重要的推动作用。而《深圳经济特区涉外公司破产条例》则在《广东省经济特区涉外公司条例》的基础上进一步规定了外商投资企业的破产问题。

（2）规范市场主体行为，维护市场秩序方面的法律。

中国的改革是以市场化改革为先导的经济改革，而市场化改革又是最先在深圳等沿海地区推开的。市场化改革还要用法律规范市场主体行为，维护经济秩序。在这一阶段，广东省人大常委会通过和批准了一系列的相关法律。例如《广东省矿产资源开发管理暂行条例》（1985 年）、《广东省技术市场管理规定》（1986 年）、《广东省土地管理实施办法》（1986 年颁布，1991 年修正）、《广东省森林管理实施办法》（1987年）、《深圳经济特区抵押贷款管理规定》（1990年）、《广东省渔业管理实施办法》（1990年）、《广东省拍卖业管理暂行规定》（1991年）、《广东省经济特区土地管理条例》（1991年）、《深圳经济特区房地产登记条例》（1992年）、《深圳经济特区房屋租赁条例》（1992年）等等。

在上述立法中，有两部地方法规具有标志性意义，即1992年12月26日通过的《深圳经济特区房地产登记条例》和《深圳经济特区房屋租赁条例》。这两部法规不仅是深圳获得特区立法权之后的首次立法，而且还具有鲜明的深圳立法特色——在当时将房地产纳入市场经济的法制监管轨道尚属首次。从此，一部部先行一步的法规如雨后春笋般相继推出，内容涉及土地、资源、人口、环境、社会文明等经济和民生领域，包括了经济社会的方方面面，各个主要领域已经基本有法可依，解决了深圳特区在改革开放中遇到的各种各样难题。

值得一提的是，这一时期涌现了一批规范某一方面的市场规则的地方法规，如抵押贷款、土地管理、技术市场管理、矿产资源开发管理。其中最具有创新性的当属土地管理领域的立法。《广东省土地管理实施办法》、《广东省经济特区土地管理条例》是对之前制定的《深圳经济特区土地管理条例》的进一步完善和总结，这些立法都明确规定国有和集体土地可以依法转让并实行有偿使用，如前所述，这些立法是新中国成立以来土地管理制度的重大突破。1987年，全国人民代表大会修改后的《土地管理法》肯定了上述制度。

总之，这个时期经济领域的立法表明，广东地方经济法规体系已经初步形成，从市场主体法律地位的规定，主体行为以及市场秩序的规范，到地方政府管理经济的规范，基本上构成了一个有机联系、相互呼应的整体，为地方经济和社会的有序发展，为人们生活质量的提高准备了强有力的法制背景。

2. 关于公民权利保障方面的立法。

经验事实表明，基本权利的保障水平与生产力的发展有直接的

对应关系。一方面，公民权利观念是生产力发展的必然结果。改革开放解放了生产力，人是生产力中最活跃的因素，生产力解放的核心内容是人的解放——人的人身的解放，人的思想的解放，即人身自由、思想自由、言论自由。另一方面，公民权利也是生产力发展的重要原因。改革开放以来，就是因为给了人们较多的人身自由、思想自由、言论自由和经济生活领域的自由，财产权得到了较大程度的保障，经济才得到了与日俱增的发展。

从1985年到1992年，广东省公民权利保障方面的立法见证了生产力和公民权利之间的这种辩证关系。随着社会经济的发展，人们的权利意识、平等观念、公民精神日益高涨。在这一期间，广东省地方人大制定了一系列和公民权利相关的法规，它们是：《广东省保护妇女儿童合法权益的若干规定》（1985年）、《广东省经济特区企业工会规定》（1985年）、《广东省普及九年义务教育实施办法》（1986年）、《广东省劳动安全卫生条例》（1988年）、《广东省经济特区劳动条例》（1988年）、《广东省青少年保护条例》（1989年）、《广东省保护公民举报条例》（1989年）、《广东省保护消费者合法权益条例》（1989年）、《广东省维护老年人合法权益条例》（1991年），这些和人民群众基本权利密切相关的法规的制定表明广东不仅注重经济的范畴，还牢牢把握立法为民的宗旨，把实现、维护和发展公民权利作为立法工作的出发点和落脚点，从而确保公民的合法权益不受侵害。

3．关于环境资源保护方面的立法。

历史经验告诉我们，水利是国民经济和社会发展的重要基础设施。由于特殊的地理位置和气候影响，广东省洪、旱、风等自然灾害十分频繁，依法治水、管水是促进水利改革和发展、保障水安全的重要手段。基于这一认识，广东省地方人大在改革开放初期就开始着手水资源领域的立法工作。从1985年到1992年，广东省人大常委会制定和批准了《广东省水土保持工作管理规定》（1986年）、《广州市饮用水源污染防治条例》（1987年）、《广东省实施〈中华人民共和国水法〉办法》（1991年）、《广东省东江水系水质保护条例》（1991年）。这些立法，初步奠定了广东省水资源领域的立法体系。

4. 关于规范政府行为方面的立法。

长期以来，人们都有这样一个认识上的误区，认为法律是管老百姓的，立法者在起草法律的时候，只考虑要老百姓如何做，对行政机关却赋予很多权力。而且在实践中，很多法律、法规和规章往往都是由有关行政主管部门起草，虽然对调动各方面的立法积极性有很大的好处，但是这些法律、法规和规章往往带有部门利益的痕迹。不过，法治不仅仅意味着依法实行统治，不仅仅意味着公民遵守法律，还意味着要用法律来制约那些行使权力的官员。实际上，法治本来的含义并不是为了约束公民权利，强化政府部门的权力，恰恰相反，法治题中之意是保障公民权利，限制政府权力。

在1985年到1992年，广东地方立法在“限制政府权力、保障公民权利”这条道路进行了初步的探索，制定了《广东省人民代表大会常务委员会关于加强对罚款、收费的监督管理的决议》（1985年）、《广东省人民代表大会常务委员会关于执行〈广东省物价管理暂行条例〉第二十五条有关罚款问题的决定》（1985年）、《广东省行政事业性收费管理条例》（1991年）、《广东省统计管理条例》（1992年）等法规。上述立法严格规范了行政处罚、行政收费的行使主体、行使权限和行使方式，有力地防止了政府权力的滥用。以1991年通过的《广东省行政事业性收费管理条例》为例，该法规共25条，第一条明确了立法宗旨：“为加强行政事业性收费管理，维护国家利益，保护公民、法人和其他组织的合法权益，根据国家有关法律、法规，制定本条例。”该条例明确规定行政事业性收费的依据，即法律、法规和规章，除此之外，行政主体不得依据其他任何文件进行行政收费。根据该条例，1992年广东省进行了大规模的行政事业性收费的清理工作，强化行政事业性收费年审工作，取消一切不合法收费项目，实行年审结果公示制度，从而有效地遏制了行政部门滥收费的现象。据统计，自1992年《广东省行政事业性收费管理条例》颁布实施以来，到2004年9月

底，全省共取消收费累计 752 项，其中经省政府批准的合法收费 188 项。

（三）广东省地方立法的加快发展阶段（1993—1999 年）

1993 年 3 月，第八届全国人民代表大会第一次会议审议通过了《中华人民共和国宪法修正案》。该修正案将宪法原有第十五条关于计划经济的规定，修改为："国家实行社会主义市场经济。""国家加强经济立法，完善宏观调控"，从而启动了中国市场经济及其发展中的法治建设。1993 年 11 月 14 日，党的十四届三中全会通过的《中共中央关于建立社会主义市场经济体制若干问题的决定》，遵循邓小平同志建设有中国特色社会主义的理论，把党的十四大所确立的建立社会主义市场经济体制的改革目标和基本原则具体化和系统化，勾画了社会主义市场经济体制的基本框架，制定了继续深化改革的总体蓝图。这是我国经济体制改革进入全局性整体推进阶段的标志。随着建立社会主义市场经济体制的改革目标的确立，广东省改革开放也不断纵深发展，围绕建立社会主义市场经济体制的目标，在建立现代企业制度、发展和完善社会保障制度以及建立适应市场经济的法律体系等方面继续进行大胆探索。

改革开放的纵深发展为广东省人大立法带来了新的契机。1993 年，广东地方立法迎来了一个重要的时刻。时年 3 月，时任全国人大常委会委员长的乔石在八届全国人大一次会议期间，对广东省代表团提出了加快立法的要求。同年 4 月，乔石在视察广东时又提出"在市场经济体制建立过程中，广东可以成为立法工作试验田，先行一步"，一时之间，立法"试验田"的美名，传遍全国。有了全国人民代表大会的支持，广东地方人大也开始调整立法节奏，根据社会发展的需要，加快立法进程，广东省地方性立法进入加快发展阶段。具体来说这一阶段的广东省地方性立法具有以下几个比较明显的特点：

第一，小平南方视察发表讲话后，确立我国要建立社会主义市场经济体制，这一时期广东也开始打破传统立法思维，树立起以维护市场主体权利为本位，以立法决策同经济改革紧密结合的原则，始终把经济立法放在首位，将改革措施与改革开放的成果上升为法律规范，使立法进程与发展社会主义市场经济的发展相适应。以广东省八届人大常委会的立法工作为例，在该届人大的立法中，经济方面的立法有812项，占总数的53%。与此同时，这一阶段也抓紧其他方面的立法，促进政治、经济、文化、社会诸方面的全面协调发展。

第二，勇于创新、大胆借鉴，继续进行先行性和试验性立法。在改革开放的探索中，广东省面临了很多前所未有的问题，如新的经济关系，新的改革措施，新的经济主体，新的调控手段。面对这些全新的领域，广东省人大大胆展开先行性试验立法。例如在珠海市进行的社会保障立法，针对珠海经济特区经济较为发达、老职工较少的情况，1993年制定了《珠海经济特区社会保险条例》，为全省性的社会保险立法先行探路。随后，1995年7月，广州市人民代表大会常委会又通过了《广州市社会保险条例》。这些立法试验得到了国家的肯定。1996年，珠海市和广州市被国务院列为扩大医疗保障制度改革的试点城市。

第三，立法数量不断增加，迈入广东省地方法制史上的“立法时代”。这一阶段立法的突出特征就是数量多，1993年到1994年两年间，广东省人大常委会制定和批准法规60项，为广东省七届人大常委会期间立法总数48项的125%。自1995年起广东省人大常委会连续三年召开全省立法工作会议，及时总结立法工作经验，研究进一步加强立法工作的措施，从而推动广东省立法工作继续稳步发展，1995年到1997年共制定和批准地方性法规90项。1993年到1999年共立法216项，超过了1979年到1992年这13年间制定和批准97项法规的总和。

第四，开辟多渠道的法规起草工作，加快立法步伐。在这一时期，广东省人大常委会组织起草或者委托起草的法规占22%。由于省人大常委会立法的主动性和专家学者的参与，起草法规渠道拓

宽了，立法工作效率和法规质量都得到了明显提高。

第五，立法制度和立法技术不断成熟，在立法工作中不断贯彻立法民主、开门立法精神。为了适应人民群众直接参与的民主要求，广东省人大还运用征求意见书和专题座谈会，召开立法工作会议，登报征求意见，召开立法听证会等方式，实施立法公开。例如1998年7月，广东省为制定《物业管理条例》首次让市民展开辩论；1999年9月9日，广东省人大常委会就《广东省建设工程招标投标管理条例（修订案）》举行了全国首次立法听证会。

第六，在这个阶段，广东地方立法权还得到了极大的拓展——1992年7月1日，七届全国人大常委会授予深圳特区立法权。深圳市人大利用深圳的特殊优势，充分利用特区立法权，大胆创新，先行先试，在助推深圳腾飞方面竖起了历史丰碑，使我国市场经济发展最早的深圳经济特区率先建立起"法治经济"的初步框架。

1. 有关市场经济方面的立法。

第八届全国人大及其常委会为建立适应社会主义市场经济的法律体系，把经济立法作为第一位任务。乔石在第八届全国人大常委会一次会议上指出，"本届全国人大常委会要把加强经济立法作为第一位任务"。与此相适应，广东地方立法也牢牢抓住促进地方经济发展这一主题。广东省第八届人大常委会主任林若就指出，要加快步伐，努力使各方面有法可依。为规范市场行为、维护市场秩序、保障和促进广东省经济发展和社会稳定发挥了积极的作用。

（1）规范市场经济主体地位的立法。

深圳经济特区创办以来，各种公司遍地开花，对生产贸易、繁荣经济起到了重要的作用。但是，由于无法可依，也出现了混乱无序的现象。"深圳经济特区发展初期，得改革开放风气之先，凭借国家政策的大力扶持以及毗邻港澳的地理优势，各种公司如雨后春笋遍布特区，在活跃市场经济的同时，也为市场主体的规范带来新问题。"原深圳市人大常委会法制委员会主任张灵汉回忆说，当时公司的设立缺乏规范，大量公司资金不真实，甚至属于皮包公司；公司的组织形式不规范，任何从事经营活动的企业均可以称为公司，公司与企业法规范的企业无法区别；公司内部管理和分配制度混乱，缺乏必要的约束等。面对这一局面，深圳市人大常委会决心通过立法来根治这些混乱现象。1993年4月26日，深圳市一届人大五次会议同时通过了《深圳经济特区有限责任公司条例》和《深圳经济特区股份有限公司条例》。作为改革开放"试验田"和市场经济发育最早的深圳，率先出台两个公司条例，首次确立了公司的法律地位，规范了公司的组织经营行为，为深圳市以产权关系为纽带改造企业，率先建立现代企业制度和社会主义市场经济体制打下了基础。条例颁布施行后，深圳市有3万多家有限责任公司脱胎换骨重新登记，众多股份制公司循章试点发行股票，股份制改造健康发展。值得一提的是，这两部法规的实施还为《中华人民共和国公司法》的制定提供了宝贵的立法经验。

在相同的时代背景下，1993年5月，广东省也出台了《广东省公司条例》。据广东省人大法制委员会办公室负责人回忆，时值广东企业启动股份制改造"热火朝天"，股市也刚进入国民的视野，国有企业"路要怎么走"缺乏法律指引。省人大凭着国家有关部委的指导性意见，结合国外的经验，率先以地方性法规的形式倡导产权明晰、管理科学的现代企业制度。尽管该法在实施中也暴露出一些问题，但作为我国第一部调整市场主体关系的法律，对于规范有限责任公司和股份有限公司的组织和经营发挥了重要作用，极大地促进了我国企业，特别是国有企业的股份制改造，促进了现代企业制度的形成。我国著名公司法专家、清华大学法学院原院长王保树教授多次提到这部地方法规，认为它"开了中国现在企业制度的先河，对中国经济发展影响深远"。

市场经济领域中市场主体是多元化的，它不仅包括公司，还包括合作社、合伙组织、国有企业、集体企业、私营企业、独资企业和个体工商户等等。广东省地方立法也对这些市场主体进行了立法。如1994年制定的规范个体工商户和私营企业的《广东省个体工商户和私营企业权益保护条例》，规范合伙组织的《广东省合伙经营条例》（1993年）和《深圳经济特区合伙条例》（1994年）；

1995 年制定的规范深圳经济特区国有资产管理的《深圳经济特区国有资产管理条例》；1999 年制定的规范社会主义市场经济中集体经济的新的组织形式的《广东省股份合作企业条例》；1999 年制定的规范国有独资公司的《深圳经济特区国有独资有限公司条例》；1999 年制定的规范商事主体活动的《深圳经济特区商事条例》；1997 年制定的保护私营企业的《广东省私营企业权益保护条例》。此外，1993 年广东省人大常委会和深圳市人大常委会还通过了《广东省公司破产条例》和《深圳经济特区企业破产条例》来规范公司的和企业的破产清算程序，有效地保护了债权人利益和破产公司、企业职工的利益，维护社会主义市场经济秩序的安全运转。

（2）促进市场体系发展的立法。

在这一时期，广东省地方立法已经初步形成培育要素市场、发展市场秩序的法律体系，已经初步形成了五个方面的市场法规体系。

第一，房地产市场。确定了土地使用权出让、房地产登记、房地产租赁、房地产转让等一系列的法规，形成了房产与地产、一级市场和二级市场、三级市场的配套法规，从而将广东省房地产纳入市场经济的法制监管轨道。具体来说，这一阶段广东地方人大制定的相关法规有：《广东省征地管理规定》（1993 年）、《广东省房地产开发经营条例》（1993 年）、《广东省房地产评估条例》（1994 年）、《深圳经济特区房地产转让条例》（1993 年）、《广东省城市房屋拆迁管理条例》（1994 年）、《广东省城镇房屋租赁条例》（1994 年）、《广东省城镇房地产转让条例》（1994 年）、《广东省城镇房地产权登记条例》（1994 年）、《深圳经济特区土地使用权出让条例》（1994 年）、《深圳市土地征用与收回条例》（1999 年）、《广东省物业管理条例》（1999 年）、《广东省商品房预售管理条例》（1999 年）。这些法规的颁布和实施促进了广东省房地产市场的发育和成长，使广东省土地房地产的登记、销售、租赁、转让、管理有法可依，改变了过去多头管理、职能部门之间经常扯皮的弊端，率先在全国建立起市场经济下的土地使用制度。

第二，劳动力市场及其保障方面的立法逐渐完善。依法保障外来员工的合法权益，建立和谐健康的劳动力市场始终是广东省关心爱护外来员工的工作重点，这一阶段，广东省地方人大劳动立法取得了丰硕成果，已经制定了劳务工、劳动合同、最低工资、职业技能鉴定和失业保险、工伤保险等方面的立法。具体来说，规范劳动力市场管理的立法有《深圳经济特区劳务工条例》（1993年）、《广东省流动人员就业管理条例》（1999年）、《广州市劳动力市场管理条例》（1999年）；规范劳动合同管理层面的立法有《深圳经济特区劳动合同条例》（1993年）、《广州市劳动合同管理规定》（1996年），《广东省企业集体合同条例》（1996年）；规范劳动保障方面的立法有《广东省珠海经济特区职工社会保险条例》（1993年）、《广东省企业职工劳动权益保障规定》（1994年）、《广东省社会劳动保险条例》（1996年）、《深圳经济特区企业欠薪保障条例》（1996年）、《深圳经济特区失业保险条例》（1996年）、《广东省工伤保险条例》（1998年）、《深圳经济特区企业员工社会养老保险条例》（1998年），等等；规范劳动监察与安全生产方面的立法有《广东省劳动监察条例》（1996年）、《深圳经济特区安全管理条例》（1997年）、《广东省劳动安全卫生条例》（1997年修正）。在这些立法中，值得一提的是1993年5月颁布的《深圳经济特区劳务工条例》，该法规规定了外来员工的用工手续办理、外来员工的有序流动和外来员工权益的保护，使深圳成为我国第一个通过立法保障外来员工合法权益的城市。随着立法的完善，广东省劳动力市场也日益走向法制化轨道，以劳动合同管理为例，从1998年到2001年底，深圳市国有、集体、外资、民营等8万多家企业中，劳动合同签订率达90%。劳动力市场立法的不断完善促进了广东劳工市场的发育和繁荣，为广东地方经济的发展奠定了基础。

第三，建筑市场。制定了建筑工程施工招标，建筑工程质量的法规。如《深圳经济特区建设工程施工招标投标条例》（1993年）、《深圳市建设工程质量管理条例》（1994年）、《广东省建设工程质量管理条例》（1996年）、《广州市建筑条例》（1996年）、《广东

省建设工程造价管理规定》(1998)、《深圳经济特区建设工程施工安全条例》(1998 年)、《广州市城市建设管理监察条例》(1998 年)、《广东省建设工程招标投标管理条例》(1999 年)。这些立法不仅保证了建筑工程领域内立法的安全，也有效地防范了建筑工程领域内的腐败现象。

第四，医疗市场立法。这个阶段制定了《深圳经济特区实施〈医疗机构管理条例〉若干规定》(1994 年)、《深圳经济特区公民无偿献血及血液管理条例》(1995 年)、《广州市传染病防治规定》(1995 年)、《广州市公民义务献血和血液管理条例》(1996 年)、《广州市社会急救医疗管理条例》(1996 年)、《广州市社会医疗机构管理规定》(1997 年)、《广州市性病防治规定》(1997 年)、《广东省母婴保健管理条例》(1998 年)、《广东省医疗器械管理条例》(1998)，等等。这些立法有效地规范了医疗市场的运作，促进了医疗市场健康发展。值得一提的是，1995 年制定的《深圳经济特区公民无偿献血及血液管理条例》是我国内地第一部有关无偿献血的地方法规。该法规的出台，对深圳的无偿献血事业起到了极大的推动作用。仅在该《条例》颁布的当年，全市就有 6202 人(次)参加无偿献血，无偿献血量在医疗用血中所占的比例达到 18%。

第五，技术市场方面的立法。随着第三次产业革命的兴起，技术市场在 20 世纪的后 20 年里迅速发展起来。在专利普及前的传统市场中，交换的对象是有形商品，而一项技术的买卖只是偶然现象。但是随着科技的发展、工业的进步，技术本身越来越成为商业成功的关键要素。在这一时期，广东省也开始通过立法来培育、发展广东省技术市场。1996 年，广东省人大常委会通过了《广东省专利保护条例》，以维护发明创造专利权人和公众的合法权益。这一立法成果卓然，1985 年广东开始实施专利制度时，专利受理量仅 286 件，专利授权数只有 1 件，而到 2000 年广东专利申请量已冲破 10 万件大关。此外，广东省地方人大还制定了《广东省技术秘密保护条例》、《深圳经济特区技术秘密保护条例》。

（3）维护市场经济秩序方面的立法。

在广东改革开放、建设市场经济的进程中也出现了市场经济所带来的各种问题，如假货泛滥，劣质产品充斥市场，一些地方生产、销售假冒伪劣商品长期得不到有效的遏制，发生了一些影响恶劣的全国性案件。此外，不正当竞争、行业垄断、地区封锁的现象也很多。改革开放的经验告诉我们，市场经济也有弱点，一个健康的市场经济绝对不能走自由放任的路线，在发挥市场在资源配置中的基础性作用的同时，还应该通过法制手段来监管、服务市场，保护消费者权益，从而为市场经济创造良好的发展环境。在本阶段，为了规范市场经济的有序发展，广东省人大立法集中在以下几个方面进行了立法：

第一，围绕扰乱市场秩序的突出问题，制定了《广州市禁止生产和销售假冒伪劣商品条例》、《深圳经济特区严厉打击生产、销售假冒伪劣商品违法行为条例》（1993年）、《深圳经济特区产品质量管理条例》（1995年）、《深圳经济特区实施〈中华人民共和国消费者权益保护法〉办法》（1996年）、《广东省产品质量监督条例》（1997年）、《广东省查处生产销售假冒伪劣商品违法行为条例》（1999年）、《广东省实施〈中华人民共和国消费者权益保护法〉办法》（1999年）。上述法律对于规范广东省地方市场经济秩序发挥了重要的作用。

第二，围绕建设全国统一市场中的突出问题，针对不正当竞争、行业垄断、地区封锁等现象制定了《广东省实施〈中华人民共和国反不正当竞争法〉办法》（1996年）、《深圳经济特区商品市场条例》（1999年）。这些法规的制定有利于维护和扩大经营者在市场活动中的自由权利，排除进入市场的障碍，鼓励创新，优化配置资源，从而形成和谐有序的竞争环境。

第三，对维护公平竞争的价格环境和维护消费者合法权益发挥了重要的作用的法规。如《广东省物价管理暂行条例》、《广东省实施〈中华人民共和国价格法〉办法》。

2. 发展教育、科学、文化、服务行业等方面的立法。

经济的发展并不是衡量改革开放成败的唯一指标。改革开放是一个宏大的系统工程，是我国社会主义历史新时期国家在政治、经济、文化等领域全方位的转型。作为改革开放先锋的广东省所进行的改革不仅承载了经济功能，还承载了更为广泛的政治、法律、文化、教育、技术功能。因此，在广东省改革开放背景下的法制建设也服务于教育、科技、文化和服务行业等等领域的发展。

在1993年到1999年的七年间，广东省、广州市、深圳市人大制定了一系列的法规，促进当地文化、教育和科技事业的发展。如有关教育方面的《深圳经济特区成人教育管理条例》（1994年）、《深圳经济特区教育督导条例》（1995年）、《深圳经济特区实施〈中华人民共和国教师法〉若干规定》（1997年）；有关科学技术发展方面的《广东省促进科学技术进步条例》（1995年）、《广州市科学技术协会条例》（1998年）、《广州市科学普及条例》（1999年）；有关文化事业方面的《深圳经济特区文化市场管理条例》（1993年）、《广东省书报市场管理条例》（1998年）、《深圳经济特区公共图书馆条例》（1997年）；有关服务行业的《广东省经纪人管理条例》（1993年）、《深圳经济特区注册会计师条例》（1995年）、《深圳经济特区律师条例》（1995年）。

在上述立法中，有许多亮点。如1995年通过的《深圳经济特区律师条例》，不仅开创了中国律师制度的立法先河，还为两年后的香港回归作出了重要的贡献，让许多香港法律界人士增强了对回归的信心。此外，该法规作为中国首部律师法规，为《律师法》的立法奠定了基础。《律师法》中的许多内容与立法原则都是参照深圳律师条例制定的。从这个角度来说，这样一部律师条例的出台不仅创造了一个深圳第一，一个中国第一，也为中国律师行业的发展壮大提供了法制的基础，必将载入中国律师行业发展的史册之中。

3．城市法制化管理和环境资源保护方面的立法。

广东作为先发展地区，城市化步伐较快，环境问题也较早地暴露出来。因此，城市的依法规划与管理、污染的防范与治理也比其他地区更为紧迫。广东省、广州市和深圳市在这些领域的立法也十分活跃。具体来说，这些领域的立法体现在以下几个方面：

第一，保护自然环境，为人民群众营造良好环境的立法。如《广州市野生动物保护管理若干规定》（1992年）、《深圳经济特区环境噪声污染防治条例》（1993年）、《广东省野生动物保护管理规定》（1993年）、《深圳经济特区城市绿化管理办法》（1994年）、《深圳经济特区环境保护条例》（1994年）、《广东省实施〈中华人民共和国环境噪声污染防治法〉》（1997年）、《广东省建设项目环境保护管理条例》（1997年）、《深圳经济特区水土保持条例》（1997年）、《深圳经济特区实施〈中华人民共和国固体废物污染环境防治法〉规定》（1997年）、《深圳经济特区海域污染防治条例》（1999年），等等。

第二，解决人民群众关心的"净""畅""宁"难题的立法。如《深圳经济特区社会治安综合治理条例》（1994年）、《深圳经济特区城市园林条例》（1995年）、《广州市销售燃放烟花爆竹管理规定》（1996年）、《广东省商业网点管理条例》（1996年）、《广州市城市规划条例》（1996年）、《广州市城市市容和环境卫生管理规定》（1996年）、《广州市养犬管理规定》（1996年）、《广东省实施〈中华人民共和国城市规划法〉办法》（1997年）、《广州市公园管理条例》（1998年）、《深圳经济特区控制吸烟条例》（1998年）、《深圳经济特区市容和环境卫生管理条例》（1999年），等等。

第三，保护人民群众赖以生存的基础产业的立法。如《广东省实施〈中华人民共和国水土保持法〉办法》（1993年）、《广东省基本农田保护区管理条例》（1993年）、《广东省乳源瑶族自治县水资源管理条例》（1993年）、《深圳经济特区水资源管理条例》（1994年）、《深圳经济特区饮用水源保护条例》（1994年）、《广东省森林保护条例》（1994年）、《广东省森林防火管理规定》（1995年）、《广东省河道堤防管理条例》（1996年修订）、《深圳市人民代表大会常务委员会关于加强农业保护区管理的若干规定》（1996

年）、《广东省土地管理实施办法》（1997年）、《广州市实施〈中华人民共和国水法〉办法》（1997年）、《广州市流溪河水源涵养林保护条例》（1997年）、《广东省农业环境保护条例》（1998年）、《广东省林地保护管理条例》（1998年）、《深圳经济特区信息化建设条例》（1999年）。

4. 规范政府权力方面的立法。

如前所述，改革开放不仅是经济层面的，还涉及政法层面。当然，政法层面的改革是需要勇气和胆识的。广东在改革开放的进程中以通过法律来规范行政权力为切入点，不断探寻政治法律领域改革的途径。

1996年广东省人大常委会通过了《广东省农民负担管理条例》，在当时的背景下，该规定为减轻农民负担，保护农民和农村集体经济组织的合法权益发挥了积极的作用。

1996年广东省人大常委会通过了《广东省规章设定罚款限额规定》，该法规贯彻了《行政处罚法》的处罚法定原则，明确规定广东省规章可以在法律、行政法规或者地方性法规规定的给予罚款处罚的行为、种类和幅度的范围内作出具体规定；尚未制定法律、行政法规或者地方性法规的，规章可以根据不同违法行为的事实、性质、情节以及对社会的危害程度，在以下限额内设定不同罚款数额的行政处罚。该法规有效防治了地方政府规章违反《行政处罚法》不合理设置罚款的现象，有利于规范行政立法权，保障公民权利。

在实践中行政执法是一种最常见的行政权力运作方式，也是最容易侵害公民权利的一种行政权力。为了规范行政执法的合法进行，提高行政主体的执法水平，1997年广东省人大常委会通过了《广东省行政执法队伍管理条例》。此外，1997年广东省人大常委会还通过了《广东省各级人民政府执法监督条例》，建立和完善行政执法检查、督察等制度，严格落实行政执法保障制度，为本级政府所属各部门、各单位的执法提供了必要条件。

改革开放的进程中，广东省地方立法不仅致力于打造法治政府，还致力打造阳光政府，用立法来规范政府的市场行为。1998年10月27日，深圳市人大常委会第二十七次会议上正式通过了《深圳经济特区政府采购条例》，这是我国首部有关政府采购的地方性法规，实施时间比2003年1月1日起实施的《中华人民共和国政府采购法》早了整整四年。正是这个条例，让深圳政府采购行为成为一种常识。近十年来，这个条例为政府节约资金达8亿元，更将政府的一种商业行为法定化、规范化，也有效地防治了政府采购领域的商业贿赂等腐败现象，为市民监督政府行为提供了法律保障。

5. 人大自身建设方面的立法。

人民代表大会制度是中国历史和人民的选择，是推进中国民主政治进程的必然载体。地方人大是推进中国民主政治进程的主体力量，肩负着重要历史使命。“工欲善其事，必先利其器”，在改革开放的历史进程中，广东省地方人大也不断自我建设、自我更新，着力于从思想意识、工作方法和运作机制等方面适应时代需求。从1993年到1999年间，广东省地方人大就人大自身的建设制定了一系列法规，如《深圳市人民代表大会常务委员会议事规则》（1993年）、《深圳市人民代表大会议事规则》（1993年）、《深圳市人民代表大会常务委员会讨论决定重大事项规定》（1994年）、《深圳市人民代表大会常务委员会关于法规解释的规定》（1998年）、《广东省人民代表大会议事规则》（1999年）。这些法规的实施使人大及其常委会行使各项职权都做到有法可依，有章可循，对进一步推动依法治省和民主法制建设产生了积极的影响。

（四）广东省地方立法的稳健发展阶段（2000年至今）

进入2000年以来，广东省改革开放的事业渐入佳境，在思想、经济、政法、文化等领域取得了世人瞩目的成就。与之相适应，广东省地方立法也进入了规范提高的阶段。具体来说，这一时期广东省地方立法具有以下几个特点：

第一，从立法理念上看，2000年之后广东省地方立法落实以

人为本、立法为民的立法新理念，将实现好维护好发展好最广大人民群众的根本利益作为立法工作的出发点和落脚点，为构建和谐社会提供有效的法制保障。

胡锦涛总书记指出，科学发展观的核心是以人为本。2000 年以来，作为对胡锦涛总书记科学发展观在立法工作中的贯彻与落实，以人为本、立法为民的立法理念一直是广东地方立法工作的指导思想。一方面，在立法观念上广东地方立法工作彻底转变重管理、轻权益的立法理念，实现了以政府权力、公民义务为本位的立法思路向以政府职责、公民权利为本位的立法思路的转变，从重管理、重处罚到重权利与义务、权力与责任平衡的立法观念转变。另一方面，在立法理念上广东地方立法还实现了从注重方便政府管理、注重约束管理相对人的“管理型”立法，向注重规范政府行为，保护管理相对人合法权益的“维权型”立法的转变，制定了大量公民权利保障和规范政府权力的地方立法。此外，广东地方立法还制定了大量攸关民生社稷的社会领域方面的立法。如针对外资和私营企业拖欠职工工资的问题，2005 年广东省人大通过了《广东省工资支付条例》，促使各地政府部门出台一系列政策措施，对企业工资支付的情况实现了在线实时监控，为解决拖欠劳动者工资问题起了重要作用。2007 年制定的《广东省食品安全条例》，作为首部关于食品安全的地方性法规，对健全食品安全保障制度，保障公众身体健康和生命安全起到了重要作用。2007 年通过的《广东省实施〈中华人民共和国妇女权益保障法〉办法》，在国内首次以立法的形式明确保护“外嫁女”合法权益，保障农村妇女外嫁之后，仍然享有与本村集体经济组织其他成员平等的权益。

第二，从立法内容上看，2000 年之后广东省地方立法以经济立法为中心的同时，通过立法促进经济、政治、文化和社会各个领域的科学发展。

改革开放后，党和国家的工作重心转移到经济建设上来，地方立法必然要围绕经济建设这个中心来开展。为了回应社会主义市场经济的高速发展，广东地方立法的一个突出特征就是侧重于经济领

域的立法，据统计，2000年前广东省制定的经济法规约占立法总数的2/3。2000年之后，广东地方立法的内容不断拓宽，在以经济立法为主导的基础上，广东省立法范围逐步扩大，涉及政治、经济、文化、公民权利等等社会生活的各个领域。特别是自2005年以来，以改善民生为重点的社会领域立法已经成为广东地方立法的新目标，为促进广东省经济社会全面协调可持续发展提供了重要的保障。

第三，从立法思路上看，2000年以来广东地方立法实现了从注重立法数量和立法速度的观念，向更加注重立法质量和效益的立法观念转变，着重提高立法质量。

广东地方立法工作之所以要把提高立法质量作为立法工作的重心，主要是由以下几个因素决定。

首先，从20世纪90年代中后期，尤其是进入21世纪以来，随着经济的发展，我国社会主义民主法制建设成就显著。反映在立法方面的就是，在经济和社会发展的众多领域，国家都制定了相关的法律法规，地方立法的空间相对缩小。面对这一变化，必须在立法观念、立法思路、立法机制等方面进行相应的转变，以更好地适应经济和社会的发展，适应国家法制建设的需要，从有法可依上保证社会主义民主法制的顺利发展。

其次，从20世纪90年代以来，广东省已经在地方市场经济、环境资源保护、城市管理、公民权利保障、基础产业、规范政府权力、人大自身建设等领域制定了一系列的法规，可以说，到90年代末期广东省地方立法已经为广东省改革开放构筑了一个相对完备的法律体系。

再次，2000年《立法法》的颁布也改变了广东地方立法的工作思路。《立法法》是一部小宪法，它提出了很多要求：如从内容上，应该提高立法的质量，让所立之法真正成为可以执行的法律；从形式上，还应该讲究立法程序，规范立法名称；从立法技术上看，立法活动不仅意味着立法，还应该理法，还应该注意保持与国家法制的统一，及时的废、改，等等。此外，《立法法》对立法的

权限做了相对明确的划定，实际上缩小了立法的空间，尤其是各地在控制立法数量，提高立法质量的立法理念指导下，逐年减少了立法数量。

第四，从立法方式上看，法治立法、民主立法和科学立法的思路逐步明确。

2002 年 12 月，在首都各界纪念宪法公布施行 20 周年大会上，胡锦涛总书记强调，发展社会主义民主政治，最根本的是要把坚持党的领导、人民当家作主和依法治国有机统一起来。自 2000 年以来，广东地方立法活动一直都牢牢贯彻立法法治的精神，完善立法制度，严格依照法定的权限和程序，从国家整体利益和改革大局出发，地方立法活动日渐规范。2001 年以来，广东省、广州市、深圳市、珠海市、汕头市都分别制定了规范立法活动的地方法规——《广东省地方立法条例》、《广州市地方性法规制定办法》、《深圳市制定法规条例》、《珠海市人民代表大会及其常委会制定法规规定》、《汕头市地方立法条例》。总之，通过立法规范行为，在充分尊重广东省本地经济水平、地理资源、历史传统、法制环境、人文背景、民情风俗的基础上，维护社会主义国家法制统一和尊严，已成为广东省构建法治广东的重要途径。

这一时期，广东省地方人大更加注重立法机制和立法方法的创新，积极探索和完善法规起草、公众参与、立法协调的新机制，通过立法顾问、立法助理、委托起草、专家论证、立法听证、将法规草案登报或上网征求公众意见等形式，广泛听取社会各界意见，充分发挥社会各界在立法中的重要作用，增强立法的科学性、民主性，扎实提高立法质量。比如，广东省人大常委会在制定《广东省商品房预售条例》的过程中，在《羊城晚报》上公布法规草案，许多群众、律师和学者积极回应，中央主要媒体进行了现场直播，引起了积极而广泛的社会影响。这是广东省进行民主立法的一次有意义的探索。此外，2005 年 9 月 1 日，广东省人大常委会办公厅和省政府办公厅联合下发了《关于印发〈广东省法规草案指引若干规定（试行）〉的通知》。这是广东省人大常委会和省政府共同提出的改进立法工作的新举措。该规定的出台，标志着全国第一个立法指引制度在广东正式建立。这一规定主要是用来规范法规草案的起草、协调、审议，对提高立法质量、规范地方立法行为具有重要意义。

1. 经济领域的广东地方立法。

（1）基础产业和环境资源方面的立法。

如前所述，进入2000年之后，广东省工作重心有所转移，开始关注经济发展和环境保护之间的协调发展。在保护基础产业和环境资源方面，制定了一系列的立法。其中涉及基础产业方面的地方法规有：《广东省河口滩涂管理条例》（2001年）、《广东省基本农田保护区管理条例》（2002年）、《深圳市资源综合利用条例》（2003年）、《广东省湿地保护条例》（2006年）、《广东省跨行政区域河流交接断面水质保护管理条例》（2006年）。涉及环境资源保护方面的立法有：《广东省机动车排气污染防治条例》（2000年）、《广东省韩江流域水质保护条例》（2001年）、《广东省野生动物保护管理条例》（2001年）、《广州市固体废物污染环境防治规定》（2001年）、《珠海市防治船舶污染水域条例》（2001年）、《乳源瑶族自治县森林资源保护管理条例》（2001年）、《乳源瑶族自治县水污染防治条例》（2001年）、《深圳市生态公益林条例》（2002年）、《广东省节约能源条例》（2003年）、《广东省地质环境管理条例》（2003年）、《广州市生态公益林条例》（2003年）、《广东省固体废物污染环境防治条例》（2004年）、《广东省实施〈中华人民共和国环境噪声污染防治法〉办法》（2004年修正）、《广东省城市绿化条例》（2004年）、《广东省环境保护条例》（2004年）、《广州市大气污染防治规定》（2004年）、《深圳市节约用水条例》（2005年）、《深圳经济特区建设项目环境保护条例》（2006年）、《深圳经济特区循环经济促进条例》（2006年）。这些法规对于保护广东省基本农业用地、保护水土资源、防止环境污染、促进社会经济与环境保护协调发展，实现可持续发展，起到了十分重要的作用。

（2）经济管理领域的立法。

经济建设始终是改革开放的中心，2000年之后，广东省地方人大通过了一系列经济立法。如《广东省商品房预售条例》（2000年）、《广东省建设工程监理条例》（2000年）、《深圳市政府投资项目管理条例》（2000年）、《广州市专利管理条例》（2001年）、《汕头市惩治生产销售伪劣商品违法行为条例》（2001年）、《广东省商品交易市场管理条例》（2002年）、《广东省电子交易条例》（2002年）、《广东省实施〈中华人民共和国招标投标法〉办法》（2003年）。这些法律保障了广东社会主义特色市场经济体系，规范了社会主义市场经济秩序，促进了广东地方经济的健康发展。

2. 政治领域的广东地方立法。

（1）规范政府权力的立法。

权力导致腐败，绝对的权力导致绝对的腐败。人类实践证明，只有依法行政才能制约政府权力，保障公民权利。基于这一认识，1999年11月，国务院发布了《国务院关于全面推进依法行政的决定》，这一文件标志着我国进入全面依法行政阶段。随后党的十六大把发展社会主义民主政治，建设社会主义政治文明，作为全面建设小康社会的重要目标之一，并明确提出“加强对执法活动的监督，推进依法行政”。在这一背景下，自2000年以来，广东省以邓小平理论、“三个代表”重要思想和科学发展观为指导，坚持党的领导，坚持执政为民，忠实履行宪法和法律赋予的职责，保护公民、法人和其他组织的合法权益，全面推进依法行政。在立法领域，广东省地方人大也制定了一系列的法规来规范政府权力。

建立法治政府，首先必须依法治编。2000年广东省人大常委会制定了《广东省行政机构设置和编制管理条例》，这是广东省第一部专门对机构编制管理工作进行规范的地方性法规，它的出台标志着广东省行政机构设置和编制管理从传统的行政指令模式向依法管理的法制化轨道迈出了坚实的一步。该条例确立了行政机构设置和编制立法的三条重要原则：机构设置和编制确定的法定和统一原则、机构职能的科学配置原则、机构和编制管理的精简高效原则，

规范了机构编制的工作程序并且设置了监督机制。该条例的实施强化了各个部门的机构编制意识，提高了机构编制部门的地位，各级党政机关及其工作部门在实际工作中，遇到有关机构编制事项，都会按程序先征求机构编制部门的意见，还为机构编制依法管理提供了依据。根据2005年8月广东省人大对该条例实施情况的检查，各级政府及机构编制部门都出台配套办法，探索了一系列行之有效的管理办法，逐步强化了机构编制的协调管理和监督约束机制，从严控制了行政机构的设置和编制增长。所以，从实施效果上看，该条例控制了行政机构的设置和编制增长，为适应我省经济社会发展奠定了良好的行政体制基础，初步走出了长期以来行政机构设置和编制“膨胀—压缩—再膨胀—再压缩”的怪圈。

我国《行政复议法》自1999年颁布实施后，广东省行政复议案件大幅增加，2000年广东省各级政府及部门共收到行政复议申请3348宗，比1999年增长196%。2001年全省共收到行政复议申请4213宗，又比上年增长22%。而国家层面的立法《行政复议法》缺乏实操性，已经远远不能胜任实践中繁多且复杂的行政复议案件。为此，2003年，广东省人大常委会通过了《广东省行政复议工作规定》，完善了行政复议办案规则和程序，为广东省行政复议工作提供了细致的操作规程。

在市场经济条件下，社保基金是老百姓为了对付随时可能袭来的社会、经济风险，譬如年老、疾病、失业、工伤或生育而储备起来的用以切实保障遭遇风险时的基本生活的资金。所以，这笔资金要是被滥用，后果将是十分严重的，它不仅影响到经济领域，还会引起社会动荡。改革开放以来，广东省社保基金数额一直居全国前列，如何监管这笔资金也一直是一个难题。为此2000年珠海市人大常委会通过了《珠海市社会保险基金监督条例》，2004年广东省人大常委会又通过了《广东省社会保险基金监督条例》，这是我国第一部社会保险基金监督省级地方法规，得到国家主管部门的充分肯定。这两部条例完善了我国社会保险基金立法空白的局面，构建了人大监督、监督委员会监督、基金监督部门行政监督和社会监督

的多层次监督体系，规定了严厉的责任追究机制，赋予了基金监督工作强大的法律武器，开创了基金监督工作的新局面，使基金监督工作进入依法监督的新阶段，对规范基金管理行为，保障基金安全，维护被保险人的合法权益，起到重要作用。

打造现代服务型的法治政府，政务公开是关键的一环。一直以来广东省政务公开都走在全国的前列。1984 年，深圳设立了新闻发言人制度。1993 年，广东省开始在“两会”期间向境内外记者发布新闻。1999 年，广东省下发《中共广东省委办公厅、广东省人民政府办公厅关于在全省乡镇推行政务公开的意见》。1999 年，广东省政府明确以“广东省人民政府新闻办公室情况介绍会”的形式，定期向境内外媒体发布广东社会经济发展最新信息。这标志着广东成为中国第一个正式建立新闻发言人制度的省份。2003 年 1 月 1 日起，《广州市政府信息公开规定》开始实施，被称为国内首部“阳光政府”法案。据悉，广州市的这一行政规章提出了两个崭新的概念：政府是信息公开的义务人，老百姓是信息公开的权利人。2005 年 7 月 29 日，省十届人大常委会第十九次会议通过了《广东省政务公开条例》，这是我国第一部全面、系统规范政务公开的省级人大立法。该条例清晰地界定了政务公开的范围，明确规定，政务公开义务人对其履行经济调节、市场监督、社会管理、公共服务等职能情况的活动，除涉及国家秘密和依法受到保护的商业秘密、个人隐私以及法律、法规禁止公开的其他事项外，都要如实公开。条例还详细列举了 23 项原则上应该公开的内容，包括行政机关设置、区域发展计划、收取行政费用、处置突发事件、国企改革事项等各个方面。条例的出台具有重要意义，一方面，它标志着广东省政务公开工作已纳入法制化轨道，是基层民主建设的一件大事，也是打造“阳光政府”的重要举措；另一方面，这部条例的诞生，也意味着近年来广东在加快立法步伐，大胆探索自主性、先行性、创制性立法工作。立法领域的先行一步，与广东新时期改革开放的实践紧密结合，与百姓的诉求息息相关。

此外，2002 年广东省人大常委会通过了《广东省查处无照经

营行为条例》，规范了各级工商行政机关查处无照经营行为的工作以及公安、税务、建设、国土等部门在各自职责范围内，协同做好查处无照经营行为的工作。2002年《行政许可法》实施之后，行政许可的设定必须严格遵守该法的规定，为此，广东省地方人大还对以往立法中的行政许可进行了清理，2004年广州市人大常委会通过了《广州市人民代表大会常务委员会关于取消广州市地方性法规中的部分行政许可事项的决定》，2005年又取消了第二批广州地方性法规中的部分行政许可事项。

（2）地方人大制度建设方面的立法。

这一时期，在人大自身制度建设方面，广东省地方人大还制定了一系列的法规。如人大会议、预算审批和选举方面的立法有《广东省各级人民代表大会常务委员会讨论决定重大事项规定》(2000年)、《珠海市人民代表大会常务委员会议事规则》(2001年)、《深圳市人民代表大会审查和批准国民经济和社会发展计划及预算规定》(2001年)、《广东省预算审批监督条例》(2001年)、《深圳市人民代表大会任免国家机关工作人员条例》(2001年)、《汕头市人民代表大会常务委员会讨论决定重大事项规定》(2002年)、《深圳市人民代表大会常务委员会关于代表议案办理规定》(2004年)、《广州市人民代表大会代表议案条例》(2005年)、《广东省各级人民代表大会选举实施细则》(2006年)。人大监督方面的立法有：《广东省各级人民代表大会常务委员会信访条例》(2002年)、《广东省各级人民代表大会建议、批评和意见办理规定》(2002年)、《深圳市人民代表大会常务委员会联系代表和保障代表执行职务的规定》(2002年)。人大立法方面的立法有：《广东省地方立法条例》(2001年)、《广州市地方性法规制定办法》(2001年)、《深圳市制定法规规定条例》(2001年)、《深圳市人民代表大会常务委员会听证条例》(2001年)、《珠海市人民代表大会及其常委会制定法规规定》(2001年)、《汕头市立法条例》(2001年)和《汕头市人民代表大会常务委员会立法听证条例》(2003年)。

在上述立法中，2001 年通过，2005 年修订的《广东省地方立法条例》具有重要意义。特别是 2005 年的修改，使这部法律具有很多亮点。如为了避免立法过程中的部门利益主导，该条例规定，起草地方性法规草案应当注重调查研究，广泛征询社会各界意见；设定行政许可、行政收费、重大行政处罚等内容的，应当依法举行听证会或公开听取社会意见；起草地方性法规草案，可以委托有关专业机构和专家进行；法规草案要发送 30 名以上省人大代表征求意见。条例还建立草案三次审议程序，也推进了广东省立法程序与国家立法程序的接轨。另外，修改后的条例还建立重大条款表决制度，对有较大意见分歧的个别重要条文进行单独表决。

3．文化领域的广东地方立法。

2000 年以来，广东省地方人大在科技、教育等文化领域的立法也不断发展，力求经济改革与社会进步协调发展、全面进步。具体来说，涉及科技领域的立法有：《广东省技术市场条例》（2000 年），该法有效地保护技术交易当事人的合法权益，促进技术市场的繁荣和发展，促进科技成果向生产力转化；《汕头市促进农业技术推广若干规定》（2001 年）和《广东省促进科学技术进步条例》（2004 年）。涉及医疗卫生领域的立法有《广东省发展中医条例》（2000 年），该条例的实施有利于充分利用广东省丰富的中医药资源，有利于广东省中医药科学研究和技术开发，推进中医药国际传播；《广东省爱国卫生工作条例》（2003 年）。涉及文化宣传领域的立法有《珠海市法制宣传教育条例》（2000 年）、《广东省文化设施条例》（2005 年）和《汕头市文化市场管理条例》（2005 年）。

4．社会领域的广东地方立法。

（1）公民权利保障领域的立法。

2000 年以来，广东省地方人大进一步加大公民权利保障领域的立法力度。从 2000 年到 2008 年 3 月，共制定了涉及公民权利保障的立法 15 项。这些立法既有涉及公民民主政治权利的《广东省村务公开条例》（2001 年）、《广东省村民委员会选举办法》（2001 年）、《广东省厂务公开条例》（2002 年）、《广东省政务公开条例》

(2005年)；也有涉及弱势群体权利保障的《广东省分散按比例安排残疾人就业办法》(2000年)、《广东省母婴保健管理条例》(2004年)、《广东省老年人权益保障条例》(2005年)、《珠海市社会养老保险条例》(2005年)、《广东省预防未成年人犯罪条例》(2006年)、《广东省法律援助条例》(2006年修订)和《广东省实施〈中华人民共和国妇女权益保障法〉办法》(2007年)；还有法规涉及一些特殊群体的权益保障，如《珠海市见义勇为人员奖励和保障条例》(2002年)、《珠海市律师执业保障条例》(2003年)、《广东省实施〈中华人民共和国工会法〉办法》(2004年)、《广东省企业和企业经营者权益保护条例》(2005年)。一部部保障公民权利方面的立法之所以出台，一个根本的原因就在于人大和政府部门日益认识到国家意志在保障公民权利方面的主导作用。

在上述立法中有几部立法的现实意义值得单独一提。

首先是2006年通过的《广东省预防未成年人犯罪条例》。为了净化未成年人健康成长的社会环境，减少和消除诱发未成年人犯罪的不良因素，降低未成年人犯罪率，《广东省预防未成年人犯罪条例》被列入2006年10项新制定项目。这部法规在制定的过程中就有很多亮点，这是我国首部由未成年人参与起草的地方性法规，张萌萌等11名未成年学生代表提出的8项建议被立法机关吸纳，整理归纳成为法律条文。广东探索未成年人“参与立法”的这一新形式，被称为落实“儿童参与权”的益举和“开门立法”的新尝试。从立法内容上看，该法具有鲜明的时代特色：首次在法律上确立了我省预防未成年人犯罪工作协调机构的性质、组成和职责，解决了长期以来预防未成年人犯罪工作机构地位问题；首次在法律上确立了预防未成年人犯罪工作经费保障、使用体制，从根本上解决了预防未成年人犯罪工作经费来源问题；首次在法律上明确了工读学校性质、地位、设置，解决了长期以来我省工读学校发展严重滞后的问题。此外，该法规还设立了几条保护未成年人权益的“高压线”，如“禁止流动摊贩在学校内或者校门附近摆摊设点”，“任何经营场所不得向未成年人提供或者出售烟酒。任何人不得向

未成年人提供烟酒，不得要求未成年人为其购买烟酒”。

其次是2006年修订的《广东省法律援助条例》。该条例1999年制定，是我国第一部由省一级人大颁布的法律援助地方性法规。它的颁布实施有力地推动了广东省法律援助工作的全面发展，促进政府法律援助机构网络的建立和健全，促使法律援助经费保障得到初步解决。更为重要的是，它的颁布实施促进困难群众“打官司难”问题的有效缓解。到2006年，该条例的一些条款已不适应法律援助事业发展的客观要求，而且与2003年国务院颁布的《法律援助条例》有冲突。为了保证法制统一性，适应形势发展要求，进一步完善广东省法律援助制度，广东省人大对之进行了修改。

此外，《广东省企业和企业经营者权益保护条例》也是这个阶段通过的有关公民权利方面的一个重要立法。该法规共有二十九条，其中规范政府及相关部门等的职责，规定其维护企业和企业经营者权益的义务，以及对企业和企业经营者权益的保护措施的有十五条；另有三条规定了行政、司法机关及其工作人员侵害企业和企业经营者权益的违法责任；三条分别规定了社团组织、三方协商机制对于保护企业和企业经营者权益的义务及公民举报侵害企业和企业经营者权益的权利。该法规的颁布，规范了政府及相关部门的行为，制约了政府及各部门行政权力的行使，有利于防止行政权力的滥用，保证了企业和企业经营者的合法权益。对于发挥企业经营者的聪明才智和创造性，促进广东又好又快发展经济具有十分重要的意义。

最后是2007年修订的《广东省实施〈中华人民共和国妇女权益保障法〉办法》也有颇多亮点。作为改革开放的前沿地区，农村土地纠纷特别是出嫁女的土地承包经营权和分红权一直是广东省面临的难题，多年来都是上访和群体性事件热点。在该法规中广东总结归纳了各地解决这方面问题的做法和经验，规定，“农村集体经济组织成员中的妇女，结婚后户口仍在原农村集体经济组织所在地，或者离婚、丧偶后户口仍在男方家所在地，并履行集体经济组织章程义务的，在土地承包经营、集体经济组织收益分配、股权分配、土地征收或者征用补偿费使用以及宅基地使用等方面，享有与本农村集体经济组织其他成员平等的权益。符合生育规定且户口与妇女在同一农村集体经济组织所在地的子女，履行集体经济组织章程义务的，享有前款规定的各项权益”。这是国内首个以立法形式明确保护“外嫁女”合法权益的法规，为广东“外嫁女”权益纠纷的解决提供了明确的法律依据。该法规还细化了妇女权益保障法中的“家庭暴力”这一概念，“禁止以殴打、捆绑、残害、强行限制人身自由或者其他伤害身体和精神的手段，对妇女实施家庭暴力”。这一规定将精神摧残列入家庭暴力范围，反映出立法的进步和人性化，也有利于扩大对妇女的保护范围。此外，禁止对妇女性别歧视、不得强制孕妇换岗、制定法规政策要听取妇女代表意见等等都表明这部法规具有很强的适用性、针对性、操作性和时代性，是保障妇女权益、促进男女平等的坚实法律后盾。

（2）社会保障领域的广东地方立法。

建立稳定和谐的劳资关系对一个国家的经济发展至关重要，而保护劳动者的合法权益不受侵害是保持和谐劳资关系的关键所在。但是，由于《劳动法》和《工资支付暂行规定》等配套法律法规的滞后、缺失以及欠缺操作性，长期以来拖欠、克扣劳动者工资问题是广东省劳工领域的突出矛盾。在欠薪追讨无果、屡屡投诉无门的情况下，作为欠薪链条中最底层的弱者，在“事闹得越大，越容易引起重视，问题也就越好解决”错误想法的指使下，跳楼、爬塔吊、上路阻断交通等恶性事件一再发生。据广东省有关部门统计，广东64.4%的外资和私营企业存在拖欠、克扣、拒发工资现象，且呈上升态势，愈演愈烈。截至2004年11月，全省发生民工欠薪投诉8000多起，涉及民工81.4万人，金额7.34亿元，省劳动管理部门查处无故克扣、拖欠工资的案件达30567宗。

在这种背景下，2001年珠海市人大常委会率先通过《珠海市企业职工工资支付条例》，2004年深圳市人大常委会通过《深圳市员工工资支付条例》，2005年广东省人大常委会通过《广东省工资支付条例》。这些立法设置了多项制度来防治企业欠薪，如明确界

定了工资、正常工作时间工资和拖欠、克扣工资等基本概念的含义，并通过正面列举和反面排除的方式明确了其范围，工资定义的明确，为构建系统的规范工资支付行为的制度奠定了基础；明确规定加班加点，劳动者应该得到总计为正常工作时间的四倍工资；用“先行垫付”的方式解决建筑行业欠薪，等等。此外，还加大了对欠薪企业的查处力度，重罚违法欠薪企业，如《深圳市员工工资支付条例》规定：支付员工工资低于最低工资的；克扣或者无故拖欠员工工资的；以实物等非货币形式支付员工工资的，视情节轻重处以三万以上五万以下的罚款。

这些立法的出台，填补了我省工资支付方面的立法空白，为劳动者的合法权益提供了保护伞，为用人单位建立规范的工资支付制度提供了指南针，也为劳动保障部门的工资监督执法提供了有力的法律武器。据统计，自 2005 年 9 月到今年 6 月，广东已累计向社会公布了 84 户严重欠薪违法企业，对违法行为起到了有效的震慑和阻遏作用。《广东省工资支付条例》自 2005 年 5 月 1 日施行以来，广东各级劳动保障部门和总工会认真贯彻实施，该条例第三十七条规定，率先在全国建立重大劳动保障违法行为社会公布制度，将欠薪等重大违法行为的用人单位，暴露在社会公众舆论的监督之下，为维护劳动者合法权益发挥了重要作用，取得了显著效果。据悉，2006 年春节前广东省拖欠工资案件涉及的劳动者人数和金额，比该条例颁布实施前的 2005 年分别下降了 28% 和 22% 。

此外，2000 年之后，广东省人大还通过了《广东省工会劳动法律监督条例》（2000 年）、《广东省失业保险条例》（2002 年）、《深圳市实施〈中华人民共和国工会法〉办法》（2003 年）、《广东省工伤保险条例》（2004 年）。这些法规的实施为促进和谐劳动关系的形成，最终促进经济发展和社会稳定，为实现“和谐广东”提供坚实的法制基础。

（3）社会管理领域的广东地方立法。

在社会管理领域，2000 年之后广东省也制定了大量的立法，如《深圳经济特区殡葬管理条例》（2000 年）、《广东省城市垃圾管理条例》(2001年)、《广东省动物防疫条例》(2001年)、《广东省征用农村集体所有土地各项补偿费管理办法》(2001年)、《广州市产品维修质量监督条例》(2001年)、《广州市违法建设查处条例》(2001年)、《广东省易制毒化学品管理条例》(2002年)、《广东省旅游管理条例》(2002年)、《广东省安全技术防范管理条例》(2002年)、《广东省安全生产条例》(2002年)、《广州市房地产中介服务管理条例》(2002年)、《广东省公路条例》(2003年)、《广东省特种设备安全监察规定》(2003年)、《广东省渔业管理条例》(2003年)、《广东省突发公共卫生事件应急办法》(2003年)、《广东省爱国卫生条例》(2003年)、《广州市房地产开发办法》(2003年)、《广州市城市房屋拆迁管理办法》(2003年)、《深圳市建设工程质量管理条例》(2003年)、《珠海市政府投资项目管理条例》(2003年)、《广东省城市控制性详细规划管理条例》(2004年)、《广东省拆迁城镇华侨房屋规定》(2004年)、《珠海市旅游业管理条例》(2004年)、《珠海市商品交易市场管理条例》(2004年)、《深圳市学校安全管理条例》(2005年)、《深圳市预防职务犯罪条例》(2005年)、《深圳市食用农产品安全条例》、《深圳市义工服务条例》(2005年)、《深圳经济特区物业管理条例》(2007年),等等。在上述立法中,最引人注目的是:

第一,2001年通过的《广州市专利管理条例》。该条例在很多方面都走在全国立法的前面,如规定发明人或设计人需获专利咨询、申请服务,但是又没有能力支付专利的服务费用,可以向市专利管理工作的部门申请服务援助,经审查符合条件的,由专利服务机构提供服务援助,减免收费;还特别规定政府投资的科研项目立项、专利技术的进出口以及需要鉴定、登记、评奖的项目,都要出具专利的检索报告,被检验没有侵权的才被允许进行下一步工作;此外,同专利法实施细则相比,专利酬金比例大幅提高。

第二,2002年通过的《广东省电子交易条例》。这是全国首部关于电子商务的条例。广东省作为改革开放的前沿和电子商务发展领先的地区,信息化得到广泛应用,电子商务基础架构正在形成,

电子商务认证中心、支付网关系统以及相配套的物流配送系统也正逐步形成。企业间的电子商务非常普及，企业通过互联网进行业务洽谈和交易已成为一种新的趋势，但由于得不到电子商务相关的法律法规的支持，严重制约了我省电子商务有序、健康、深入的发展。该条例主要突破点在于确立了电子签名的法律地位，解决了电子数据的法律有效性、法律取证两大难题。条例通过对电子签名、认证机构、电子交易服务提供商三大问题的规范，比较好地解决了电子交易中的信息安全问题，使电子商务能够在一个安全的、信任的网络环境下开展，这必将有力地促进广东省电子商务的进一步发展，同时为日后全国的电子商务立法提供先行经验。

第三，2007 年通过的《广东省食品安全条例》。食品安全是百姓关注的热点问题之一。但如今，食品的安全，似乎却成了人们心目中一件奢侈之事。食品安全危机，近年来不断爆发，而且问题越来越严重。经历 4 次审议后，2007 年 11 月 30 日，广东省人大常委会通过了《广东省食品安全条例》。针对目前食品安全监督管理的现状，该条例在诸多方面实现了突破，比如建立职责明确、互联互动的监督管理体制，强化生产经营者作为保证食品安全第一责任人的责任，明确生产者、销售者和餐饮经营者的义务，构建食品安全保障体系，包括食品安全风险监测和评估，食品安全标准的制定和实施、不安全食品召回制度、食品安全信息发布、食品安全应急处理机制等。在广东地方立法的历史上，这部条例创造了很多个“第一”，国内第一部专门、系统和综合性的食品安全的地方性法规；是草案审议次数最多的地方性法规；也是首次在法律层面提出食品召回制度的地方性法规。

第四，2007 年通过的《深圳经济特区物业管理条例》。2007 年，历时四年、先后十二易其稿，深圳市人大常委会通过了《深圳经济特区物业管理条例》，该法规共七章一百二十七条，对业主、业主大会、业主委员会的权利义务，物业管理服务权责及其服务管理方式，物业使用与维护，物业服务收费以及相关法律责任作出了明确的规定。与国家物业管理条例相比，该法规有不少突破和创新，而且更具体，操作性更强，对加强物业管理和服务，对保障相关方面的权利，具有重要意义。

三、30年来广东省地方立法的成就与经验

（一）30年来广东省地方立法成就

“法与时转则治，治与世宜则有功”。历史上无数次改革向世人证明，改革无一不意味着变法，法是进行改革创新的前提，也是巩固改革成果的保障。商鞅入主秦国实行新政，改法为律；王安石变法颁行“一条鞭法”；清末新政促成了清末修律；波涛激荡的法国大革命结出了《拿破仑法典》的硕果。深处改革开放纵深腹地的广东也再次印证了这一历史命题。改革开放向广东提出了前所未有的挑战，也为广东地方立法提供了前所未有的空间，30年来广东地方立法硕果累累。据统计，截至2008年6月30日，广东省人大及其常委会共制定和批准了地方性法规和有关法律问题的决定、决议总数为532项。其中现行有效的地方性法规和有关法律问题的决定、决议总数为440项，其中，现行有效的地方性法规406项，它包括广东省现行有效的地方性法规220项、较大的市现行有效的地方性法规177项（广州市98项、深圳市33项、珠海市28项、汕头市18项）、现行有效的自治条例和单行条例9项；现行有效的有关法律问题的决定、决议34项，它包括广东省17项、广州市14项、自治县3项。具体来说，30年来广东地方立法的成就体现在以下几个方面：

1．坚持中国共产党的领导，在立法工作中贯彻以人为本、立法为民的指导思想。

社会主义法制实质上就是人民民主的制度化、法律化。我们的立法都应该是也必须是党的正确主张和人民共同意志的统一，是维护人民根本利益、保障人民当家作主的。因此，只有体现了以人为本的法律，才是具有时代进步意义的法律。广东之所以能成为全国

的民生立法“试验田”，一个根本原因就是人大和政府部门能够认识到国家意志在贯彻以人为本、立法为民和解决民生问题上的主导作用。具体来讲，广东省地方人大在立法工作中一直坚持以下三个基本要求：

第一，在立法的理念上贯彻以人为本思想。

在这种理念的指导下，广东省的立法工作逐渐从过去偏重行政管理职权、轻公民权利，转到既维护行政管理权威、又重视公民权利的统一；从过去以义务为价值本位，转变到以权利为价值本位，从权利的价值角度出发设定和分配义务。

第二，在立法选题和立法内容上充分关注、反映民意和民生，重视代表和反映人民群众的根本利益和要求，通过立法，保障和实现人民群众的根本利益。

随着中国经济社会步入转型期，社会各阶层利益分化明显，种种新矛盾、新问题层出不穷。在改革开放中先行一步的广东，有关民生的社会矛盾也暴露得更早、更充分。在很长一段时间里，民生问题之所以广受关注，一个重要因素就是许多法律法规制度的缺失和不完善，社会运行未能形成一套行之有效的规则，老百姓在物价、治安、福利、教育、医疗、住房等方面的权益得不到合法保障，民生问题的解决没有置于法律法规的框架之下。解决民生问题，既要有坚实的物质基础，更需要具体的制度保障。然而，现行的法律法规在这一领域不仅滞后，还存在盲区，与社会需要不相适应。看病贵、治安差、就业难、食品安全等问题一方面亟待解决，一方面又没有现成的法典可以参照，立法必须白手起家。针对这一现实矛盾，时任广东省人大常委会主任黄丽满指出，“人大的立法、监督等一切工作都要贴近基层、贴近实际、贴近群众，体察民情、反映民意、集中民智、维护民利”。

在由“人治社会”向“法制社会”转变的过程中，制度是社会运行不可或缺的力量。在关注民生方面，如何将保障公民生存底线、给予公民发展机会、提供公民公众普遍福利等社会先进理念以制度化的形式固定下来，其核心就是立法。因此，在立法选题和立

法内容上，广东省人大常委会注重从广东的实际出发，根据自身建设发展需要制定法规，在国家相关法律法规尚未制定的情况下，借鉴香港地区及国外优秀法律文本进行尝试。如2008年1月1日《广东省食品安全条例》正式实施。作为我国首部关于食品安全的地方性法规，该条例在全国率先以立法的形式确定了食品召回制度，首次确立食品安全风险监测、评估、通报和统一发布制度。此外，早在2005年实施的《广东省工资支付条例》中，省人大立法部门的相关专家就特别强调制度架构的重要性，在该条例中建立起保障工资支付的三大机制。回顾近几年来省人大常委会在社会领域的立法工作，这种制度建构的色彩变得更加浓烈，民生问题的解决被越来越多的法律法规制度化、规范化，人民共享改革发展的成果得以巩固。诸如《广东省工资支付条例》、《广东省工伤保险条例》、《广东省社会保险基金监督条例》、《广东省老年人权益保障条例》、《广东省预防未成年人犯罪条例》等法律法规的制定和修订方面，都呈现出关注百姓利益诉求，使百姓利益更多得到制度保障的特点。据司法部统计，在全国范围内，广东近年来制定的地方性法规中，属于先行性、试验性、自主性的立法，接近总数的一半。情系民生则是解放思想的根本出发点，大量先行性、创造性立法的出现，归根到底就是为了维护群众不断变动的权益。

第三，在立法的过程中，强调立法的民主性和科学性。

立法要体现以人为本，就需在立法过程中坚持走群众路线，充分反映人民群众的意见和愿望。人民群众不应该是法律法规的被动接受者，而首先应该是立法的参与者。一直以来广东省地方人大积极探索民主立法、科学立法、开门立法的新形式，完善立法听证、公开登报和网上征求意见、聘请立法顾问、召开专家论证会和立法论坛等形式，扩大和创新公民参与立法的机制，使广东省立法工作做到深入了解民情、广泛集中民智、充分反映民意、准确体现民利。2007年7月，省人大常委会收到了《广东省价格条例（草案）》的审议申请。这份备受社会各界关注的条例规定，要对关系群众切身利益的价费，尤其是医药、水、电、燃气价格以及教育、

电信、停车场等公用公益事业、垄断行业的价格进行特别规范。同时，进一步规范政府制定、调控价格的行为，提升政府价格决策的科学性、民主化和透明度。

中共中央政治局委员、广东省委书记汪洋曾指出，“人大的立法，应该更加注重构建和谐社会的立法，注重权利保障立法”，这对人大在民生制度建设上提出了新要求。相关专家表示，广东之所以能成为全国的立法“试验田”，一个根本原因就是人大和政府部门能够认识到国家意志在解决民生问题方面的主导作用，这不仅对于构建和谐广东具有积极的推动及保障作用，而且能为全国提供借鉴。

2．在保证立法质量的基础上，立法数量逐渐递增。

改革开放，立法先行。从 1979 年广东省人大恢复工作以来，广东省的立法数量在保证质量的基础上稳步增长。以广东省人大及其常委会为例，历届广东省人大及其常委会制定和批准的法规，其数量为：第五届 18 项，第六届 40 项，第七届 52 项，第八届根据党的十四大召开后势头迅猛发展的需要，立法增加到 152 项，第九届制定（含修订）和批准的地方性法规、单行条例以及有关法规问题的决定共 165 项（其中常委会审议后提请代表大会审议通过的有 3 项）。第十届人大在立法工作方面，实现从重立法数量、立法速度向重立法质量、立法效益的转变，立法数目从每年的几项提高到了几十项。截至 2007 年 7 月，深圳市人民代表大会及其常委会共立法 296 部，其中约三分之一是在国家和其他地区没有先例的情况下制定的，三分之一的法规都有创设性的规定。在 1995 年 9 月 15 日，深圳市人大常委会创立了“一天五部法规”的立法纪录。

3．立法领域逐步拓展。

如前所述，广东省地方立法的发展经历了四个阶段。第一个阶段和第二个阶段的立法主要集中在对深圳经济特区的立法（30%）和有关社会治安的立法（10%），其余领域的立法显得比较零散。进入 20 世纪 90 年代以来，在以经济立法为主导的基础上，广东省立法范围逐步扩大，涉及政治、经济、文化、公民权利等等社会生

活的各个领域。可以说，广东省地方立法已经成为一个覆盖社会生活诸多领域的相对完善的地方法律体系。

此外，在某些领域已经初步形成了一批互相配套、相对成熟的法规群。例如关于房地产行业的，有开发经营、预售、登记、评估、转让、租赁、物业管理等法规；关于环境资源保护的，有大气及噪音污染防治、水土保持、水源水质保护、农业环境保护、建设项目环境保护、森林及野生动物保护等法规；关于人大自身建设方面的，有代表选举、程序、执法检查、监督、批评、个案监督和人事任免等法规；维护市场秩序方面，有会计、审计、打击生产销售假冒伪劣商品、食品安全等法规。

4．发挥立法创新优势，先行性立法和自主性立法占有相当比重。

党的十六大报告指出，创新是一个民族进步的灵魂，是一个国家兴旺发达的不竭动力。可以说，创新是广东改革开放的最初起点，也是广东改革开放的根本追求。邓小平百年诞辰前夕，广东改革开放的元老、原省委第一书记任仲夷回忆说，改革开放一开始，中央就发文将广东定为综合改革试验省份，广东的今天，很大程度上是一步一步“试”出来的。三十年来，广东省委坚定地、创造性地执行了改革开放国策，将整个广东变为改革开放的“试验田”。

根据《立法法》的规定，地方性立法有三种类型：为执行国家法律而制定实施性法规，属于执行性立法；对国家尚未立法的事项，地方先行立法试验的，属于先行性立法；对于地方特有事项，由地方自行立法，属于自主性立法。三十年来，广东省人大及其常委会的立法工作勇于开拓创新，创造了令世人瞩目的成绩，如率先实行国家国有土地有偿使用的特区土地管理办法，实行劳动合同制的特区劳动工资管理规定，特区成为我国首例地方性公司立法的涉外公司条例，都是富有试验性的立法。此外，我省的计划生育条例，合伙经营条例、股份合作条例、农村集体资产管理条例、财产拍卖条例、律师执业条例、省人大常委会监督条例等许多法规都是

先行性立法，这些立法在一定程度上回应了乔石同志对广东省立法“成为立法试验田”的期待。此外，对于应急、应兴、应革的地方性事项，广东省也敢于进行立法创新，自行立法加以规范。如为加强高新技术产业的发展，加大对外引资力度，以立法促进体制创新和科技创新，深圳借鉴我国北京、上海、台湾以及日本、新加坡的立法经验，及时制定了《高新技术产业园区条例》，针对人才市场制定了《人才市场管理条例》。此外，关于基本农田保护区管理，对省内江河的水质保护，燃气管理、城市房屋拆迁管理、惩治为赌博放贷非法索债等法规，广州市有关销售燃放烟花爆竹管理、养犬管理、风景区保护以及珠江河段饮食业污染防治等法规都是自主性立法，取得了良好的效果。

据统计，截至2008年6月30日，广东省人大及其常委会共制定和批准了地方性法规与有关法律问题的决定、决议总数为532项。现行有效的地方性法规和有关法律问题的决定、决议总数为440项。其中先行性、试验性、自主性的法规占总数的52%。据统计，16年来深圳市人大及其常委会共通过法规以及有关法规问题的决定近300项，其中30%的法规是在国家立法尚未出台的情形下先行制定的，先行探索创新的立法项目占立法数量的40%。特区立法工作对推动深圳改革创新发挥了不可替代的作用。

5．不断完善立法程序和立法技术，立法制度逐步健全。

现代民主立法特别重视立法程序的设计和运用，在许多法治国家，确立了“无程序即无立法”的原则，遵从立法的各项程序规则已成为实施立法活动的前提性条件。以程序先定而形成的一整套立法的程式性规则，构成了立法程序的主要内容。30年来，广东省地方性法规的制定程序也经历了从无到有，从形式到实质的变迁。1985年，广东省人大常委会对制定地方性法规作了暂行规定。随着立法经验的积累，1993年颁布了《制定地方性法规的规定》。自2000年《立法法》颁布以来，广东地方立法活动一直都牢牢贯彻《立法法》的精神，完善立法制度，严格依照法定的权限和程序，从国家整体利益出发，立法活动日渐规范。2001年以来，广东省、广州市、深圳市、珠海市、汕头市都分别制定规范立法活动的地方法规——《广东省地方立法条例》、《广州市地方性法规制定办法》、《深圳市制定法规规定条例》、《珠海市人民代表大会及其常委会制定法规规定》、《汕头市立法条例》。

在立法程序和立法技术方面，尤其值得一提的是广东省多年来一直践行的“开门立法”举措。所谓“开门立法”就是让人民群众直接参与立法过程，立法听证是“开门立法”的第一步。1999年9月9日，省九届人大常委会就《广东省建设工程招标投标管理条例（修订案）》首次公开举行立法听证会，同年深圳市人大计划预算委员会制定了全国首个地方人大的部门立法听证规则即《深圳市人大计划预算委员会听证制度》，随后几年又有多部法律的立法举行了听证。随后公开征求立法项目和立法意见成为开门立法的第二步。2003年11月开始，省十届人大常委会首次向省人大代表、有关行业协会、各地级以上市人大法制委员会书面征集立法项目和法规草案稿，并登报面向社会公开征集立法项目和法规草案稿。这项公开征求意见的举措从此成为广东法规确立的必经之路。而修改后的《广东省地方立法条例》建立了草案三次审议程序，推进了广东立法程序与国家立法程序的接轨，从制度上更大限度地维护了更广大群众的利益，规避了部门利益法制化。立法程序和立法技术的不断完善并非程序性的拖拉，而是要让法律的出台经过更多的酝酿，通过媒体，让公众、代表对法律有更多的了解，也让常委会委员有充分的时间了解民意从而进行更加科学的考虑；此外，“开门立法”的精髓还在于以形式正义来保证实质正义，以程序公平来保证结果公平，从而真正实现立法过程中的民主价值。

（二）30年来广东省地方立法经验

在多年的立法实践中，广东省各级地方立法机关立足广东实际和改革开放的大局，坚持解放思想，在地方立法方面做了大量积极探索，不仅取得了显著的成就，而且积累了丰富的经验。

第一，在指导思想上，坚持中国共产党的领导，以邓小平理

论、“三个代表”重要思想、科学发展观和构建和谐社会理念为指导，坚持与时俱进，坚持立法与改革发展具体实践相结合，着力解决广东省经济、政治、文化和社会发展中的实际问题，坚持了地方立法的正确方向。

第二，在组织领导上，努力发挥各级人大常委会的主导作用。长期以来广东省地方立法一直依托各级人大常委会的力量，充分发挥各级人大常委会在地方立法中的主导作用。如1993年以来，广东省人大常委会根据党的十四大精神，提出全速推进的口号，推进了广东省立法的速度，提高了广东省地方立法的积极性，当年便出现了立法数量大量上升，立法工作蓬勃发展的局面。自从1995年以来，广东省人大常委会每年都和省政府联合召开一次立法工作会议，总结经验，制定计划，确定重点，布置任务，使得立法工作有序发展。近年来，省人大常委会开始对立法工作进行监督和检查，各个专门委员会也提前介入法规的起草工作，对某些重点立法项目自行起草和组织起草，从而加强了立法的科学性和立法主动性。实践证明，在广东省委的领导下，广东省各级人大常委会在立法方面，发挥了越来越重要的作用，立法工作得到全面有力的推进。

第三，坚持以人为本，立法为民，关注民生问题，切实解决群众最关心、最现实、最直接的利益问题，保证人民共享改革发展的成果。30年来，广东省地方人大制定了大量的教育、医疗、劳动、社会保障和社会管理领域的地方法规，在保障和改善民生，推进社会体制改革，扩大公共服务，完善社会管理，促进社会公平正义方面发挥了重要作用。

第四，在立法布局上，以经济立法为重点，通过立法促进经济、政治、文化和社会各个领域的科学发展。把经济立法作为立法工作的重点，是坚持经济建设为中心和发展社会主义市场经济的客观需要。掌握这一重点，要体现经济立法的数量占有较大比重，还要体现为每年的立法计划，都有若干经济立法列为重点。据统计，广东省目前已经制定的地方性法规中，属于经济立法的比重约占60%。在围绕经济建设这个基本点进行地方立法的同时，广东省地方人大还不断加强精神文明、教育、卫生、文化、社会治安、地方政权建设、自身组织建设等方面的立法，以利于社会全面进步，和谐发展。

第五，在法规内容上，力求符合以下几个原则：①同宪法、法律和行政法规不抵触的立法法治原则，在此基础上，真正从本地区的具体情况和实际需要出发，凸显地方特色。②坚持以人民的根本利益为出发点的原则，把促进民生、民权及保障依法行政和司法公正结合起来，不得在地方性立法中限制公民权利。③坚持社会主义市场经济的公平、公开和效率原则，保障各类市场主体平等自由竞争，建立和维护自由市场秩序。④权利和义务相对应原则。在赋予或保证政府部门权力的同时，要规定其权力的限度和接受监督的义务，使政府权力受到法律的制约。

第六，在制度建设上，努力形成既可以提高质量又能保证效率的立法机制。加强立法工作，不能片面地加快步伐，忽视质量，也不能只求质量，不追求效率。对于兼顾效率和质量，广东省人大立法中一些经验是比较有效的：一是强调起草法规必须首先进行深入调研，充分掌握实际情况。务求法律对策有较强的针对性。如2007年一年中，中国人大新闻网广东频道最常出现的关键词，就是“调研”二字。2007年7月，省人大农村医疗卫生工作专题调研组前往潮州、揭阳等市，采取召开座谈会、听汇报、实地察看等形式，开展对农村医疗卫生工作的调研。二是各级人大常委会的各个专门委员会或者工作委员会都直接参与立法工作，并建立对法规的初审和会审制度。初审由熟悉对口业务的各个专门委员会分别承担，这有助于加快立法步骤，也便于审查法规的必要性和可行性。在此基础上，由专业的法制委员会负责会审，着重从合法性和规范性上把关。经过以上步骤，会议主任才认为法规法案比较成熟，才提请常委会审议。三是在材料准备、日程安排、回答询问等方面尽量为常委会审议提供方便。四是增强立法的透明度，扩大了公民的有序参与，立法听证会、专家论证会和利益相关人座谈会等新兴模式出现在立法工作中。《广东省地方立法条例》就明确规定，起草

地方性法规草案应当注重调查研究，广泛征询社会各界意见。设定行政许可、行政收费、重大行政处罚等内容的，应当依法举行听证会或公开听取社会意见。广东省委常委、广州市委书记、广州市人大常委会主任朱小丹进一步指出，立法工作要不断拓宽公民参与立法的渠道，广泛征求市民和社会各方面的意见和建议，把立法工作建立在民意的基础之上。这些做法可以更好地体察民情、反映民意、集中民智，维护民利提高立法的公开性和民主性。

第七，在立法思路方面，按照党和国家的战略部署和重大决策，以改革开放和社会主义现代化建设伟大实践作为地方立法基础，根据经济社会发展的客观需要坚持走与重大决策相结合的路线。30 年来广东省地方立法之所以具有强大的生命力就在于它坚持走与重大决策相结合的立法思路。这一经验表明，地方立法必须紧紧围绕发展这个第一要务，立法工作既要体现地方特色、适应地方建设需要；还必须与改革、发展、稳定等重大决策相结合，并且以规范市场经济的立法为主；还应该坚持走群众路线，充分体现和吸纳民意，落实和发扬社会主义民主；还要进一步完善经济领域的立法，规范市场主体及其行为，维护市场秩序，改善和加强宏观调控，促进经济、政治、文化、社会的全面协调可持续发展，努力为经济发展和社会全面进步创造良好的法制环境。

第二章
依法行政，构建法治政府
——30年来的广东行政法制

一、广东行政立法

（一）广东行政立法概况和特点

行政立法是行政机关制定的行政法规、规章等行政规范性文件。1982年的《宪法》、《地方各级人民代表大会和地方各级人民政府组织法》就已对地方政府以发布决定、命令等方式制定行政立法进行了规定。2000年施行的《立法法》对地方政府行政立法，即地方政府规章的制定、适用等问题进行了明确。根据现行法律，广东省享有地方政府规章制定权的主体，包括广东省人民政府，广州市、深圳市、汕头市和珠海市人民政府。据统计，从1983年至今，广东省制定政府规章200多件，[①] 广州、深圳等市的政府规章也达百余件。随着《立法法》及之后《规章制定程序条例》等法律、法规的颁布实施，地方政府规章制定工作已进入法律化、制度化的轨道。

除规章外，地方政府及其行政管理部门也在管理工作中发布大

---

① 截至2008年1月，广东制定政府规章280余件，但其中部分已废止或者宣布失效。

量的决定、命令等行政规范性文件。这些文件与规章构成地方行政立法的主要内容，已成为地方法律体系的重要组成部分，也是行政机关进行行政执法的最主要的法律依据之一。

1. 广东行政立法的规范范围十分广泛。

目前的行政立法几乎涵盖了经济、社会生活各个领域、各个层面。从经济管理，到社会秩序、公共安全，再到政府行为规范等各个方面都可以找到相应的行政立法予以规范。这些行政立法在规范和加强政府经济调节、市场监管职责的同时，越来越注重对有关社会管理、公共服务，以及包括行政立法程序在内的各种政府行为进行规范。

（1）经济管理方面的行政立法。①

第一，对于公司、企业、国有资产管理的规范，主要集中于企业的设立条件和程序、境外企业财务管理和公司管理、国有企业改组、国有企业定期审定及其监事会运作、国有集体企业产权交易、全民所有制企业经营机制转换，以及对民办科技企业、企业集团、大工业区、集体所有制企业管理等。

第二，在房地产、建筑领域，在对房屋租赁、建筑工程施工招投标、住宅小区物业管理等内容进行细化的同时，也集中对房地产综合开发、房地产评估、土地使用权招标、拍卖、建筑工程质量和安全监督管理、商品住宅建设项目验收管理、建设工程造价、建筑报建审批、禁止建设工程转包、违法分包及挂靠、房屋拆迁、物业估价、城市建设档案管理、房屋装修、居住小区配套设施建设等内容进行了明确。

第三，在商贸、旅游领域，对举办经贸展览会、农副产品拍卖、制止不正当竞争、木材市场管理、文物监管物品经营、文物商业管理、建筑工程交易、商品条码管理、无形资产评估、个人信用

① 资料主要源于深圳法制办网站：政策法规部分 http://fzj.sz.gov.cn/laws/2LAW.htm。此外，根据搜集到的《中国法律年鉴》上的地方规章目录所列的广东省政府和广州市政府的规章，对此部分进行了补充。

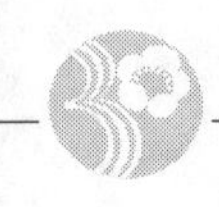

征信及信用评价管理、风景区管理等内容进行了规定。

第四，在金融、证券、期货领域，在立法权限范围内，对金融市场管理、典当、风险投资业发展等内容作出了具体的规定。

第五，在推动开发区建设方面，主要集中于对高新技术产业开发区高科技企业认定、高新技术产业开发区建设、高新技术园区管理、创业资本投资高新技术产业管理、经济技术开发区土地使用权有偿出让与转让、高新技术成果转化项目认定、科学技术奖励等内容的明确。

（2）社会管理和公共事务方面的行政立法。

第一，在交通运输领域，主要对地方口岸管理、客运口岸管理、专用码头管理、公路收费站管理、地下铁道建设管理、地铁运营管理、水路运输管理、机动车辆检测、异地车辆管理、旅客运输管理、公用型汽车客运站管理、小型货车营业运输、道路货物运输、市区出租小客车管理、摩托车维修行业管理、水上交通事故处理、旅游事故处理、查禁公路“三乱”行为等内容作出了具体的规定。

第二，在教育、科技、文化领域，对鼓励华侨、港澳台同胞投资办学、自学考试社会助学管理、中小学教师继续教育、民办高等学校设置、基础教育民办学校管理、民办教育管理、教育督导、教育收费、技术成果入股、加快高新技术及其产业发展、无形资产评估管理、文化市场管理、非营利性出版物管理、体育市场管理等内容进行了明确。

第三，在农业、水务、能源、资源领域，对防洪设施管理、河道采砂管理、水资源管理、饮用水源保护区管理、渔业港区管理、市政排水、生活饮用水二次供水、城市供水、集中供热用热、征收超标排污费、能源利用监测管理、木材运输监督检查、煤矿安全生产管理等内容进行了规定。

第四，在工商、物价、质量管理领域，对户外广告、商品条码管理、无营业执照经营管理、经营市场价格行为管理、金属材料交易市场管理、电气产品质量监督、食品安全监督、价格调整基金管

理、盐业管理处罚、强制检定工作计量器等内容进行了明确。

第五，在医疗卫生、计划生育领域，在进一步细化婚姻登记管理、医疗机构管理、医疗事故处理、社会养老保险、工伤保险等上位法规定的同时，对流动人口计划生育管理、妇幼卫生、医疗卫生计量器具、医疗收费、献血管理、实验动物管理、除“四害”管理等内容也作出了规定。

第六，在公安、监察、司法、民政的领域，主要对出租屋治安管理、公共场所大型临时性群体活动治安管理、行政监察申诉案件处理、禁止销售燃放烟花爆竹管理、法律援助、社会团体管理、外商投诉管理、蓝印户口管理、门楼牌号管理、退伍兵安置、扶助残疾人、残疾人特殊困难救济补助、按比例安排残疾人就业、优待老年人、授予荣誉市民称号等内容进行了明确。

第七，在城管、环境卫生、环保领域，主要对市容和环境卫生管理、城市雕塑管理、城市绿化管理、城镇镇容镇貌管理、机动车排气污染防治、淤泥渣土管理、城市道路照明、污染物排放许可证管理、整治防盗网、城市综合执法、城市道路临时占用管理、无障碍设施建设管理、生活垃圾处理费用征收和使用等内容作出了具体的规定。

第八，在社会保障领域，在对社会养老保险、工伤保险等上位法进行细化的同时，对城镇职工基本医疗保险、私营企业和个体户从业人员基本养老保险、职工伤亡事故处理、企业职工最低工资、失业保险、民办社会福利机构管理、城镇解困房建设、城乡居民最低生活保障制度实施、社保基金收支两条线管理等内容作出了具体的规定。

（3）保障群众生命财产和人身安全方面的行政立法。

近几年，随着对政府在保障群众生命财产安全方面的要求日益突出，这方面的行政立法也不断增多。

第一，在食品安全管理方面，对饲料管理、饮用水质保护、生猪屠宰、鲜活农产品使用安全管理、种畜禽管理、食品生产加工环节卫生监管机关变更、清真食品管理、食品安全监督等内容进行了明确。

第二，在消防安全的领域，对民用爆炸物品管理的具体实施、义务消防组织、建设工程消防监督管理、外商投资企业消防管理、高层公共建筑消防安全管理等内容进行了规定。

第三，在预防自然灾害和突发事件方面，对森林病虫害防治实施办法、水路危险货物运输监管、锅炉压力容器安全管理、防御雷电灾害管理、植物检疫、放射性废物管理、医疗废物集中处置、突发气象灾害预警信号发布、公共视频系统管理、基本生态控制线管理、自然灾害救济等内容进行了规定。

(4) 规范政府行为方面的行政立法。

在规范政府行为方面，广东行政立法整体上顺应了服务行政的趋势，淡化了单一强权的色彩，体现了公共参与性、规范性、透明性等特点。在内容、形式、程序逐渐规范化的基础上，行政机关的行为逐步置于明确的约束之下。

第一，在规范规章和规范性文件方面，制定了规章制定办法、规章制定公众参与办法、制定规章和拟定法规草案规定、规章解释规定、规范性文件备案规定、规范性文件管理规定等。

第二，在政务公开、透明、规范方面，对政府信息公开、政府信息依申请公开、政府信息网上公开、重大决策公示、政府常务会议工作细则、街道办事处工作规定、内部审计、预算外资金管理、行政事业性收费管理、地方预算执行情况审计监督等内容进行了规范。

第三，在执法的规范化方面，主要对于城市管理综合执法、行政执法协调、行政执法评议考核、实施行政处罚、行政监察申诉处理、实施行政许可、行政听证办法、行政审批登记制度、行政审批事项清理、非行政许可审批和登记等内容予以了明确。

第四，在规范复议工作方面，对复议案件办理程序、行政复议工作规则等内容进行了明确。

第五，在行政责任追究方面，对环境保护目标任期责任制、行政机关负责人安全管理奖惩办法、重大安全事故行政责任追究等内

容进行了明确。

（5）在规范公务员行为方面。

主要对建立和推行公务员制度及公务员职务任免、职位分类、录用、辞退、培训等内容进行了具体的规定。

总的看来，这些行政立法在规范内容上，包括了从确立市场经济秩序、发展城市建设，到规范行政处罚、行政收费、行政许可等具体行政行为，再到保障公共安全、加强公共服务和完善政府行政立法、政务公开程序等多个方面。行政立法在不同历史时期条件下，对经济、社会生活的塑造、规范和发展，都发挥了重要的作用。

2. 广东行政立法的程序逐步完善。

行政立法的程序，经历了由不成熟，到相对成熟、到不断完善的过程。立法技术要求也越来越规范，行政立法的过程正逐渐走向开放和民主。

（1）行政立法程序的法律依据不断健全。

广东省最早的一部政府规章是在1983年制定的《广东省公有房产管理办法》，而省政府《关于草拟地方性法规和制订行政规章程序暂行规定》和《广东省人民政府制定规章规定》这两部有关行政立法程序的规定则分别在1986、1993年才制定出台。这一时期的行政立法程序在总体上还不够规范。其最突出的表现就在行政立法的发布形式上，有的以省政府文件的形式公布，有的以省政府函的形式发布，有的以省政府办公厅文件的形式公布，也有以省政府令的形式发布的。这种情况一直到20世纪90年代中期才逐渐转变。直到2000年之后，随着《立法法》和国务院《规章制定程序条例》、《法规规章备案条例》等国家法律、法规的出台，才使得行政立法的程序有了直接的、明确的上位法依据。

广东省在《立法法》等国家法律出台之后，制定了《广东省人民政府规章和法规草案审批程序》，广州、珠海分别在2002年、2003年制定了本市的规章制定办法。2004年2月16日，深圳市人民政府公布了《深圳市人民政府规章解释规定》，明确了规章解释的原则，对提请规章解释的程序、规章解释申请的审查、处理作出了进一步的规定。该规定为规章的解释设置了程序，有利于规范规章的实际运行。广东省、广州市在2003年、2004年还出台了行政规范性文件管理规定，规范行政规范性文件的制定、审核、发布。广州市在2006年制定了《广州市规章制定公众参与办法》。这些规章，成为规范广东行政立法程序的根本依据，也是广东行政立法程序不断完善的重要标志。

（2）行政立法过程的科学性、民主性不断增强。

广东有关行政立法程序的规定中，对行政立法过程在规划、计划、起草、审核、发布等不同阶段分别进行了不同的制度安排和程序要求，这些规定有效地提高了行政立法的科学性、民主性。如在立法的规划和计划阶段，要求重视拟定立法工作的安排，增强行政立法工作的计划性。注重深入调查研究，通过听取意见、论证会、听证会等方式广泛征求意见，提高政府立法的科学性和透明度。随着广东省范围内各地方政府信息公开办法、规章制定办法以及规章制定公众参与办法的出台，在立法规划阶段，立法规划的民意成分逐渐增强。在立法的起草阶段，由最初的政府部门起草，逐渐放开，建立起了重大事项决策的集体讨论、专家论证、社会公示和听证、决策跟踪与评估、决策失误责任追究等制度，完善了群众参与、专家咨询和政府决策相结合的决策机制，有效避免了政府决策的盲目性和随意性，防止和减少了决策失误的发生。在政务公开、信息公开的背景下，立法起草阶段的公开和参与越来越呈现出其重要性，并成为影响规章效力的重要因素。① 在立法的监督方面，行政立法由单一的事后监督逐渐过渡到公众参与的全过程监督，在立项、起草、审查、实施各个环节逐渐扩大公众参与的空间。在规章清理的模式上，开门听取意见的形式逐渐成为必要的公众参与

① 如《广州市规章制定公众参与办法》第二十七条规定：“市政府法制机构应当在审查规章送审稿的同时，审查部门报送的公众参与规章起草情况的说明。说明内容不符合第二十三条规定或者规章起草部门未按本办法组织公众参与工作的，市政府法制机构应当将规章送审稿退回起草部门，并要求其依照本办法重新组织公众参与工作。”

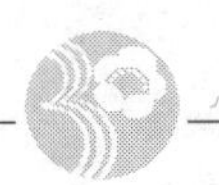

途径。

在行政立法工作中，各行政机关能深入了解和把握本地省情、市情、民情，注重调查研究，提高行政立法的可操作性。同时，本着“立党为公”、“执政为民”的宗旨，尽可能广开言路，扩大征求意见面。根据各个项目的实际情况，以座谈会、论证会、上网、登报、听证会等多种方式尽可能广泛地征求群众、企业、专家、部门的意见，通过各种渠道聆听群众的声音。其中尤其重视征求行政管理相对人、基层政府部门意见。行政立法各个阶段的征求意见、公众参与等制度和规定，使得行政立法更加贴近民意、反映民意，越来越具有民主化的特征。

（3）政府规章清理工作逐渐制度化。

广东各级政府规章的清理工作，在《立法法》出台后开始逐渐制度化。广东省政府及广州、深圳等市政府分别在2002年、2004年、2007年进行过规章清理工作，修改和废止了一批与上位法相抵触、被上位法所取代，或者因上位法变化，与经济、社会发展进程不相适应的政府规章，清理结果也依法发布。清规工作逐渐由原来因为国家一些基本或者重要法律规范的出台、修改而进行的临时性的、有针对性的法规清理（如因我国加入WTO、因《行政许可法》出台等而进行的清规），转变为全面性、经常性的清理。广东行政立法已逐渐由重视立法的速度和规模转向控制立法数量、提高立法质量。行政立法出台的速度明显放缓，而其合法性、科学性、可操作性则明显提高。目前，广东正在尝试建立行政立法过程绩效评估、行政立法后评估等制度，对立法过程及其实施一段时间的社会效果等进行研究、评价，以有助于及时清理、修改、废止政府规章等行政立法。

如2008年1月14日，广东省政府决定对《广东省消防重点保卫单位管理暂行规定》等72项政府规章，对《广东省私人（外商）承包经营对外加工装配、补偿贸易业务暂行规定》等6项政府规章宣布失效。这是广东省政府进行的规模较大的规章清理工作。

再如，广州市的规章清理工作：2002年1月30日，广州市人民政府公布了《广州市人民政府关于废止28件政府规章的决定》。其中，广州市人民政府决定废止的政府规章20件，主要是对市场管理[①]、城市管理、建筑管理、监察等领域的规章清理；决定宣布失效的规章8件，主要是对市政建设、出口企业外向型经营管理领域的规章进行清理。2002年2月19日，广州市人民政府公布了《广州市人民政府关于废止13件政府规章的决定》，主要对2001年底以前发布的政府规章进行了清理。其中，决定废止的政府规章8件，主要清理了消防管理、民营科技企业管理、高科技产业政策优惠、保安组织管理等领域的规章；决定失效的规章5件，主要是对适用期已过的社会治安领域的规章、调整对象已经消失的市场主体管理领域的规章进行了清理。2002年3月19日，广州市人民政府公布了《广州市人民政府关于废止15件政府规章的决定》。其中，决定废止的政府规章14件，主要是对外商投资、建设工程招投标、交通运输、鼓励私营企业发展等领域的规章进行清理；决定失效的规章1件，宣布调整对象已经消失的《广州市侨属集资企业管理办法》失效。2002年4月25日，广州市人民政府公布了《广州市人民政府关于废止13件政府规章的决定》。此次规章清理主要集中于外商投资优惠、发展私营企业、经济技术开发区管理、投资政策创建等经济管理领域的规章。2004年12月29日，广州市人民政府公布了《广州市人民政府关于废止〈关于外地单位在广州设立办事机构的规定〉等政府规章的决定》。该决定共废止了6件政府规章。2007年12月4日，广州市人民政府公布了《关于废止〈广州市建设项目控制新污染实施办法〉等35件政府规章的决定》。

此外，广州市也注重单个规章修改和废止工作，这些主要是在2002年以后进行的。如2002年5月28日，广州市政府公布了《广州市人民政府关于修改〈广州市处理专利纠纷办法〉的决定》；

① 如股份制企业审计、境外企业审计监督、私营企业登记管理、外资企业登记管理、吸引外商投资管理等。

2002 年 5 月 28 日，广州市政府公布了《广州市人民政府关于修改〈广州市查处冒充专利行为实施办法〉的决定》；2003 年 2 月 19 日，广州市政府公布了《广州市人民政府关于修改〈广州市摩托车报废管理规定〉的决定》；2003 年 5 月 7 日，广州市人民政府公布了《关于废止〈广州市外商投资企业审批管理规定〉的决定》；2003 年 8 月 21 日，广州市人民政府公布了《广州市人民政府关于废止〈广州市区暂住人口管理〉和〈关于加强流动人员管理的通告〉的决定》；2003 年 8 月 22 日，广州市人民政府公布了《广州市人民政府关于修改〈广州市流动人员 IC 卡暂住证管理规定〉的决定》。

深圳市的清规工作也主要从 2002 年开始。2002 年 6 月 15 日，深圳市人民政府公布了《深圳市人民政府关于废止〈深圳经济特区外贸企业进出口业务管理暂行规定〉等 5 件规章的决定》，对进出口业务管理、审批手续；典当；高新技术及其产业发展；建设工程招投标领域的规章进行了清理。2002 年 7 月 23 日，深圳市人民政府公布了关于修改《深圳经济特区贯彻〈全民所有制工业企业转换经营机制条例〉实施办法》等 7 件规章的决定，对全民所有制企业转换经营机制、医疗机构管理、出租屋管理、企业施工、经贸展览会管理、民办科技企业管理等内容的规章进行了修改。2003 年 12 月 4 日，深圳市人民政府公布了《深圳市人民政府关于废止〈深圳市兼职监察员工作暂行规定〉等 7 件规章的决定》，对兼职监察员工作、复议工作规则、福田保税区管理规定、市容环境卫生管理、开发区及建筑物通信管理等内容的规章进行了清理。2004 年 8 月 26 日，深圳市人民政府公布了《深圳市人民政府关于修改〈深圳经济特区职业介绍规定〉等 34 件规章的决定》，对维修业管理、物业管理、交通运输、市政建设、风景区管理、文化管理、民政管理等领域的 34 件规章进行了修改。2004 年 9 月 13 日，深圳市人民政府公布了《深圳市人民政府关于废止〈深圳经济特区企业经济性裁减员工办法〉等 19 件规章的决定》，对市场主体管理、资源管理、市政建设、交通运输、消防安保等领域的规章进行了清理。

通过这些规章清理工作，可以及时修改和废止一些不合法、不合时宜的地方规章，有利于保障法制的统一和立法的严肃性，减少了执法过程中可能出现的争议和问题。

3．广东行政立法的创新性。

创新性是广东行政立法最主要的特征。作为改革开放的前沿和经济、社会发展较发达的地区，广东的行政立法在实验性、先进性方面一直居于国内大城市前列。广东近几年一些行政立法，更成为国家相关领域行政立法的实验典型和重要参考，为国家法律体系的建立健全发挥了突出的作用。在行政立法过程中，尽可能广泛收集、整理并有选择地吸收国内外先进立法经验，香港地区以及国外先进立法成为本省行政立法的重要参考资源。同时，行政立法过程中还注重加强政府与学术研究机构之间的合作，在此基础上起草、出台行政立法。通过学者的参与和把关，加强了规章的理论基础，逐渐走出了规章总是由部门起草、受部门利益制约的传统模式。

广东行政立法的创新性，以往主要体现在经济制度建设领域。随着依法行政和政府法治建设要求的不断提高，广东行政立法的创新性更多地反映在规范政府行为、加强公众参与和监督上。广东出台了全国第一部全面规范行政规范性文件的地方规章、第一部规范非行政许可审批和登记的地方规章、第一部规范政府政务信息公开的地方规章、第一部规范行政执法协调的地方规章，以及第一部规范行政立法公众参与的地方规章，等等。这些规章，在框架、内容、主要制度设计等方面，大多为后来的国家立法所采纳。

（二）近年广东行政立法的亮点

1．有关政府信息公开的行政立法。

（1）广东省有关政府信息公开的行政立法。

2005年12月29日，广东省人民政府第三十一次常务会议通过了《广东省政府信息公开规定》，2006年4月1日起实施。该规章中关于“本规定所称的政府信息，是指政府机关在履行行政管理

职责或提供公共服务过程中产生、掌握的文件、数据、图表、程序、条件、标准、要求等信息”的规定，对政府信息的含义进行了细致的界定，较其他规定而言，其罗列得更为具体，更具有可操作性。在信息公开的原则部分，增加了全面和便民原则，更有利于指导信息公开工作的开展。另外，该规定将公开的政府信息内容归纳为管理规范与发展规划、与公众密切相关的重大事项、公共资金使用和监督、政府机构和人事、法律法规规章规定应当公开的其他政府信息五大类，其概括性更强。在信息公开的形式上，增加了便民手册、服务指南等方式，更有利于政府信息的传递。

（2）广州市有关政府信息公开的行政立法。

《广州市政府信息公开规定》

2002 年 11 月 6 日，广州市人民政府公布了《广州市政府信息公开规定》，2003 年 1 月 1 日实施。该规定对政府信息的含义、公开权利人和义务人所对应的主体、政府信息公开的原则进行了规定。对于政府主动公开信息的内容，该规定明确了事权、财权、人事权、行政处理决定、内部信息等类别，并明确列举了不予公开的信息内容。对于公开的方式，规定了政府网站、广播电视等媒体、电子触摸屏、服务热线、新闻发布会等可供选择的方式，并规定了行政处理决定做出时的公开方式。对于公开的程序，该规定对申请的内容、期限、信息的确认、收费等做出了规定。对于信息公开的监督，该规定明确了不定期检查、开展评议听取意见、举办民主议政日活动、设置投诉电话和信箱、查处违法失当行为并作通报等方式。同时，该规定对信息公开明确了申请复议、诉讼或者请求赔偿的多种救济途径。对于违法行为的责任追究，也分别针对行政、刑事和民事三种责任形式分别予以不同的表述和指引。

这是我国第一部由地方政府制定的全面、系统地规范政府信息公开行为的政府规章。作为政府信息公开领域的第一部立法，该项规定的出台，为其他省市的政府信息公开立法提供了参考和借鉴价值。

该规定就立法宗旨、公开原则、公开内容、公开方式、公开程

序、法律监督、法律救济、法律责任等问题做出了具体的规定。明确规定了政府信息以公开为原则，不公开为例外。规定了政府综合门户网站是广州政府信息公开在因特网上的主站点。该规定还明确了政府信息公开的五项原则：公开、合法、及时、真实、公正原则。明确了政府信息公开的方式——预公开、依申请公开。这种主动与被动相结合的方式更有利于提高实践中的操作效率。

该规定提出了两个崭新概念：政府是信息公开的义务人，老百姓是信息公开的权利人。这表明，政府公开信息是必须要完成的义务，市民获得信息是依法享有的权利，整个活动的性质和观念完全不一样，如果政府不公开相关信息，公民可以提起诉讼，这种概念上的创新实际上意味着在信息不对称时进行“民告官”的突破，更有利于保护公众的知情权。[①] 以往，因为利益驱动现象，行政立法者常常希望通过立法为自己谋取更多的权力。而这次是政府主动为自己定规矩、立规则，自戴“紧箍咒”，表明了政府走向理性的努力，[②] 也反映了依法行政和法治政府建设的成效。

该规定在内容结构上比较完整，且具有较强的可操作性。除此之外，还实现了立法方式上的突破。这部规章采用了“合同立法”形式，在政府立法时，政府部门与大学研究机构签订合同，是首部地方规章合作立法，合作形式是一种创新。这种合作取得了双赢，既可以将实际工作部门与理论部门结合，发挥双方优势，体现科学性与权威性，又节约了立法成本。

2007年4月，国务院发布了《中华人民共和国政府信息公开条例》，自2008年5月1日起施行。《广州市政府信息公开规定》的框架结构、主要内容和制度，在该条例中大部分予以采用。

《广州市依申请公开政府信息办法》

2006年12月28日，广州市人民政府公布了《广州市依申请公开政府信息办法》，2007年5月1日实施。该办法是对《广州市

① 参见 http://news.sina.com.cn/c/2003-03-24/101979297s.shtml。

② 参见 http://news.sina.com.cn/c/2003-03-24/101979297s.shtml。

政府信息公开规定》相关内容进一步的深化和细化，明确了依申请公开政府信息的内容，依申请公开政府信息的范围，公开权利人申请公开政府信息的形式和申请时所应提交的材料内容，公开义务人对申请的处理方式和作出决定的内容，审查期限，公开义务人公开政府信息的形式及费用承担，政府信息公开年度报告的内容和提交期限，年度报告的分析、综合、评估以及公布，公开权利人救济途径，以及公开权利人以及义务人各自的义务，等等。①

该办法是全国第一部单独规定政府信息依申请公开的地方政府规章。② 其详细规定了依申请公开政府信息的具体操作流程。在政府主动公开政府信息的基础上，对依申请公开这种被动公开方式的具体操作的规定，更能够保障公民知情权的落实，是对信息公开制度的结构性完善。该办法还明确规定了“公开义务人依申请公开政府信息，应当按照公开权利人要求的形式提供政府信息，不能按照公开权利人要求的形式提供的，应当安排其查阅相关资料，或者提供打印件、复制件”。这对于权利人的知情权，是一个重要的制度性保障。另外，该办法还明确规定了公开义务人依申请公开政府信息的登记情况统计，同意公开、部分公开和不予公开的分类情况处理统计，就政府信息公开提出投诉、复议的情况统计及其处理结果、存在的主要问题以及改进方案等内容要列入政府信息公开年度报告等要求。这些规定为规范义务人的行为规范提供了制度上的约束。

2007 年 12 月 19 日，广州市人民政府公布了《广州市人民政府关于修改〈广州市依申请公开政府信息办法〉的决定》。该决定基于实施过程的实际情况和需要，对《广州市依申请公开政府信息办法》第十一条第四项进行了修改，信息公开义务人不能即时作出公开决定的处理期限由 10 个工作日延长至 15 个工作日；至于

---

① 参见 http://www.southcn.com/law/fzzt/mayfljd/mayflfgqw/200705080422.htm。

② 2005 年 12 月 15 日，《泰州市政府信息依申请公开制度》经市政务公开领导小组会议讨论通过，并且印发。但是此文件并非地方政府规章。

需要延长答复期的处理程序，该决定也做出了具体的规定即需延长答复期限的，要经过政府信息公开机构负责人的同意，且延长的时间不能超过15个工作日，申请公开的信息涉及第三方权益的，征求第三方意见的期间不计算在期限内。

（3）深圳市有关政府信息公开的行政立法。

《深圳市人民政府公告管理规定》

2000年10月20日，《深圳市人民政府公告管理规定》出台，2001年1月1日起施行。该规定对政府部门、规范性文件、政策措施、政务信息等术语进行了界定，对政府公告的形式、载体、发布的效力、标准文本的确定、公告载体发布的方式和范围、复印费用收取等作出了具体的规定。

作为全国最早的规定政府公告管理的地方政府规章，该规定明确了“市政府及其工作部门发布规章、规范性文件、行政措施和政务信息应当采取规定的形式，让与该文件、措施和信息有利害关系的自然人、法人和其他组织知悉。针对确定管理相对人发布的行政措施，必要时，发布机关应当将该行政措施的内容以适当的方式让每一个相对人知悉”。规定了作为政府公告载体的《市政府公报》发行实行免费发送和按成本价格出售的方式，并对免费发放的范围进行了规定，有利于扩大信息公开的覆盖范围。

《深圳市行政机关政务公开暂行规定》

2003年12月10日，《深圳市行政机关政务公开暂行规定》公布实施，2006年9月1日废止。在政务公开的内容部分，其在对规范性文件、行政措施进行明确界定的基础上，规定了规范性文件、行政措施向社会公开。行政机关依法行使行政许可、处罚、强制、救济和行政事业性收费等法定职责时，应当将相关法律政策依据、条件、办事程序以规定方式公开（并公开办理结果）。明确了市、区政府应当公开的政务信息内容，市、区政府各部门应当公开的政务信息内容。在政务公开的方式部分，明确了公报、公告牌、新闻媒体、互联网、通知书等有效的告知方式。在组织方式部分，规定了政府、政府办公厅（室）、监察部门各自的负责范围。在责

任追究部分，规定了批评和纪律处分的情形和责任承担的主体。①

《深圳市政府信息网上公开办法》

2004年2月25日，深圳市人民政府公布了《深圳市政府信息网上公开办法》，2004年4月1日起实施，2006年9月1日废止。该办法是结合电子政务发展的需要和对公民知情权保护的需要而制定的。办法对“网上公开”进行了定义，对由政府信息化部门公开的政府信息内容、由政府各部门公开的政府信息内容、网站维护和建设、信息公开工作评议考核的内容、责任承担、公民、法人、其他组织权利救济途径等作出了规定。②

该办法是第一部单独规定政府信息网上公开的地方政府规章。分列了信息化主管部门与政府各部门、依法行使行政管理职能的组织各自公开信息的事项内容。对于网站的建设、维护、监督进行了具体的规定。

《深圳市人民政府工作规则》

2004年3月16日，深圳市政府第三届一百一十次常务会议通过《深圳市人民政府工作规则》。其中第十九条明确提到“建立健全政府信息公开制度。除涉及国家机密、商业秘密和个人隐私的事项外，市政府及各部门所掌握的政府信息应当通过有效途径向社会公众和利益相关人公开。建立与人民群众利益密切相关的重大事项的社会公示制度，保障人民群众的知情权和参与权。政府信息公开应当及时、准确、充分”③。

在该规则中，共有三条内容是关于新闻报道的，其中第二十五条的条文中明确指出新闻报道监督的重要性，“市政府及各部门实行政务公开，进一步提高政府工作透明度。要通过新闻发言人、政府公报、政府网站及新闻媒体，及时公布本市经济社会发展情况，市政府的重大决策和重点工作，以及与市民群众生活密切相关的事

① 参见 http://www.law-lib.com/law/law_view1.asp?id=82125。

② 参见 http://www.chinaeclaw.com/readArticle.asp?id=1399。

③ 参见 http://www.southcn.com/law/fzzt/fgsjk/200411100184.htm。

项，接受社会舆论的监督。对新闻媒体报道和反映工作中的问题，要及时整改和反馈”①。

2005年6月3日，市政府第四届一次常务会议修订《深圳市人民政府工作规则》，在第七章加强行政监督的部分，第四十二条明确规定“推进政务公开，建立健全政府信息公开制度，切实提高政府工作透明度。要按照‘及时、准确、充分’的要求，通过新闻发言人、政府公报、政府网站及新闻媒体，及时公布本市经济社会发展情况，市政府的重大决策和重点工作，以及与市民群众生活密切相关的事项，保障人民群众的知情权、参与权和监督权”②。

《深圳市人民政府重大决策公示暂行办法》

2006年6月15日，深圳市政府第四届三十次常务会议通过了《深圳市人民政府重大决策公示暂行办法》，2006年7月1日起施行。其中第二条规定：“市政府重大决策的建议方案在提请市政府全体会议、常务会议审议前，除已经依照法律法规规定予以公示外，可以按照本办法的规定向社会予以公示。”该暂行办法对重大决策公示活动的原则、建议方案的提出、公示的方式、征求意见的时间、公众提出意见、建议的方式、承办单位的处理等作出了具体规定。③

《深圳市政府信息公开规定》

2006年8月3日，深圳市政府第四届三十七次常务会议通过了《深圳市政府信息公开规定》，2006年9月1日起实施。该规定在总则部分，提出了信息公开责任单位和第一责任人的概念，即“市、区人民政府办公厅（室）负责组织和指导市、区政府工作部门和街道的政府信息公开工作，各政府部门行政首长为本单位政府信息公开第一责任人”。这更有利于明确责任承担的具体主体。关于不予公开的内容，增加了“与行政执法有关，公开后可能影响

---

① 参见 http://www.chinacourt.org/html/article/200405/14/115686.shtml。

② 参见 http://www.taxchina.cn/ssfg/2005-06/21/cms383721article.shtml。

③ 参见 http://www.yz148.com/law_ruler_detail.php? law_ruler_id=4967。

检查、调查、取证等执法活动或者会威胁个人生命安全”的内容。较广东省和广州市政府信息公开的规定，更加注重了对个人权利的保护，而不是一味着眼于国家利益和公共利益。在公开的方式上，其对网站公布的要求更高。较其他地方信息公开而言，规定了及时公布和更新的内容，更体现了深圳市发展电子政务与信息公开并行的政务建设特点。此外，该规定还确立了政府信息公开申请登记制度。对于申请答复的内容，深圳市的答复期限为10个工作日，较修订后的《广州市政府依申请公开办法》时间更短，并且规定了电子答复的方式，更为方便快捷。在申请人对不予公开政府信息提出异议时，该规定要求相关单位负有举证责任，说明不予公开该政府信息的理由、法律依据、救济途径和期限。这种举证责任倒置的方式是该规定的一大创新亮点，更有利于保障申请人知情权的实现。在责任承担方面，具体明确了主管部门和主管、分管领导以及直接责任人承担责任的十种情形，操作性更强。

2007年国务院的《政府信息公开条例》，在总结地方政府信息公开实践经验的基础上，对早期立法中存在的个别事项进行了完善和弥补。广东政务信息公开的制度建设和实践经验，为国家立法提供了具体的、有益的借鉴。

2．有关公众参与的行政立法。

（1）广州市有关公众参与的行政立法。

2005年，广州市开始公众参与行政立法的实践与相关立法工作。《广州市商品交易市场管理办法》作为实践项目，探索了政府立法公众参与的办法，为顺利制定《广州市规章制定公众参与办法》等规章积累了有益的实践经验。[①] 公布了《关于公开征求立法建议的公告》，该公告明确说明“为了使此项立法更加符合我市实际，切实解决我市商品交易市场的存在问题，扩大立法过程中公众参与程度，提高立法质量，市政府现公开征求对商品交易市场管理

① 参见 http://59.41.8.62/sites/fzxx/fzjx/shi/htmls/20071107000005.html。

的立法建议和意见”①。该公告将立法目的、立法依据、初步框架及基本内容、有待研究的问题、建议提交的时间和途径等予以了公布。这次公众参与过程，首次实践了立法“预公开”（在规章起草前，公开立法目的、法律依据以及相关的背景材料等），使公众参与贯穿到立法中的立项、起草、审核到出台的全过程；首次实践了公众意见的公开和及时反馈，使立法过程公开、透明；创造性地组织了“公众论证会”听取公众意见，开拓了公众参与新方式，充分发挥社会团体的作用，使公众意见经过筛选，更为理智、更为集中并更具代表性；尝试设立立法电子卷宗，利用电子技术创造公众参与的新平台。②

2006年6月27日，广州市人民政府第十二届一百零六次常务会议讨论通过了《广州市规章制定公众参与办法》，于2007年1月1日起施行。该办法是全国首部规范公众参与行政立法工作的地方政府规章。

该办法明确规定了市政府依法保障公众的立法参与权，公众参与工作所需的经费由市财政予以保障，这使得公众参与的程序具有强制性。对“公众参与”的内涵作出了界定，规定了公民有权参与规章立项、起草、审查、实施等环节并提出意见，规定了公众参与的公开、平等、广泛、便利原则和不公开的例外情形。该办法对行政立法过程不同阶段的公众参与分别进行了具体的规定。对于公告的内容和公开的方式，该办法也予以了明确。对于公告之后征求意见的形式，该办法明确规定了座谈会、开放式听取意见、听证会、论证会等类型，并对具体的操作过程予以了细化。该办法还规定在收集公众意见后，规章起草部门应当对收到的公众意见进行整理、归类和分析，形成公众参与规章起草情况的说明，并在规章送审时必须附具该说明。对于公众参与规章起草情况说明的内容，也进行了明确。对于规章送审稿审查修改之后征求意见稿的具体操作

---

① 参见 http://www.gzaic.gov.cn/zwgk/xzgg/512.htm。

② 参见 http://www.gz.gov.cn/vfs/content/newcontent.jsp? contentId = 531785。

过程，也进行了明确。在规章实施过程中，对于公众参与情况说明及规章文本公布的方式、规章评估过程中公众意见的反映途径、对意见处理的方式等内容，都作出了具体的规定。

作为首部规范行政立法公众参与的地方政府规章，该办法实现了以下几个方面的创新：

第一，以往在规章的起草、审核中，浓重的“行政色彩”导致公众缺乏对行政立法的动议权和建议权。与经常出现的行政机关内部“会诊”相比，行政立法过程没有做到应有的公开和透明。民意渠道不畅通，往往最终导致规章的执行陷入困境。该办法的出台，使得公众参与程序具备了必要的强制性、法律性。[①] 该办法要求对相关人员或者群体可能产生的影响进行充分说明，立法文本要登载全文或者提供链接。这些具体的制度设计都为公众的充分参与提供了空间和保障。[②]

第二，该办法清晰地界定了公众参与权和参与权强制性，为公众话语权设定更为切实可行的程序保障。该办法创造了全国“五个”第一次：第一次明确要求规章起草部门通过网站、媒体等多种方式发布征求意见的公告；第一次明确要求全过程公开公众意见；第一次整合了征求公众意见的方式，确定公众座谈会为规章制定的必经程序，并创设了开放式听取意见这一新形式，建立了一套符合广州市实际情况的公众参与新模式；第一次建立公众意见的及时反馈制度，将公众意见的反馈作为法定要求落实到规章制定的具体步骤中，并通过不同的形式予以体现；第一次创设电子卷宗的概念，全过程记录公众参与规章制定的活动。[③]

第三，该办法将公众参与贯彻至规章的立项（含立、改、废）阶段、年度规章制定工作计划的制定阶段、规章的起草阶段、规章的审核阶段以及规章的实施阶段，切实有效地将公众参与和规章制

---

① 参见 http://www.88088.com/law/flfg/2006/0726/19882.shtml。

② 参见 http://www.88088.com/law/flfg/2006/0726/19882.shtml。

③ 参见 http://news.21cn.com/dushi/dspp/2006/07/08/2642030.shtml。

定整个过程有机结合。除法律法规规定的特殊情形外，原则上所有的规章制定过程都要求公众参与，不管所制定的规章是否和公众的利益有直接密切的关系，公众都有权利参与并提出意见。[①] 只要是列入了年度规章制定工作计划的规章，起草部门在形成规章送交广州市法制机构审查前，都必须通过网站、媒体等多种方式发布征求意见的公告。这些规定保证了最大限度、最大范围的公众参与。[②]

第四，该办法对公众的资格没有任何限制。不论参与者是否在广州市居住，是否为广州市市民，不管是中国人还是外国人，都有权利参与到广州市的规章制定中，提出自己的意见，发表观点。

第五，该办法规定政府起草地方性法规的工作可以参照本办法。地方性法规如果是政府组织起草的，公众也有权利参与到它的起草和制定过程中，并提出意见。

第六，该办法关于公众意见的获得方式、公开、反馈等的制度设计，有利于杜绝立法过程中操纵民意或者暗箱操作。该办法确定了征求意见的方式：在媒体上发布公告；发挥行业协会、中介机构或其他社会组织的作用，采取委托等形式；确定公众座谈会为规章制定的必经程序，开放式听取意见、听证会、论证会为规章制定的选择程序，弥补网络、媒体等覆盖范围不足的缺陷；并区分了座谈会、开放式听取意见、听证会、论证会的概念，明确了各类会议的召开目的和具体程序，便于起草部门的实际操作。该办法创设了开放式听取意见的新形式。通过这种对象不限定、形式不特定的听取意见模式，广泛听取公众意见。这是借鉴了美国的先进做法，有利于解决行政机关操纵听取民意的过程，杜绝暗箱操作。[③] 此外，该办法首次明确要求全过程公开公众意见，要求有关机构部门在收到公众的意见之日起5个工作日内，必须通过本机构的网站公开公众的意见。

---

① 参见 http://news.21cn.com/dushi/dspp/2006/07/08/2642030.shtml。
② 参见 http://news.21cn.com/dushi/dspp/2006/07/08/2642030.shtml。
③ 参见 http://www.88088.com/law/flfg/2006/0726/19882.shtml。

（2）深圳市有关公众参与的行政立法。

2000 年 10 月 20 日，《深圳市行政机关规范性文件管理规定》出台，2001 年 1 月 1 日起实施。该《规定》第十条规定："市政府工作部门和区政府制定、修改、废止的规范性文件与市民切身利益关系密切和对本地区、本行业建设发展有重大影响的，应当于报送市法制部门审查之前，通过适当的方式公开征求有关单位和个人的意见和建议。"第十四条规定："对于有关单位和个人提出的意见和建议，制定、修改、废止规范性文件的市政府工作部门和区政府，应当进行认真研究。未予采纳的，应当向建议人予以说明。"这是全国最早关于规范性文件管理的综合性规定，其中的征求意见规定对之后规章制定公众参与立法的出台奠定了基础，对其他地方的相关立法起到了较好的示范作用。

2005 年 6 月 3 日，深圳市人民政府第四届一次常务会议修订通过了《深圳市人民政府工作规则》。其中在第三章全面履行政府职能部分明确规定了"认真履行社会管理职能，按照'党委领导、政府负责、社会协同、公众参与'的社会管理格局，完善社会管理政策和法律、法规，依法管理和规范社会组织、社会事务，妥善处理社会矛盾，维护社会秩序和稳定，促进社会公正。加强基层群众自治组织和社区建设。培育并引导各类民间组织的健康发展，充分发挥其作用"。

3．有关行政规范性文件管理的行政立法。

行政机关发布行政规范性文件，也就是通常所说的"红头文件"。对行政规范性文件的管理，主要是通过对其合法性进行审查的方式进行。对行政规范性文件的审查，分为在规范性文件发布之前进行的事前审查，和在规范性文件发布之后进行的备案审查。其中，事前审查是政府或者部门对外发布行政规范性文件之前，需经同级政府法制机构就文件合法性等问题进行审核，审核通过后方可发布相关规范性文件；事后审查则是在行政规范性文件发布之后，由制定机关向其上级机关或同级人民政府（法制机构）进行备案，接受备案的机关就文件的合法性等问题进行事后审查。

《立法法》、《法规规章备案条例》等国家基本立法程序的规定，主要集中于对行政法规、规章制定程序的规范，而对于除行政法规、规章之外的其他行政规范性文件制定程序及其审查制度，目前尚无统一的国家立法。各地方、各部门按照2004年国务院颁布的《全面推进依法行政实施纲要》的要求，开展行政规范性文件审查、备案程序的尝试，并进行相关的制度建设。目前，全国已有30多个省级人民政府建立起规范性文件备案审查制度，其中有27个省级政府制定了专门的政府规章，处理“红头文件”“走形”、“打架”问题，力求实现“有件必备、有备必审、有错必纠”。[①] 广东在行政规范性文件管理方面的制度建设，也是进行得较早的。

（1）广东省有关行政规范性文件管理的行政立法。

1992年6月6日，《广东省规范性文件备案规定》出台，自颁布之日起实施。其规定了规范性文件分级管理审查的原则、规范性文件上报的期限、规范性文件上报所应提交的文件内容和数量、规范性文件审查的内容、发现问题之后的处理、年度规范性文件目录报送审查的期限及不予报备的后果。这对政府的抽象行政行为具有一定的约束作用。

2004年12月23日，广东省人民政府公布《广东省行政机关规范性文件管理规定》，2005年2月1日起实施。在总结省内一些城市行政规范性文件管理实践经验的基础上，该规定对规范性文件制定的情形，规范性文件不得设定的事项，规范性文件的名称，规范性文件报送法制机构审查时所应提交的资料，规范性文件审查的标准、期限和处理，规范性文件的公布、载体、备案，规范性文件实施后的评估、清理、检查监督，以及违规制定规范性文件的责任追究等内容都作出了详细的规定。

（2）广州市有关行政规范性文件管理的行政立法。

2003年12月27日，广州市人民政府公布了《广州市行政规范性文件管理规定》，2004年4月1日起实施。该规定对行政规范

① 参见 http://hi.baidu.com/x_da/blog/item/36438f1e61e2eb1e4134179f.html。

性文件的内涵、分类、制定的原则、名称、内容等予以了明确。对规范性文件送审稿提交政府法制机构审议前的审核程序、规范性文件送审时所应提交的材料内容、规范性文件审查的期限以及审查处理方式、规范性文件的公布解释、备案提交的材料内容、备案规范性文件审查标准、规范性文件制定的监督以及责任承担等内容，均进行了详细、具体、可操作的规定。

2005 年 11 月 29 日，广州市人民政府公布了《广州市人民政府关于修改〈广州市行政规范性文件管理规定〉的决定》，2006 年 1 月 1 日起实施。该决定对行政规范性文件的定义、部门规范性文件和政府规范性文件各自的内涵、规范性文件的名称、规范性文件备案时提交的材料内容及处理等内容作出了修改。对规定的适用范围①、不得制定行政规范性文件的机构②、违法制定的规章效力③、起草规范性文件的调查论证④、规范性文件的有效期⑤等内容进行了补充和完善。

（3）深圳市有关行政规范性文件管理的行政立法。

在行政规范性文件制定程序方面进行的制度建设，深圳市属全国较早城市之一。

1992 年 12 月 5 日，深圳市政府发布的《深圳市规范性文件备案规定》，2001 年 1 月 1 日失效。

---

① 增加一条作为第三条：“政府及其部门内部管理制度，包括人事、行政、外事、财务管理等对公民、法人和其他组织权利、义务没有直接影响的内部公务规则、向上级行政机关的请示和报告、对具体事项所作出的行政处理决定以及其他不具有普遍约束力的文件，不适用本规定。”

② 增加一条作为第五条：“下列机构不得制定行政规范性文件：（1）临时性机构；（2）为完成某项专门任务而设立的议事协调机构；（3）部门的内设机构。”

③ 增加一条作为第六条：“违反本规定制定、发布的行政规范性文件自始无效，公民、法人或其他组织有权拒绝执行。”

④ 增加一条作为第十一条：“起草行政规范性文件，应当对制定行政规范性文件的必要性和可行性进行研究，并对行政规范性文件所要解决的问题、拟确立的主要制度或者拟规定的主要措施等内容进行调研论证。”

⑤ 增加一条作为第十八条：“行政规范性文件应当规定有效期。有效期自行政规范性文件发布之日起最长不得超过五年。有效期届满，行政规范性文件的效力自动终止。”

2000年10月11日，《深圳市行政机关规范性文件管理规定》出台，2001年1月1日起实施。这是全国最早的关于规范性文件管理的综合性政府规章，其不仅规定了规范性文件的备案，而且对规范性文件的制定、审查和发布等各个环节都进行了规范。率先实行政府规范性文件前置审查制度。规定市政府工作部门制定、修改或者废止规范性文件应当在发布前报市法制工作机构对其合法性和文字技术进行审查，通过审查后由《深圳市人民政府公报》作为统一载体发布。该规定还明确了规范性文件的含义，明确规定了"市政府工作部门[①]和区政府制定的内部事务管理制度、向上级行政机关的请示和报告、对具体事项所作出的行政处理决定以及其他不具有普遍约束力，或者虽具有普遍约束力但生效时间不超过六个月的文件，不适用本规定"。该规定对市政府工作部门和区政府规范性文件应该符合的要求，制定、修改规范性文件不得设定的事项、适用特别程序的紧急情况的界定，文件制定过程中征求意见的方式、具体处理，制定、修改规范性文件时向市法制部门提交的材料内容，废止规范性文件时向市法制部门提交的材料内容，法制部门审查的事项，审查结果的处理，审查后提请发布时应提交的材料，发布的具体程序以及发布后的监督，区政府规范性文件备案的程序，规范性文件的清理撤销等内容进行了全面、具体、明确的规定。

《深圳市行政机关规范性文件管理规定》首次以政府规章的形式确立了行政规范性文件的事前审查制度。长期以来，政府抽象行政行为尤其是政府的规范性文件缺乏有效的监督。以往采取备案审查制度，即各部门在规范性文件发布过后一定时间将文件送法制部门备案，程序上的事后性决定了这种制度的先天缺陷。而且如果文

---

① 该规定明确了市政府工作部门的含义。本规定所称"市政府工作部门"包括下列机构：（1）市政府组成部门；（2）市政府办事机构和直属机构；（3）法律、法规或者规章授权制定规范性文件的其他市政府工作机构。市政府为完成某个专项任务而设立的临时机构、归口市政府职能部门管理的办事机构、前款各单位内设机构，不得以本机构的名义对外发布规范性文件。

件生效执行后因为不合法被撤销，不仅可能给相关社会组织和个人带来难以挽回的损失，还会给政府形象和权威造成损害。政府规范性文件前置审查制度，有利于弥补事后备案的先天性缺陷，更有利于对政府抽象行政行为的规范，实现对社会生活的有序管理。①

2000 年 10 月 20 日，《深圳市人民政府公告管理规定》出台，2001 年 1 月 1 日起施行。该规定对政府部门、规范性文件、政策措施、政务信息等术语进行了定义；对政府公告的形式、载体、发布的效力、标准文本的确定、公告载体发布的方式和范围、复印费用收取等作出了具体的规定。

《深圳市人民政府公告管理规定》是全国最早规定政府公告管理的地方政府规章。该规定与《深圳市行政机关规范性文件管理规定》相互配套，确立了对规范性文件“统一要求、统一审查、统一发布”的原则，对市政府工作部门和区政府制定规范性文件提出了具体要求，规定了市政府工作部门制定、修改或者废止规范性文件应当在发布前报市法制工作机构对其合法性和文字技术进行审查，通过审查后由《深圳市人民政府公报》作为统一载体发布。确定了政府公告的法定载体，规定了《深圳市人民政府公报》应当刊登的内容、发布机关应提交的材料以及公报发布的时间和必须配备的场所，并明确了公报发行实行免费发送和按成本价格出售的方式。这对于增加政府公告所覆盖的范围无疑具有重大的意义。

《深圳市人民政府公告管理规定》与《深圳市行政机关规范性文件管理规定》共同推动了规范性文件制定、出台、发布等过程的法律化、规范化。加强了实践中行政决策的科学性和民主性，大大压缩了规范性文件的数量，提高了规范性文件的质量，增强了政府机关依法行政意识，较好地发挥了社会各界对规范性文件的监督作用。这两个规章的发布实施，标志着行政机关抽象行政行为特别是规范性文件的制定和发布进入规范化运作，② 为之后的政府信息

---

① 参见 http://fzj. sz. gov. cn/ho299. asp。

② 参见 http://fzj. sz. gov. cn/ho299. asp。

公开、政务公开、规范性文件审查和管理的推行奠定了良好的基础，并对其他地方的政府立法起到了很好的示范作用。

二、广东行政执法

行政执法，是指行政机关进行的除行政立法以外的执行法律、法规、规章，实施行政管理的活动。广东行政执法的制度建设和发展，主要集中在行政执法责任制、综合执法和行政审批制度改革这三个方面。

（一）行政执法责任制度体系

1. 广东建立健全行政执法责任制度体系的主要过程。

1994年8月24日，省人大常委会和省政府联合召开省直国家行政机关建立执法责任制动员大会。

1995年5月8日，省政府下发《关于加强执法责任制建设和执法监督工作的通知》，就省政府各部门如何建立本部门的执法责任制提出了具体要求。

1996年8月22日，省委作出《中共广东省委关于进一步加强依法治省工作的决定》，要求各级政府要坚持依法行政，切实落实执法责任制。

1997年11月，省人大常委会办公厅和省政府办公厅联合召开广东省行政机关执法责任制建设经验交流会，总结推广省工商局、省卫生厅、深圳市规划国土局、湛江市工商局和佛山市建立健全行政执法责任制的经验，行政执法责任制建设开始在全省铺开。

1997年12月1日，省人大常委会通过《广东省各级人民政府行政执法监督条例》。

1999年11月27日，省人大常委会通过《广东省行政执法责任制条例》，广东省的行政执法责任制建设开始走上法制化、规范化、制度化的轨道。

2000年7月26日，省政府下发《关于认真做好〈广东省行政

执法责任制条例〉贯彻实施工作的通知》，就如何建立行政执法责任制的各项配套制度、乡镇和街道应如何建立健全行政执法责任制、各级政府法制机构在行政执法责任制建设中应如何发挥有效作用等问题提出具体的指导性意见。

2000 年 12 月 15 日，省政府法制办公室印发《广东省各级人民政府受理行政执法投诉办法》，就行政执法投诉的受理、处理程序、期限等内容作出规定，以加强各级人民政府对行政执法的监督。

2005 年 9 月 21 日，省政府办公厅转发《国务院办公厅关于推行行政执法责任制的若干意见》，提出要认真做好行政执法职权核准界定公告的各项准备工作，建立健全行政执法评议考核制度，完善行政过错责任追究制度，努力提高执法人员的素质和执法水平。

2005 年 11 月 28 日，省政府办公厅发出《关于开展行政执法职权核准界定公告工作的通知》，行政执法职权核准、界定、公告工作开始在全省开展。

2006 年 10 月 30 日，省直部门的行政执法依据梳理结果开始分批在省政府门户网站及省法制办门户网站上公布，供社会公众查询和监督。

2007 年 9 月 17 日，省政府办公厅发出《关于进一步推进行政执法职权公开透明运行工作的意见》，以进一步做好行政执法职权公开透明运行的工作。

2. 广东行政执法责任制度体系的基本内容和成效。

（1）行政执法队伍的设立和行政执法人员的执法资格得到规范。

省政府以承办省人大代表关于清理整顿行政执法队伍及其“三乱”问题的议案为契机，创新对行政执法主体的管理制度，提请省人大常委会通过了《广东省行政执法队伍管理条例》，制定了行政执法队伍审批和公告办法，严格行政执法队伍的审批条件和程序。对全省各级各类行政执法组织及其执法人员进行了全面清理整顿。截至 2004 年 7 月，共清出 2582 支行政执法队伍，撤销了不具备法定条件的队伍799支，清退了合同工、临时工及其他不符合执法条件的人员11274人，有效地遏制了行政执法队伍“三乱”行为。①

各级政府依据《广东省〈行政执法证〉管理办法》，对各类行政执法组织及其执法人员的执法资格进行了全面清理和整顿，凡不具备行政执法资格、不符合执法条件的组织和人员一律不予发证上岗执法。自办法实施以来至2005年12月，省法制办代核发《行政执法证》9万多个，各级各类没有法定依据、不具备执法资格的执法组织，近5万名不符合执法条件的人员因未能领取执法证而被停止上岗。② 2006年，省法制办核发省政府《行政执法证》50120个，行政执法主体资格得到进一步规范。③

（2）建立行政执法公示制度。

为适应依法行政要求，有效保护相对人的知情权和参与权，省政府确立了规范行政执法主体内部行为的公开程序。设立依法行政公告专项经费，用于行政执法主体资格、行政执法职权核准及相对集中行政处罚权工作等方面的公告工作。省政府于2006年组织有关部门对40个省直行政机关的行政执法职权及其依据进行了全面梳理，逐项予以核准、界定，并向社会公告。

深圳市政府于2003年颁布了《深圳市行政执法主体公告管理规定》，确立未经市政府批准公告，行政执法主体与受委托组织不得实施行政执法活动的原则。规定行政执法主体审查和公告的具体程序，并授权市法制局负责行政执法主体公告前的审查工作。截至

---

① 黄华华省长在全省依法行政工作经验交流会上的讲话，参见 http://www.fzb.gd.gov.cn/list/detail.asp? id_no=214。

② 谢强华副省长在全省法制局局长会议上的讲话，参见 http://www.fzb.gd.gov.cn/list/detail.asp? id_no=647；梁树声在全省政府法制监督工作会议上的讲话，参见 http://www.fzb.gd.gov.cn/list/detail.asp? id_no=600；深圳市行政执法证件管理的相关材料可参见深圳市人民政府法制办公室年报（1985—2004）第76～78页，参见 http://fzj.sz.gov.cn/fzbyear/1.asp。

③ 《2006年广东省政府法制工作取得明显成效》，参见 http://www.chinalaw.gov.cn/jsp/contentpub/browser/contentpro.jsp? contentid=co1312209261&Language=CN。

2005 年，共对 331 个行政执法主体和 41 个受委托组织进行了公告。[①]

广州市在 2006 年对行政执法主体、行政执法依据和行政执法行为进行了全面的梳理。通过梳理，共清理了市级行政执法主体 206 个、现行有效的执法依据 2601 件、市级主体的执法行为 9655 项、受委托执法组织 80 个、受委托执法行为 1307 项，并通过网站向社会公布。[②]

（3）行政执法协调工作趋向规范化与制度化。

深圳市政府于 2004 年 6 月审议通过《深圳市人民政府行政执法协调办法（试行）》，明确行政执法协调的范围、负责机关、程序与效力。

广州市政府于 2005 年 12 月审议通过《广州市行政执法协调规定》，明确了市、区（县级市）政府法制机构在行政执法协调中的主体地位，并对行政执法协调的范围、程序、效力作了明确规定。[③] 从该规定实施之日起至 2007 年 4 月，广州市法制办启动行政协调案件程序处理行政协调案件 8 件，其中部分案件已办结，并发出《行政执法协调意见书》。[④]

通过行政执法协调工作的开展，有效地解决了各行政主体之间的行政执法争议，建立和完善了行为规范、运转协调、权责明确的行政执法体制。

（4）行政执法人员法律业务的培训工作逐步实现制度化。

至 2004 年 11 月，全省先后接受《行政诉讼法》、《国家赔偿

---

① 梁树声在全省政府法制监督工作会议上的讲话，参见 http://www.fzb.gd.gov.cn/list/detail.asp? id_no = 600；深圳市人民政府法制办公室年报（1985—2004）第 81 ~ 82 页。参考《我市全面清理和规范行政执法主体》，参见 http://fzj.sz.gov.cn/ho128.asp。

② 《广州市政府依法行政情况汇报》，参见 http://59.41.8.62/sites/kw/htmls/20070907000002.html。

③ 《广州市政府依法行政情况汇报》，参见 http://59.41.8.62/sites/kw/htmls/20070907000002.html。

④ 《行政执法协调工作已初见成效》，参见 http://59.41.8.62/sites/bszn/htmls/20070531000002.html。

法》、《行政处罚法》、《行政复议法》和《行政许可法》培训考核的行政执法人员达40多万人（次）。各级法制机构通过对行政执法人员上岗前法律知识培训、考核，实现了各级行政执法机关及其执法人员的法律意识、法律观念、执法素质与执法水平的不断提高。①

（5）行政执法评议考核制度逐步展开。

在推行行政执法责任制的过程中，各地、各部门开展了行政执法评议考核活动。

2005年9月21日，省政府办公厅发布《转发国务院办公厅关于推行行政执法责任制的若干意见的通知》，提出各地、各部门要结合建立行政执法案卷评查制度，建立健全以公正为本、兼顾效率的行政执法评议考核制度，严格执行重大行政处罚备案制度和行政执法情况统计报告制度，科学细化考核等级，量化考核指标，优化考核队伍，严格考核纪律。并就省政府及各市、县人民政府各部门的行政执法考核评议工作作出安排。

2007年3月19日，广州市政府讨论通过《广州市行政执法评议考核办法》，以市政府制定规章的方式来促进行政执法评议考核制度的建立与完善。《广州市行政执法评议考核办法》的实施，为广州市的行政执法评议考核工作依法、有序地开展提供了法律支持。一是制定了具体评议考核方案。为做好广州市2007年度的行政执法评议考核工作，经市政府同意，2007年8月30日，市政府法制办根据《广州市行政执法评议考核办法》，制定了《广州市2007年度行政执法评议考核方案》，并印发给市政府各部门和各直属单位。《广州市2007年度行政执法评议考核方案》对2007年度行政执法评议考核的机构、对象、内容、方法、标准、步骤以及评议考核结果的运用都作了具体规定。二是成立了评议考核机构。

① 梁树声在全省政府法制监督工作会议上的讲话，参见 http://www.fzb.gd.gov.cn/list/detail.asp? id_no=600；黄华华省长在全省依法行政工作经验交流会上的讲话，参见 http://www.fzb.gd.gov.cn/list/detail.asp? id_no=214。

2007年10月31日，市政府成立了广州市行政执法评议考核工作小组。组长由市政府副秘书长潘安同志担任，成员单位包括市政府办公厅、市人事局、市监察局、市编委办、市政府法制办。为执法评议考核提供组织基础。三是确定了被评议考核的行政执法部门。根据《广州市2007年度行政执法评议考核方案》的规定，2007年度广州市对市水利局、市新闻出版和广播电视局、市体育局、市物价局、市食品药品监督管理局、市城市管理综合执法支队6个行政执法部门进行行政执法评议考核。四是召开了行政执法评议考核工作会议。为做好2007年度的行政执法评议考核工作，2007年11月27日，广州市召开了市行政执法评议考核工作小组成员单位暨行政执法评议考核工作动员会议。会上，市政府有关领导就2007年度广州行政执法评议考核工作进行了动员和部署，对行政执法评议考核工作小组的工作和被评议考核的行政执法部门分别提出了要求。并鼓励行政执法评议考核工作小组要大胆工作，勇于开拓，探索出行政执法评议考核的新路子。会议统一了思想，提高了对行政执法评议考核工作的认识，为即将进行的行政执法评议考核工作打下良好的基础。五是各区、县级市政府和市政府各部门建立健全行政执法评议考核制度的工作也积极推进。各区、县级市政府制定本地区行政执法评议考核办法，对所属部门和单位的行政执法工作进行评议考核；市政府大多数部门制定了对其所属行政执法机构和行政执法人员进行评议考核的办法。①

（6）行政执法过错责任追究制度逐渐完善。

中共广东省委在1996年8月作出《关于进一步加强依法治省工作的决定》，提出各级公安司法机关和行政执法机关要依法实行错案责任追究制，努力提高办案质量。1999年省人大通过的《广东省行政执法责任制条例》也规定了责任追究制度。省政府办公厅于2005年9月印发《转发国务院办公厅关于推行行政执法责任制的若干意见的通知》，强调要完善行政过错责任追究制度。各市

① 参见 http://59.41.8.62/sites/fzxx/ldjh/shi/htmls/20071218000001.html。

行政过错责任追究制度建设和完善工作也普遍开展。

1998年11月30日，深圳市政府印发了《深圳市人民政府依法行政责任制考评办法》，并于2000年由市依法行政责任制工作领导小组办公室成立依法行政责任制工作考评小组，对市政府各行政机关及有行政执法权的组织建立和实行依法行政责任制的情况进行评议和考核，并针对各部门工作中存在的问题发出《关于建立依法行政责任制工作存在问题的反馈意见》，建议和督促各有关部门进行整改。2001年12月，深圳市政府通过了《深圳市行政机关工作人员行政过错责任追究暂行办法》。2005年10月，深圳市委、市政府公布《关于在全市掀起"责任风暴"、实施"治庸计划"、加强执行力建设的决定》。2005年12月，深圳市政府通过《深圳市实施行政许可责任追究办法》和《深圳市人民政府部门行政首长问责暂行办法》。2007年6月，深圳市政府办公厅印发《深圳市人民政府部门行政首长财经责任问责暂行办法》。2007年9月，深圳市政府印发《深圳市政府部门责任检讨及失职道歉暂行办法》。

广州市政府于2004年4月通过《广州市行政机关行政过错行为责任追究办法（试行）》。[①] 2008年1月14日，广州市政府原则通过《广州市行政执法责任追究办法（草案）》，对《广州市行政机关行政过错行为责任追究办法（试行）》行政执法行为规范部分加以具体化。[②]

（7）行政执法监督制度逐步建立健全[③]。

省人大常委会和省政府先后制定了有关行政执法监督的条例、

---

① 《广州市政府通过行政过错行为责任追究办法》，参见 http://news.163.com/2004w04/12535/2004w04_1083032102904.html;《广州试行"制度问责"行政过错责任人可免职》，参见 http://www.southcn.com/news/dishi/guangzhou/shizheng/200408100779.htm。

② 广州市政府常务会议讨论并原则通过《广州市行政执法责任追究办法（草案）》，参见 http://www.gz.gov.cn/vfs/content/newcontent.jsp? contentId = 539224&catId =4113 。

③ 广州市于1993年6月颁布《广州市行政执法证件管理办法》，于1993年7月颁布《广州市行政执法监督检查暂行办法》，开始推进行政执法和行政执法监督工作制度化和规范化的工作。

行政执法队伍管理的条例、实施行政处罚的规定、行政处罚听证程序的实施细则、行政执法投诉的办法等一系列法规、规章和规范性文件。各市、县也相应制定了行政执法监督检查等方面的规范性文件。

省政府和各市、县（区）政府基本都成立了行政执法督察办公室或者行政执法投诉中心，各市、县政府法制机构基本都设立了执法监督处（科）。这些机构公开办公地址和投诉举报电话，专门受理企业、群众对违法行政执法行为的投诉举报，有效开展了行政执法督察工作。至2003年底，省政府行政执法督察办公室共接待来访群众1632人（次），来信投诉2893宗，来电投诉1207宗，立案查处重大违法行政行为431宗。[①] 行政执法检查工作也定期或不定期的展开，并日趋规范，越来越能体现其效用。行政执法监督检查窗口企业工作的开展，是加强行政执法监督工作的有益措施，一定程度上对优化投资环境，促进行政机关及执法人员依法行政具有重要的意义。[②]

3. 广东行政执法责任制度体系的突出特点。

行政执法责任制建设在广东已全面展开。省依法治省工作领导小组成立以来，一直把行政执法责任制建设作为依法行政工作的重点，精心部署，狠抓落实。省人大常委会制定了行政执法责任制条例，把这项工作纳入了规范化、制度化、法制化轨道。目前，全省各级政府、各部门包括基层乡镇普遍建立了行政执法公开、举报控告受理、行政执法过错责任追究、行政执法评议考核等制度，对规范行政执法行为、促进依法行政起到了重要作用。各级领导依法行政的意识和自觉性得到提高，行政执法部门的内部规范化管理得到

① 谢强华副省长在全省法制局局长会议上的讲话，参见 http://www.fzb.gd.gov.cn/list/detail.asp? id_no=647；梁树声在全省政府法制监督工作会议上的讲话，参见 http://www.fzb.gd.gov.cn/list/detail.asp? id_no=600；黄华华省长在全省依法行政工作经验交流会上的讲话，参见 http://www.fzb.gd.gov.cn/list/detail.asp? id_no=214。

② 深圳市人民政府法制办公室年报（1985—2004）第80页，参见 http://fzj.sz.gov.cn/fzbyear/1.asp。

加强，行政执法人员的责任感得到增强。①

广东行政执法责任制度体系的突出特点，主要表现在②：

（1）制度建设比较完备。

以地方性立法的方式来规范行政执法责任制，这在全国并不多见。同时，它的配套制度也比较完善，各环节、各方面都得到规范，各地、市有很多有关制度建设方面的文件。靠制度来规范工作，提升工作，是推行行政执法责任制工作的基本思路之一。推行行政执法责任制做到制度先行，通过制度规范执法工作，促进行政执法质量和执法水平的提高，制度保障作用发挥得比较明显。

（2）政府领导高度重视。

各级领导真正把推行行政执法责任制工作作为推行依法行政，落实《国务院全面推进依法行政实施纲要》的重要举措，狠抓贯彻落实。在国务院法制办行政执法责任制检查组检查广东省贯彻落实《关于推行行政执法责任制的若干意见》情况后，广东省成立省政府推行行政执法责任制领导小组及其办公室，由主管法制工作的副省长亲自挂帅，省法制办、编办、人事厅、监察厅和财政厅为成员单位。同时，为确保按若干意见“在2006年4月30日前，完成推行行政执法责任制的相关工作”的要求，广东省抽调有关部门人员到省法制办集中办公，全力抓好各项工作。③ 因为领导的重视，相关工作也能够整合资源，全面推进，各部门形成一种合力。

（3）与广东的经济发展形成良性互动。

广东经济的发展为行政执法责任制的推进提供了良好的社会经济背景。行政执法责任制的推进和政府的中心工作紧密联系，基层

---

① 黄华华省长在全省依法行政工作经验交流会上的讲话，参见 http://www.fzb.gd.gov.cn/list/detail.asp?id_no=214。

② 国务院法制办协调司青锋司长在广东关于推行行政执法责任制的讲话，参见 http://www.fzb.gd.gov.cn/list/detail.asp?id_no=1415。

③ 广东省政府加大推行行政执法责任制工作力度，参见 http://www.chinalaw.gov.cn/jsp/contentpub/browser/contentpro.jsp?contentid=co536191244-&Language=CN。广东强势推进行政执法责任制，参见 http://www.chinalaw.gov.cn/jsp/contentpub/browser/contentpro.jsp?contentid=co761483864-&Language=CN。

工作人员可以站在经济基础与上层建筑关系的高度认识行政执法责任制工作，真正以行政执法工作为经济建设服务，建设服务型政府。

（4）成效突出。

为了全面贯彻落实《关于推行行政执法责任制的若干意见》的各项要求，保障推行行政执法责任制产生实效，各地采取充分的推行措施。

广州市成立了市政府推行行政执法责任制办公室，抽调市法制办、编办、监察、财政、人事以及其他相关部门的联络员集中办公，对所属60多个部门的执法依据逐一梳理审核，予以确定，最后公告，并按要求分解执法职权、确定执法责任。同时财政予以充分保证。这种做法确实是保障这项工作完成的一个创造性举措。

中山市除了全面、深入地推行行政执法责任制外，还将各种评议考核纳入一个综合考核中，称为“一个大包”。这种捆绑式的综合考核按不同工作岗位分不同的指标和分值，作为考核的依据。这种做法避免了重复、多头考核，是很好的经验。

此外，珠海市金湾区设置了行政服务中心窗口，为企业和群众办事提供一站、一条龙服务。创造出一个服务型、小而高效的政府。湛江以案卷评查为核心，加强评查和考核的力度。省地税局充分发挥信息平台的作用，建立公平公正的考核机制。

4．广东行政执法责任制度体系的创新。

（1）在规范行政执法队伍与行政执法资格方面的创新。

省政府以政府规章规范行政执法队伍的审批条件和程序，明确行政执法队伍必须公告，未经公告的行政执法队伍不得执法。这在之前其他地区的法规、规章乃至其他规范性文件里是没有过的。这在制度上保障行政执法主体制度的规范和行政执法公示制度的完善。而广州市政府制定的《广州市行政执法证件管理办法》是比较早规定行政执法证件管理制度的规范性文件，它的体系比较完整，在行政执法证件的申领之外，对暂扣或吊销行政执法证件作了较详细的规定，对之后其他地区制定行政执法证件管理制度方面的规范性文件有较大影响。

（2）在行政执法评议考核方面的创新。

比较《广州市行政执法评议考核办法》和之前其他地方行政执法评议考核的相关规定，该办法在以下几个方面具有示范性意义：其一，办法将行政执法评议考核界定为“市人民政府对所属行政执法部门，以及行政执法部门对其内设行政执法机构、下属行政执法机构和行政执法人员所实施的影响公民、法人或者其他组织权利义务的行政执法工作进行检验和评价的一种监督制度”。在制度上具有创造性。它有助于在概念上明确行政执法评议考核的范围和发挥行政执法评议考核制度在规范行政执法行为、促进依法行政上的作用。其二，该办法规定的行政执法评议考核制度十分细致，行政执法评议考核的负责部门、内容、方式都很明确，行政执法评议考核机构成员的回避及被考核行政执法部门的异议制度在其他地方的规范性文件中是没有见到过的。其三，将行政执法案卷的质量情况作为行政执法评议考核的一项内容，结合行政执法案卷评查制度，建立健全以公正为本、兼顾效率的行政执法评议考核制度，在制度上也很有意义。①

（3）在行政执法过错责任追究方面。

《深圳市行政机关工作人员行政过错责任追究暂行办法》规定的责任追究制度体系更加完整，条文更为细致，更具有可操作性。该办法从行政许可、行政征收、行政检查、行政处罚、行政强制等方面明确列举应追究行政过错责任的情形，区分各种情况明确行政过错责任的承担者等等。这些规定较其他省市制定的行政执法过错责任追究办法更有实际操作意义，对之后行政执法过错责任追究相关规范性文件的制定有较大影响。

2008年2月22日，《广州市行政执法责任追究办法》公布实施，这是对《广州市行政机关行政过错行为责任追究办法（试

① 国务院办公厅《关于推行行政执法责任制的若干意见》有这方面的要求，《大理白族自治州人民政府行政执法评议考核办法》也有类似规定。

行)》相关规定的扬弃和完善。《广州市行政执法责任追究办法》规定，行政执法责任追究应当与行政执法机关工作人员的评议考核工作相结合，并要求行政执法机关建立健全行政执法管理制度，依法公开行政执法主体、执法依据和执法行为，在制度上保障了行政执法责任制体系的完整性。在列举应追究行政过错责任的情形时，该办法是按照行政处罚、行政许可、行政确认、行政强制、行政给付、行政裁决、行政征收征用、行政检查的体系展开的，这更符合行政行为的一般理论，更具有体系上的合理性。同时，该办法明确规定了行政执法机关的执法责任追究方式，形成行政执法机关责任、领导责任、行政执法人员责任组成的较完整的责任体系。①

（4）在行政执法协调方面的创新。

深圳市和广州市在有关行政执法协调的规范性文件制定工作上，走在全国前列。《深圳市人民政府行政执法协调办法（试行）》是全国第一个行政执法协调方面的地方政府规章，其制度设计具有创新性：其一，该办法规定了行政执法协调的范围，明确不涉及对法律的理解和适用的一般行政管理事务争议、法律法规规定的解决渠道的争议不适用该办法。其二，确定了行政执法协调工作的负责机关是政府法制部门。其三，规定了行政执法协调的程序，包括行政执法协调的提起、受理和协调会议等。其四，明确了行政执法协调的效力，即经法制部门协调后，行政执法部门就有关争议事项达成一致意见的，行政执法协调意见书自然生效；无法达成一致意见的，法制部门仍应制作《行政执法协调意见书》，确定有关事项，但行政执法部门可以向政府提出异议；但重大复杂的事项，协调后无法达成一致意见的，由法制部门提出书面建议报请市政府决定。办法为其他地方制定行政执法协调方面的规范性文件提供了范本。②

---

① 《安徽省行政执法责任追究暂行办法》有“行政执法机关有违法执法或者行政不作为的行为，造成不良影响和后果的，应当取消当年度评比先进的资格”的规定。

② 深圳市人民政府法制办公室年报（1985—2004）第83～84页，参见 http://fzj.sz.gov.cn/fzbyear/1.asp。

5. 广东行政执法责任制度体系的示范作用。

《广东省行政执法责任制条例》及其实践的示范作用是非常明显的。广东省是全国第一个以地方立法的形式规范行政执法责任制的省份，这一形式本身就有很强的示范意义。同时，该条例构建了比较完善的行政执法责任制体系，包括行政执法公开制度、行政执法监督检查制度、行政执法协调制度、行政执法情况定期报告制度、规范性文件备案制度、行政执法评议考核制度、行政执法责任追究制度，等等。该条例的规定也比较原则，为广东省内地方各级政府充分发挥其主观能动性留下空间，保障了立法的原则性与因地制宜性。条例的这些规定对其他一些省、市的相关地方性立法，产生了重要的影响。[①]

（二）行政处罚的综合执法试点

1. 广东综合执法的发展进程。

1997年10月31日，广东省政府向国务院提出在广州市开展城市管理综合执法试点工作的请示，国务院法制局于1997年12月24日发出《关于在广东省广州市开展城市管理综合执法试点工作的复函》，批准广东省人民政府在广州市开展城管综合执法试点，并明确综合执法机关的具体职责、综合执法机关的组建、确定人员编制以及城管综合执法工作的其他要求。

1998年11月24日，省政府发出《关于设立广州市城市管理综合执法队伍的公告》，1999年9月，广州市城市管理综合执法支队挂牌成立，综合执法试点工作在广州正式实施。之后，深圳[②]、顺德、汕头等城市也相继取得城市管理综合执法权，开展综合执法

① 如《重庆市行政执法责任制条例》。

② 深圳市在罗湖区开展综合执法试点工作的做法是由深圳市人大常委会以《关于批准深圳市人民政府在罗湖区进行行政综合执法检查和行政处罚试点的决定》（该决定在2001年12月废止）启动综合执法试点工作，1998年10月，深圳市政府发布《罗湖区行政综合执法实施方案》，规定罗湖区行政综合执法机构在罗湖区综合行使几方面的行政执法检查权和行政处罚权。这部分材料参见深圳市人民政府法制办公室年报（1985—2004）第16页，参见 http://fzj.sz.gov.cn/fzbyear/1.asp。

试点工作。

2001年10月29日，广东省政府下发《关于进一步做好相对集中行政处罚权试点工作的通知》，提出要进一步提高对开展相对集中行政处罚权试点工作重大意义的认识，加强对试点工作的组织领导，进一步理顺行政管理体制，规范综合执法试点工作。

2002年8月22日，国务院下发《国务院关于进一步推进相对集中行政处罚权工作的决定》，正式授权各省、自治区、直辖市人民政府自行决定开展相对集中行政处罚权工作。2002年10月11日，国务院办公厅转发中央编办《关于清理整顿行政执法队伍实行综合行政执法试点工作意见的通知》，决定在广东省、重庆市开展清理整顿行政执法队伍，启动综合行政执法试点工作。[1] 2005年1月31日，省办公厅经广东省人民政府批准，公布《广东省综合行政执法试点方案》，推进综合执法改革工作。

2. 广东综合执法取得的成效。

第一，实现了职能转变，强化监督制约。综合执法使有关机关从繁复的执法事务性工作中解脱出来，改变了传统的行政机关"自批、自管、自查、自罚"的管理模式，有助于监督约束机制的建立。

第二，精简了执法机构，减少执法人员。如广州市综合执法机构的人员编制为2000人，远远低于在此之前相关执法队伍的人数；深圳市罗湖区在实行综合执法试点工作，成立执法局后，执法队伍由原来的20多支减为1支，执法人员由原来的500多人减为140多人。

第三，避免职权交叉，消除重复执法的现象。国务院法制局发出的《关于在广东省广州市开展城市管理综合执法试点工作的复函》明确，相关行政处罚权由城市管理综合执法队伍集中行使后，

---

① 《中央编办决定在广东、重庆开展清理整顿行政执法队伍实行综合行政执法试点工作》，载《要闻快报》；参见曹寒松：《广东省启动综合行政执法试点工作》，载《动态》。检索自维普期刊网。

原行政主管部门不得再行使这些处罚权，这一要求有效地解决了原来“九个大盖帽管一个草帽”的执法现状，保证了“综合”执法目的的实现。

第四，形成执法合力，提高行政效率。综合执法工作的开展，有助于集中执法力量，强化执法力度，在程序的进行上也更有效率。

第五，实现执法重心下移，加强基层执法力度。城市管理综合执法队伍的建制，有助于保障这一效果的实现。如《深圳市人民政府关于全面推进街道综合执法工作的决定》，就是为推进这方面工作采取的措施。①

3. 广东综合执法的主要特点②。

（1）紧密结合广东实际，改革突出重点。

广东综合执法工作紧密结合本省经济、社会发展实际，围绕省委和省政府的中心工作。从领导关注、公众关心、存在问题较多的领域入手，从试点客观条件较为成熟、改革意识较强、积极性较高的城市入手，重点突出。如，结合创造新的经济增长点，从2001年开始探索海洋渔业综合执法，将原有的渔政、渔监和船检三支队伍合并，组建广东省渔政总队，作为全国海洋与渔业综合执法首支队伍，实行“一个领导班子、一个执法主体、一本证管理、一本账收支、一个窗口对外”；从解决人民群众极为关注的公路“三乱”问题入手，研究推进交通领域综合执法；结合建设文化大省、改革文化管理体制机制、加强文化市场管理的迫切要求，推进文化市场领域综合执法；结合我省资源相对匮乏、供求矛盾突出、环境

---

① 参见《广州城管综合执法成效显著》，《建设管理专刊》2001年第10期。《广州市开展城市管理综合执法试点工作的情况》，《行政与法制》2000年10月。《罗湖区行政综合执法试点工作概述》，《行政与法制》2000年5月。《贝雷帽　权力简并的绿色通道——深圳市改革行政执法体制》，《中国改革》2000年第3期。以上材料检自维普期刊网。

② 这部分内容引自广东省编办《积极改革创新行政执法体制　推进综合行政执法试点》一文，参见 http://www. chinalaw. gov. cn/jsp/contentpub/browser/contentpro. jsp? contentid = co7828118774。

承载能力薄弱等省情状况，按照构建和谐广东、实现经济与资源环境协调发展要求，进行资源环境领域综合执法；结合安全生产工作的严峻实际，强化安全生产行政执法机构建设，等等。

（2）衔接行政体制改革，试点注重创新。

主要体现在三个方面：一是在职能分离上有所创新，体现了决策执行的相对分开。将监督检查、行政处罚、行政强制等执行性职能从政府部门分离出来，交由综合行政执法机构承担；在推进海洋渔业综合执法改革时，还对将一般许可职能交由海洋渔业综合执法机构承担进行了初步探索，实现了对行政执法各个环节的综合，体现了决策与执行相对分开的改革方向。二是引入绩效评估制度，创新监督制约机制。成立政府绩效委员会，利用现有纪检监察、组织、财政、人事、编制、审计、法制等部门的资源，根据行政执法机构的具体职责建立绩效标准体系，定期进行考核评估。目前省编办正与高校专家学者合作研究制定政府综合执法绩效管理体系建设方案、绩效指标体系及实施方案，并选取广州市城市管理综合执法局和广东省海洋渔业局进行绩效评估试点。三是衔接事业单位、乡镇体制等各项改革，创新思路和模式。将综合行政执法试点的推进与深化事业单位改革、乡镇体制改革、创新政府管理方式等各项行政体制改革工作紧密结合起来，整体推进。如在交通运输、农业领域，以实施综合执法为契机，整体推进交通、农业领域事业单位改革、深化行政管理体制改革工作。在潮安县动物防疫监督体制改革中，立足农村实际和发展需要，将行政执法体制改革与乡镇体制改革、农口事业单位改革配套推进。

（3）规范执法职能、机构、编制，突出精简效能。

一是整合、规范执法职能。探索“两个相对分开”，合理划分各级执法机构的事权关系，实行执法重心下移，减少多头、多层执法。二是调整归并行政执法机构。按领域、行业或在部门内设置集中统一的综合行政执法机构，如将交通领域的七支执法队伍、文化市场领域的三支执法队伍、海洋渔业领域的三支执法队伍分别整合为一支执法队伍，改变多头执法现象，也有利于减少辅助人员的数量。三是规范执法编制管理。明确把专项用于行政执法机构的编制，定为“执法专项编制”，依照公务员管理。从编制上体现决策职能和执行职能相对分离的特点，实现编制的分类、科学管理。四是规范执法主体和执法经费。严格执行“罚缴分离”、“收支两条线”制度，执法经费按规定纳入财政预算。五是突出精简效能。实行综合行政执法前，广东省行政执法人员编制120645名，在职110711人。在清理整顿的基础上，拟总量控制核定全省行政执法专项编制8万名。该编制数与原有编制数相比，精简33.7%，与实有执法人员相比，精简27.7%。此外，由于本省原有行政执法基本由事业单位承担，大多数执法机构主要分布在各部门所属的事业单位，使用事业编制，其编制数占总编制的56.11%，实有人数占总人数的62.62%。从目前已完成执法专项编制核定工作的领域来看，实行综合执法后，在收回原用于执法的行政或事业编制的基础上，全省（不含广州、深圳市）市、县两级国土资源领域执法编制从1007名精简为824名，精简了18%；市、县两级文化市场领域执法编制从1591名精简为1301名，精简了18%。

（4）以点带面、逐步推开，改革务实稳妥。

综合执法是行政体制的重大改革和创新，难度大，遇到的新情况、新问题较多，须审慎推进。广东采取了以点带面，先易后难、逐步推开的思路。试点先在部门内实行综合执法，取得经验后，再逐步展开跨部门的综合执法，按领域分步实施，成熟一个推开一个。这样容易见成效，也可以减少震动。改革围绕实现“三个满意”，力求取得实效，即简化办事程序，减轻老百姓负担，让执法相对人满意；整合执法资源、减少职能交叉，降低行政成本，使领导满意；规范机构设置、人员编制和经费形式，有利于执法队伍的规范建设和健康发展，让部门自身满意。

（5）广东各地市的综合执法工作也有很多亮点。

广州市的城管投诉服务中心专线“12319”的筹建与运作，得到广州市民的热烈反应。该热线筹建初期只开通了8条线路、6个坐席、8名接线人员，接到投诉8000多件，受理100多件；调整期

间线路增至 30 条、接线人员调整至 35 人，管理人员增至 15 人，日均受理投诉 202 件；协调发展期日均投诉量 320 件左右。2006 年以来，日均受理投诉 380 件左右，年受理总量 24 万件。其中，八成以上涉及综合执法。

深圳市城市管理执法局的信息化建设，则在实现城市管理综合执法的科技化上做了有益的尝试。一是在视频监控系统方面，从 2002 年开始建设此系统，共有 126 路视频监控点，与交管局共享资源，从较大的范围内及时发现和处理问题。二是在调度指挥系统方面，为市级执法队员配备了 200 台对讲机，通过数字集群方式解决执法通讯问题。同时，为 100 辆执法车装备了车载系统，还开通了城管投诉热线“960110”，受理广大市民的投诉及建议。三是在非法小广告治理方面，2000 年即开始对非法小广告应用停机、追呼等技术手段进行治理，效果明显。四是在案件管理方面，2003 年建设完成了案件从立案到各个环节的管理、归档，全面实现了信息化管理。近期，该系统又进行了升级，通过 PDA 终端实现了真正的移动办公。这大大方便了城管执法部门对案件的管理，规范了案件的办理流程。五是在网站建设方面，设置了本地新闻、全国城管动态、视频剪辑等版块。网站由专人负责信息的维护和上传，更新速度快，内容详尽，得到各界好评。①

4. 广东综合执法的制度建设及其示范作用。

《广东省综合行政执法试点方案》

首先，该方案贯彻落实并创造性地发展了中央编办《关于清理整顿行政执法队伍实行综合行政执法试点工作的意见》的内容，在全国提出按领域、行业开展综合行政执法工作。将综合行政执法的范围限定在同一领域、同一行业，避免与现实法律法规的冲突，使综合行政执法机构具有符合现行法律法规规定的行政执法主体地

---

① 北京市城管执法局考察小组赴广州、深圳学习考察报告，参见 http://www.bjcg.gov.cn/cgxw/dybg/kcbg/t20061010_144209.htm。

位，是制度上的进步，代表行政执法发展的方向。①

其次，方案采取的归并统一政府部门下多项执法职能和执法机构，调整、归并同一领域内的执法职责及机构的模式，能在行政管理领域形成比较合理的体系，减少了重复执法、交叉执法的现象。

再次，方案规定的“以市为主设综合行政执法机构的，所属区不再重复设置，确有必要的，可按区域覆盖原则，由市综合行政执法机构在所辖区内设立派出机构或分支机构”的机构设计，实际上肯定了设区的市建立一级城管行政执法主体的做法，发展了行政执法主体的理论，也解决了综合行政执法机构的定位问题。②

最后，方案在制度安排上也为之后其他地方试点工作提出参考和经验。方案规定的政府工作部门与独立设置的综合行政执法机构的关系，特别是“独立设置的综合行政执法机构的领导按现行干部管理权限进行管理，中层干部及以下人员、日常业务、具体经费开支由其自主管理，主管部门不得随意干预”的规定，对于保证综合行政执法机构的行政执法主体资格有重要意义，是对《关于清理整顿行政执法队伍实行综合行政执法试点工作的意见》内容的发展。在综合行政执法监督体制中成立政府绩效委员会，建立行政执法监督联席会议制度具有创新性，对完善监督机制是有益的探索，也对其他地区的制度设计起示范作用，这在之后的《兰州市城市管理综合执法暂行规定》中就有所体现。

《广州市城市管理综合执法条例（草案）》

以往城市管理综合执法方面的规范性文件，多倾向于规定城市管理综合执法机构的综合执法权限，忽视了从行为规范和制度运作的层面建构体系。而该条例则将内容分为总则、执法规范、执法协

---

① 中央编办《关于清理整顿行政执法队伍实行综合行政执法试点工作的意见》规定，“一个政府部门下设的多个行政执法机构，原则上归并为一个机构。在此基础上，重点在城市管理、文化市场管理、资源环境管理、农业管理、交通运输管理以及其他适合综合行政执法的领域，合并组建综合行政执法机构”。已经反映了按部门、领域设置统一的综合行政执法机构的思路。

② 以上三点参见王毅：《城管行政执法：体制改革的方向——广东省综合行政执法试点方案简评》，检索自维普期刊网。

作、执法监督、法律责任和附则六部分，这种体例安排是创造性的，具有现实性和合理性。同时，条例规定的执法协作部分，属于城市管理综合执法工作的内部程序。条例将其外部化、制度化和法律化，有利于促进城市管理综合执法工作更有效率地开展。

（三）行政审批制度改革

1．广东行政审批制度改革的主要过程。

自1997年至2007年，广东省先后开展了三轮行政审批制度改革：[①]

1997年7月至2000年6月[②]，省政府开展第一轮行政审批制度改革，通过清理，审批、核准事项由1972项减少为1205项。

2000年下半年至2003年3月，开展了第二轮行政审批制度改革，决定取消审批、审核、核准事项318项，不列为行政审批、转为正常管理事项99项，保留1102项。

2003年7月，根据国务院关于取消第一批行政审批项目的决定和取消第二批行政审批项目及改变一批行政审批管理方式的决定要求，省政府又取消或部分取消行政审批事项20项；将13项行政审批事项作改变管理方式处理，移交行业组织或中介机构管理，下放管理事项1项。[③]

在减少审批项目的同时，省政府、各地、各部门也致力于行政审批程序的简化规范和行政审批方式、机制的创新，建立和完善相关配套制度，加快推进政府职能转变。珠三角大部分地级以上市和省直部门普遍设立了行政服务中心，全省县以上政府共建立行政服务中心100个，17个地级以上市、118个县（市、区）、370个政

---

① 李炳余在全省市县政府依法行政工作会议上的讲话，参见 http://www.fzb.gd.gov.cn/list/detail.asp? id_no=1813；深圳市于2006年又正式启动第四轮审批制度改革。

② 不同资料对此时间段的界定不同。

③ 黄华华省长在全省贯彻实施行政许可法工作会议上的讲话，参见 http://www.fzb.gd.gov.cn/list/detail.asp? id_no=337。

府部门及乡镇政府设立了行政效能投诉中心。[①] 各地普遍推行了"一站式"服务、"窗口式"办公,[②] 充分利用电子政务建设的成果，改革行政审批方式。各级行政机关普遍通过电子网络公布行政审批许可事项及其依据、条件、程序、结果等信息，珠三角城市还整合各镇区、各部门的信息资源初步实现"网上并联审批"。[③] 珠三角地级以上城市和省直部门还建立了行政审批电子监察系统，将各项行政许可、非行政许可审批事项纳入电子监察系统，逐步做到实时在线监督、预警纠错，并以此作为开展绩效评估和向社会提供信息服务的平台。[④]

2. 广东行政审批制度改革取得的成效。

第一，通过几次行政审批制度改革，减少了行政审批事项，使相关部门从审批事务中解放出来，可以集中力量加强宏观调控、市场监管、社会管理、公共服务等方面的职能，促进了政府职能的转化。

第二，通过深化行政审批制度改革，有助于理顺各级、各领域行政审批部门间的关系，明确行政审批部门的事权划分。

第三，通过行政审批制度改革，行政审批行为也得到进一步规范，初步实现行政审批的公开运作。通过"一站式"服务、"窗口式"办公、网上受理、网上审批等配套制度的建设，提高了行政审批的效率。

第四，通过行政审批制度改革，促进了行政审批部门观念的更新。行政审批制度改革的一个基本原则，就是能由市场调节的、能

---

① 李炳余在全省市县政府依法行政工作会议上的讲话，参见 http://www.fzb.gd.gov.cn/list/detail.asp? id_no=1813。

② 黄华华省长在全省依法行政工作经验交流会上的讲话，参见 http://www.fzb.gd.gov.cn/list/detail.asp? id_no=214；广州市2006年实施行政许可情况总结，参见 http://59.41.8.62/sites/kw/htmls/20070809000022.html。

③ 谢强华副省长在全省法制局局长会议上的讲话，参见 http://www.fzb.gd.gov.cn/list/detail.asp? id_no=647。

④ 李炳余在全省市县政府依法行政工作会议上的讲话，参见 http://www.fzb.gd.gov.cn/list/detail.asp? id_no=1813。

由社会中介机构和行业协会等组织提供服务的、能由企业自主决定的事项，政府要坚决退出，不再审批。在这一过程中，有力地促进了“服务政府”观念的形成。

3. 广东行政审批制度改革工作的特点。

第一，改革的先发性。广东的行政审批制度改革工作走在全国前列。深圳市是我国第一个推行行政审批制度改革的城市，[①] 其工作经验为其他地区深化行政审批制度改革提供了有益借鉴。

第二，体系的完整性。行政审批制度改革的目的在于充分发挥市场配置资源的基础性作用，理顺政府与社会、政府与市场、政府与企业以及省政府与下级政府之间的关系。为实现这一目的，必须将行政审批制度改革、政府机构改革、收费制度改革和规范性文件的清理视为一个不可分割的体系，相互促进，相互保障。

第三，工作机制的创新性。如通过相对集中行政许可权的综合执法试点工作的开展，在大农业、大交通、大文化、城市管理和水利水务领域把相关部门的许可、检查、处罚和强制措施等具体执法行为相对集中。通过电子政务的推进，推广网上并联审批，做到一个行政机关受理申请，网上转告相关部门办理审批，限时完成；整合网络资源，促进政府信息资源的共享。完善统一办理、联合办理的制度和措施，在全省各地区均设立有符合统一办理、联合办理要求的行政审批服务中心。[②]

4. 广东行政审批改革的示范作用。

广东行政审批改革的示范作用，主要反映在深圳市相关的制度建设和经验上：

《深圳市审批制度改革若干规定》

这是在全国第一次以立法形式对行政审批行为进行规范，确定行政审批须依法设立和设立审批应当依法举行听证的规则。这对行

① 《深圳市在全国率先改革行政审批制度》，《行政与法制》2000 年 11 月。

② 黄华华省长在全省贯彻实施行政许可法工作会议上的讲话，参见 http://www.fzb.gd.gov.cn/list/detail.asp? id_no =337。

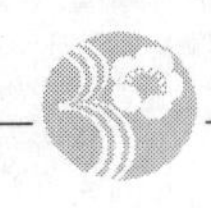

政审批制度的规范化有重要意义。设立审批应当举行听证的规定，为行政许可法中听证程序的规定积累了经验。

《深圳市审批登记制度若干规定》

其具体规定了审批、登记事项的听证程序，并明确听证允许新闻记者采访，保障了听证公开的实现。对审批、登记申请应出具回执的要求，在程序保障方面有很大意义。涉及有批准数量限制的审批申请及其决定程序的规定，在制度上具有创造性。

《深圳市实施行政许可若干规定》

其关于“有权实施行政许可的行政机关和组织，由市政府予以公布。未经市政府公布的机关和组织，不得实施行政许可”的规定，将行政许可的实施与行政执法公示制度结合在一起。其规定委托其他行政机关或者具有公共管理职能的组织代为受理行政许可申请材料的制度和行政许可机关制定行政许可实施办法的义务，为相对人提出许可申请提供了便利。

《深圳市非行政许可审批和登记若干规定》

这是全国首部规范非行政许可审批和登记的地方规章。[①] 它对非行政许可审批、登记的界定，就非行政许可审批、登记的设定和实施，对类似行政许可法制度和监督机制的引入等，在制度上具有创造意义。

三、广东行政复议

（一）广东行政复议概况

就行政复议而言，广东省，尤其是广州市一直走在兄弟省市的前列。

1．组织机构的建设情况。

1990年12月，国务院发布《行政复议条例》，于1991年1月

① 参见《深圳启动非行政许可审批制度改革》，载《资料信息》2006年第8期。

1日起施行。1990年4月，广东省编制委员会发出《关于省政府办公厅增设行政复议处的批复》。11月上旬，广州市政府法制局行政复议处正式挂牌开展工作。[①] 为实施《行政复议条例》提供组织机构和人员保障。

1993年4月24日，省政府行政复议办公室正式成立，同时制定了《广东省人民政府行政复议办公室工作制度及办案程序》。

2. 制度建设与学习培训情况。

1991年1月，省府办公厅发出了《关于贯彻国务院法制局国法〔1991〕1号文的通知》，揭开了全省学习、宣传、贯彻实施《行政复议条例》的序幕。此后，为培训复议业务骨干，省政府法制局组织编写了8万多字的《行政复议工作手册》，并被列入全省普法教材之一。

1992年9月16日，省政府出台《广东省行政复议实施办法》。同年11月24日至26日，第一次全省行政复议工作会议在肇庆市召开。[②] 1993年8月16日，省政府行政复议办公室创办了全国第一家政府宣传复议制度的内部刊物——《广东行政复议》。[③] 1997年1月13日，省政府颁布《广东省行政复议实施办法补充规定》。

1996年9月25日，经省政府同意，省政府法制局颁发《广东省人民政府行政复议案件审理制度及复议决定书审核程序》，对行政复议的程序进行了具有可操作性的细化和明确。

1999年，为配合《行政复议法》的实施，组织编写了《广东省行政机关工作人员培训教材：行政复议法》一书。在省内举办了8期《行政复议法》业务培训班，并通过各市、县政府，组织全省约35000人参加了行政复议法的培训。[④] 9月28日，为迎接《行政复议法》的颁布实施，省政府法制局与有关新闻单位联合开展了“教你依法民告官”的宣传报道活动。10月16日，省政府法

① 参见 http://www.fzb.gd.gov.cn/list/inner.asp? typeNo=0180。

② 参见 http://www.fzb.gd.gov.cn/list/inner.asp? typeNo=0180。

③ 参见 http://www.fzb.gd.gov.cn/list/inner.asp? typeNo=0180。

④ 《中国法律年鉴（2000年）》，第867页。

制局与省高级人民法院、广州市中级人民法院、广州市人民政府法制局、广州市天河区人民政府法制局联合举办《行政复议法》与《行政诉讼法》大型宣传咨询活动。11 月 1 日起，省政府法制局与广东电视台合作制作《行政复议法》专题公益宣传广告，在广东卫视、珠江台连续播放一个月。

2000 年 10 月 10 日，省政府办公厅颁布了《广东省人民政府行政应诉工作规则（试行）》。[①] 省人大常委会对全省各级行政机关、司法机关贯彻实施《行政诉讼法》、《行政处罚法》、《行政复议法》的情况进行了全面检查。[②]

2003 年，出台了《广东省行政复议工作规定》，进一步完善和规范了行政复议办案规则和办案程序，明确了行政复议工作的保障措施和行政复议法律责任处理建议的启动和处理机制。

3. 复议案件受理情况。

1991 年 10 月 8 日，和平县土厘村因不服河源市政府作出的有关具体行政行为向省政府申请行政复议，省政府经审理依法维持了《处理山林纠纷决定书》。这是广东省政府审理的首宗行政复议案。[③]

1995 年，广东省政府受理行政复议案件 11 件、非复议案件 9 件。1997 年，广东省政府共受理行政复议案件 15 件。

1999 年，《中华人民共和国行政复议法》颁布实施。这一年广东省政府全年办理行政复议案件 36 件（其中 1998 年转存的 3 件，1999 年受理的 33 件），是历年来受理和办理行政复议案件最多的一年。其中仅 10 月 1 日《行政复议法》生效实施后受理的就达 22 件。广州市政府在这一年共收到行政复议申请 137 件。[④] 2000 年，

① 参见 http://www.fzb.gd.gov.cn/list/inner.asp? typeNo=0180。

② 参见 http://www.fzb.gd.gov.cn/list/inner.asp? typeNo=0180。

③ 参见 http://www.fzb.gd.gov.cn/list/inner.asp? typeNo=0180。

④ 翟小波：《制度在历史的积累中成长——行政复议制度：中国与广州》，《博览群书》2006 年第 4 期。

全省各级政府及部门共收到行政复议申请3348件，比1999年增长196%。[①]其中广州市政府共收到行政复议申请204件。[②]2001年，全省各级行政机关共收到行政复议申请4213件，经审查，符合受理条件予以立案的3804件。全年共审结行政复议案件3511件；处理行政应诉案件1188件。省政府共收到行政复议申请49件，经审查，符合受理条件予以立案的38件；不符合立案条件、依法作出不予受理决定的10件；以调节等其他方式处理的1件。[③]其中广州市政府收到行政复议申请201件，应诉案件32件。[④]2003年，全省共收到行政复议申请4247件，其中符合受理条件予以立案的3889件，审结行政复议案件3320件，处理行政应诉案件2957件。省政府共收到行政复议申请45件，经审查，符合受理条件予以立案的21件。不符合立案条件、依法作出不予受理决定的13件；以调节等其他方式处理的11件。[⑤]2005年，行政复议案件数量明显增多，案件类型呈多样化，案情更加复杂。广东省政府全年共收到行政复议申请104件，与2004年同比增长27%。符合条件立案受理的40件，与2004年同比增长148%。[⑥]2006年，广州市政府共收到行政复议申请392件（其中书面申请339件，口头申请53件）。对符合立案条件的申请予以受理的321件，加上旧存（47件）积案共计368件，依复议程序办结318件（其中办结新案280件，清理旧存积案38件），审结率为86.4%。

总的看来，目前行政复议工作积极拓展收案范围，立案审查的案件数量大幅攀升，为近年来最高；案件数量分布相对集中，与老

---

① 《关于报送〈广东省行政复议工作规定〉备案的报告》，参见 http://www.da.gd.gov.cn:8080/was40/detail? record=269&channelid=1666&presearchword=。

② 翟小波：《制度在历史的积累中成长——行政复议制度：中国与广州》，《博览群书》2006年第4期。

③ 《中国法律年鉴（2002年）》，第880页。

④ 翟小波：《制度在历史的积累中成长——行政复议制度：中国与广州》，《博览群书》2006年第4期。

⑤ 《中国法律年鉴（2004年）》，第686页

⑥ 《中国法律年鉴（2006年）》，第637～638页。

百姓切身利益联系比较密切的劳动保障、国土房管、城市规划等领域是当前行政复议的热点领域，此类复议案件数量上升明显；行政机关参与复议程序的自觉性和专业性明显提高，复议的程序性、规范性、制度性不断加强；复议工作注重社会效果，能够做到案结事了。①

（二）广东行政复议的制度建设及其创新②

《广州市行政复议案件办理程序规定》

第一，这是国内最早的关于行政复议程序的地方政府规章。在《行政复议条例》颁布实施不到一年的时间内，广州市政府就依据《行政复议条例》并结合本市的具体情况，制订了《广州市行政复议案件办理程序规定》，这在全国起到了模范带头的作用，对后来的《厦门市各级人民政府行政复议程序暂行规定》等一些地方政府相关规定起到了较大的参考示范作用。

第二，该《规定》全面规定了行政复议工作的整个程序环节。从受理、调查取证、审理、执行、结案五个方面全面、详细地规定了行政复议案件的办理程序。

第三，与《行政复议条例》相比较，该规定首次在立法中明确了行政复议的目的是“为使行政复议案件办理程序规范化、制度化，促使行政机关合法、准确、公正、及时地作出复议决定，保证办案质量，提高办案效率”，从而在坚持《行政复议条例》“监督行政机关依法行使职权，防止和纠正违法或者不当的具体行政行为，保护公民、法人和其他组织的合法权益”目的的前提下，修正了“维护行政机关依法行使职权”的目的，无疑是个巨大的进步。

第四，设专章全面、详细地规定了行政复议中的调查取证。③

---

① 《关于2006年市政府行政复议应诉工作情况的报告》（节选），参见 http://59.41.8.62/sites/kw/htmls/20070809000011.html。

② 引用的法规、规章按颁布实施时间顺序排序。

③ 参加《广州市行政复议案件办理程序规定》第10~12条。

第五，有关复议机关的规定较为明确。如第十四条规定的案件处理程序：“对简单的案件，由复议机关自己审理，对较复杂的案件，涉及较多专业部门、专业性较强的案件，由复议机关组织其他的业务机构人员进行审理。并将审理意见提交当地政府或部门的决策会议讨论。”

第六，规定了备案制度。第二十三条规定：“结案后应写出结案报告。重大的案件，应当报告当地政府备案。”

《广州市行政复议管辖实施办法》

这是国内最早的关于行政复议管辖的地方政府规章，为明确行政复议的管辖问题提供了法律化的依据。

《广东省行政复议实施办法》

这是全国最早的由广东省政府制定的关于行政复议的综合性规章之一。该办法的创新主要体现在以下几个方面：

第一，建立复议调解制度。第三条规定：“复议机关审理复议案件可依法对当事人之间的赔偿纠纷进行调解，促成当事人自愿达成赔偿协议。调解达成协议的，应制作调解协议书。”

第二，拓展了复议的范围。第四条规定：“当事人对行政机关依照职权对平等主体间赔偿问题作出强制性赔偿决定不服的，可申请复议。对人民政府或其主管部门有关土地、矿产、森林等自然资源的所有权或使用权归属的处理决定不服的，可申请复议。”

第三，设立复议机构。第十条规定：“凡有复议任务的行政机关都必须设立复议机构。”

第四，增加复议机构的法定职责。第十条规定：“复议机构除履行《行政复议条例》第二十五条规定的职责外，还应承担下列任务：（一）指导下级复议机构开展行政复议和行政应诉工作；（二）协调有关复议管辖争议，并向复议机关提出处理意见；（三）组织起草开展复议工作的配套制度及有关规范性文件；（四）组织开展《行政复议条例》的学习和宣传，做好复议人员的培训及资格考核工作；（五）开展复议工作的调查研究，及时向复议机关和上级机关的复议机构反映情况和问题；（六）做好复议工作的统计

报表填报及复议案件的立卷归档。”

第五，首次规定直接起诉制度。第十三条规定：“公民、法人或者其他组织依法提出复议申请，复议机关无正当理由拒绝受理或者超过作出复议决定的法定期限仍不予答复的，可直接向人民法院提起诉讼。”

第六，确立复议文书的参照使用制度。第十七条规定：“市、县（区）人民政府统一使用省人民政府印制的复议文书，其他复议机关可参照使用。”

《广东省行政复议实施办法补充规定》

第一，明确行政复议案件审理的回避制度。第三条规定：“行政复议机关工作人员审理复议案件，有下列情形之一的，应当自行回避，当事人也可以申请他们回避：（一）是本案的当事人或者是当事人的近亲属的；（二）本人或其近亲属与本案有利害关系的；（三）与本案当事人有其他关系，可能影响公正处理案件的。申请人或第三人提出回避申请，应当写明理由。行政复议机构负责人的回避，由行政复议机关决定；行政复议人员的回避，由行政复议机构负责人决定；申请人或第三人对申请回避作出的决定不服时，可以申请再议一次。再议期间，被申请回避人员，不停止参与本案的工作。再议决定应尽快作出，并通知申请的当事人。”

第二，明确保全措施。第七条规定：“行政复议机关对可能灭失或以后难以取得的证据材料，可采取保全措施。”

第三，明确中止复议制度。第八条规定：“行政复议机关在审理复议案件时，有下列情形之一的，有权决定中止复议：（一）申请人或第三人死亡，需要等待继承人参加复议的；（二）申请人或第三人丧失行为能力，尚未确定法定代理人的；（三）申请人或第三人因不可抗力的事由，不能参加复议的；（四）本案必须以另一案的审理结果为依据，而另一案尚未审结的；（五）被申请人申请，有正当理由的；（六）其他应当中止的情形。”

第四，明确终结复议制度。第九条规定：“行政复议机关的审理复议案件时间，对申请人死亡又没有继承人，或者继承人放弃复

议申请权的，可能决定终结复议。”

《深圳市人民政府行政复议工作规则》

第一，明确复议机构及其法定代表人。第二条规定：“市政府行政复议办公室（以下简称‘市政府复议办’）是市政府的行政复议机构，与市法制局合署办公，由市法制局正、副局长分别兼任正、副主任，具体履行《行政复议法》第三条规定的职责。”第三条规定：“深圳市市长是市政府行政复议机关的法定代表人，负责对复议案件的审理、复议工作的有关事宜作出决定。”

第二，建立市长决定制度。第四条规定：“下列行政复议案件由市政府复议办报请市长作出决定：（一）被申请的政府工作部门是由市长或者副市长兼任领导职务的；（二）具体行政行为是依据市政府的决定作出的；（三）其他必须提请市长决定的重要复议案件。”

第三，明确政府复议办公室日常事务。第六条规定：“市政府复议办代表市政府具体负责办理下列行政复议日常事务：（一）接待来访，解答有关行政复议方面的问题；（二）接受和审查申请人向市政府提出的复议申请，并决定是否予以受理；（三）负责复议案件的全面调查审理；（四）决定中止复议、延长复议期限、停止执行具体行政行为；（五）根据《行政复议法》第二十六条、第二十七条的规定，接受、提出、转送对具体行政行为所依据的有关规定的审查意见和审查申请；（六）对市政府有权处理的具体行政行为所依据的有关规定进行审查，并提出处理意见，或者代表市政府作出处理；（七）对本规则第四条所列范围的复议案件提出复议决定意见报市政府；（八）根据本规则第五条的规定，代表市政府作出复议决定；（九）对市政府所属工作部门和各区人民政府无正当理由不受理复议申请的行为，代表市政府责令其受理，必要时可以直接受理；（十）被申请人不履行或者无正当理由拖延履行市政府作出的行政复议决定的，代表市政府责令其限期履行；（十一）申请人逾期不起诉又不履行市政府变更具体行政行为的行政复议决定的，代表市政府组织有关部门或机关强制执行，或者申请人民法院

强制执行；（十二）对行政机关及其工作人员违反《行政复议法》规定的行为向有关机关提出处理建议；（十三）其他行政复议事项；（十四）办理因不服市政府行政复议决定提起行政诉讼的应诉事项；（十五）指导市政府各工作部门和各区人民政府的行政复议和行政诉讼应诉工作。”

第四，确立对部分抽象行政行为的复议审查。第七条规定：“申请人提出对具体行政行为所依据的有关规定要求审查的申请，按下列规定办理：（一）对国务院部门规定和省人民政府及其工作部门规定的审查申请，由市政府复议办以市政府名义转送有权处理的国家机关处理；（二）对市政府及所属工作部门和各区人民政府规定的审查申请，由市政府复议办负责审查，并提出处理意见报市政府，市政府自接到审查申请之日起30日内作出处理；（三）对镇人民政府规定的审查申请，由市政府复议办或者区人民政府自接到审查申请之日起30日内负责审查和处理；由区人民政府审查处理的，应将处理结果书面告知市政府复议办。”

《广东省行政复议工作规定》

这是国内较早由省级人大常委会制定的关于行政复议的地方性法规之一。

第一，规定复议工作人员资格。第三条规定：“从事行政复议工作的人员应当是国家公务员且从事行政管理工作两年以上。”

第二，细化了复议终止的情形。第十六条规定：“有下列情形之一的，行政复议应当终止：（一）申请人死亡后没有近亲属或者近亲属明确表示放弃行政复议权利的；（二）作为申请人的法人或者其他组织终止，其权利义务的承受者明确表示放弃行政复议权利的；（三）申请人撤回行政复议申请的；（四）虽属行政复议范围，但具体行政行为与申请人不存在利害关系，或者申请人错列被申请人且拒绝变更，或者有其他不应受理的情形的；（五）申请人在行政复议期间下落不明并在行政复议期限届满后仍不出现，没有近亲属或者其近亲属明确表示放弃行政复议权利的；（六）其他应当终止的情形。”

第三，明确关于相对集中行政处罚权（即综合执法机构）案件的管辖。《行政复议法》对相对集中行政处罚权的行政机关作为行政执法主体进行行政处罚的复议案件管辖问题没有涉及。《广东省行政复议工作规定》第十一条则规定：“对相对集中行政处罚权的行政机关作出的具体行政行为不服提出的行政复议申请，由本级人民政府依法受理；上一级人民政府设立相对集中行使行政处罚权的行政机关的，申请人也可以选择向上一级人民政府相对集中行政处罚权的行政机关提出行政复议申请，由该行政机关依法受理。”

《广州市行政复议规定》

第一，创新行政复议工作机制。

首先，明确审查组织。该规定第七、八、九、六十二条确定了案件的决定机制，即由案件的经办人员（包括合议组或者独任审查人员）提出承办意见，报机构负责人审核后提出处理意见，处理意见报机关负责人同意或经集体讨论通过后，作出行政复议决定。这一基本工作机制的设置，既赋予了案件经办人员的相对独立性，提高了行政效率，又遵循了行政机关的基本工作程序，符合复议机关首长负责制的原则要求。

其次，为了减少复议活动中的内部审批环节，该规定第七条明确了行政复议案件的审查实行合议制度。即由3人以上单数行政复议人员组成合议组对案件进行审查，提出意见。合议组意见不一致的，按照少数服从多数的原则。这项规定是仿照法院的合议庭制度衍生而来的，有助于案件审理的公正和公开，使行政复议案件有选择性地走“司法化”道路。在复议实践中，由于许多单位，尤其是区一级的政府提出其法制机构人员编制不足，无法组成合议组的问题，所以，规定对于确实不具备合议条件的，可由复议人员进行独任审查。这样一方面借鉴了司法审判的经验，确保了行政复议审查的公正性、民主性，同时又照顾到了各级行政复议机构的实际情况。

第二，细化案件决定机制。

为保障行政复议的民主性、科学性，该规定第八、九条还细化了集体讨论制度和专家咨询制度，即对一些重大、疑难、复杂或者专业性较强的案件，由行政复议机关集体讨论或者征询专家意见。

根据《行政复议法》第二十八条第一款规定，“行政复议机关负责法制工作的机构应当对被申请人作出的具体行政行为进行审查，提出意见，经行政复议机关的负责人同意或者集体讨论通过后，按照下列规定作出行政复议决定”，但该条对何种情形下进行集体讨论未作明确规定。在案件重大、疑难等特殊情况下，行政机关负责人可以决定将行政复议案件提交行政复议机关集体讨论，并提出处理意见。通过这种集体讨论的方式，在一定程度上保证和促进了行政复议决定的民主性、公正性。对于久拖难决的案件，这种方式也有利于提高行政效率。为此，《广州市行政复议规定》第8条明确：“符合下列情形的行政复议案件，行政复议机关负责人认为必要时，可以提交行政复议机关集体讨论：（一）对行政机关作出的限制人身自由或查封、扣押、冻结财产等行政强制措施决定不服的；（二）对行政机关作出的关于确认自然资源的所有权或使用权决定不服的；（三）涉及规范性文件审查的；（四）合议组对案件处理意见存在较大分歧的；（五）其他需要提交的重大、疑难、复杂的案件。”该规定具体明确了在何种情形下应当进行集体讨论，细化了集体讨论的规定。

规定还设立了行政复议案件的专家征询制度。对于重大复杂或专业性较强的行政复议案件，合议组或独任审查人员认为必要时，可根据案件的具体性质，向相关专家咨询。行政复议机构可根据案件实际需要自行确定若干名具有法律或其他专门知识和技能的人进行征询。专家可就相关专业问题，根据自己的理解作出其认为合理的解释，提出参考性意见。征询的专家意见，不具有实际参与审理和作出决定的作用。对于专家的不同意见，由该案的合议组或独任审查人员进行取舍，决定是否采纳。为此，第九条作出了规定。这种规定的目的，是为了弥补行政复议人员专业技术知识的不足，并提升行政复议决定的公正性与科学性。

此外，规定建立和明确了委托复议机构作出复议决定的制度。

首先，将《行政复议法》中的“行政复议机关负责法制工作的机构”统一规定为“行政复议机构”。其次，考虑到实践中行政复议案件的内部审批环节过多，在相当程度上影响了办案效率，因此，需要规范行政复议案件的内部运转程序，提高行政复议案件的办理效率。第十条规定：“行政复议机构可以根据行政复议机关的委托，以行政复议机关的名义作出有关行政复议决定。前款规定的行政复议机构审查行政复议案件，依照本规定关于行政复议机关审查行政复议案件的程序规定进行。”该条规定赋予了行政复议机构根据行政复议机关的委托，直接作出行政复议决定的职权。这一规定在一定程度上改变了目前行政复议文书的处理按照一般公文处理的模式，减少了对行政复议机构的控制层次，减少了行政复议运行的内部审批程序，对于提高行政复议效率有极为重要的作用，主要适用于各级政府的行政复议机构。该条第二款规定接受复议机关授权的行政复议机构，对行政复议案件的受理、审查的程序，依照行政复议机关受理、审查行政复议案件的程序进行。在复议机关与复议机构的关系上，第十条规定了行政复议机构，主要是各级政府法制部门的行政复议机构，可以根据行政复议机关的委托直接作出行政复议决定。这里的委托是一种机关内部的委托，委托后复议机构可按照规定第七、八、九、六十二条规定的工作程序直接作出复议决定，但需以行政复议机关的名义，加盖行政复议机关的公章。其目的是要在一定程度上改变目前按照一般公文处理的层层审批作出复议决定的模式，减少复议活动中的内部审批程序，以提高复议效率。

第三，关于行政复议范围的创新。

首先，降低了行政复议的门槛。《行政复议法》第六、七、八条对属于行政复议范围的事项和不属于行政复议范围的事项进行了规定。但因其采取的是概括式的表述模式，行政复议范围采用的是列举的方式，列出哪些情况可以申请复议，哪些情况不能申请复议。但是，除了“可以来的”和“不能来的”，中间还有大部分的情况，法律都没有规定。故对于一些特定的具体行政行为是否属于

行政复议的范围则不明确。因此，《广州市行政复议规定》在不违反《行政复议法》的前提下，对复议范围作了肯定性的表述，即公民、法人或者其他组织认为具体行政行为侵犯了其合法权益，只要不是该规定第十一条所规定的不属于行政复议范围的情形的，都可以依法申请行政复议，即都属于行政复议的范围。第十二条明确规定了8种情况不能申请行政复议，除此之外，除法律法规禁止的，其他情况都可以申请行政复议，行政复议的受案范围扩大了。这一规定使行政复议的具体范围更加明确，实际上将一些存在争议的特定的具体行政行为也纳入行政复议的范围，有利于对行政管理相对人的合法权益实施更全面的保护和救济。

其次，规定公务员的录用行为不属于内部行政行为。《广州市行政复议规定》突破性地把公务员的录用行为界定为不属于内部行政行为，当事人对录用行为产生争议，依法可以申请行政复议。这一规定对当事人公平竞任公职的权利提供了更为有效的保护。在我国法律界，对涉及公务员的争端存在不同的看法。人们通常认为，凡涉及公务员的行政行为都是内部行政行为，由此引发的法律关系属于特别权力关系，不属于复议和诉讼的范围。涉及公务员的行政行为，其实是有“进门之前”和“之后”两个阶段的区别，而录用行为恰恰是“进门之前”的，并非整个公务员的招考过程都属于行政复议的范围。招考公告中对年龄、性别、身高的限制条件本身不是专门针对某个个体的，因此不纳入复议范围。录用的纠纷可以申请行政复议，目前可以明确的是：其一，对人事局录用决定不服，可以申请行政复议；其二，用人部门报请人事局录用，人事局不予批准的，可以申请行政复议。

第四，对行政复议程序的完善。

首先，注重与司法程序的衔接。由于行政复议与行政诉讼的联系十分紧密，《广州市行政复议规定》注重与司法程序相衔接。该规定关于申请期限、回避、复议中止和终止、复议决定的送达等方面的规定，参照了《最高人民法院关于执行〈中华人民共和国行政诉讼法〉若干问题的解释》的相关规定。该规定第九章证据规

则部分，结合复议工作的特点，也大量参照了《最高人民法院关于执行〈中华人民共和国行政诉讼法〉若干问题的解释》的相关内容。其目的一方面在于突出行政复议的准司法性，防止发生复议与诉讼程序上的冲突，另一方面也在一定程度上规范了复议活动，增强了复议决定的公正性和公信力。

其次，注重制度创新。《广州市行政复议规定》在不违反上位法的前提下注重制度创新，体现了法律规定本身应具有的科学性和先进性。

一是强调对公众利益的保护和对行政机关的监督。该规定允许申请人、第三人申请行政复议时委托行业协会、业主委员会等组织作为代理人。如该规定第二十七条在《行政复议法》第十条规定的基础上进一步明确规定申请人、第三人可以委托组织作为代理人，如委托行业协会、业主委员会等，这必然有利于对行政管理相对人权益的保障。

二是详细规定了复议程序中的回避告知制度和回避制度。这弥补了《行政复议法》对回避制度没有作出规定，当出现办案人员以权谋私、审查不公正的问题，在制度上保障案件能得到客观公正的处理。

三是在复议案件的审查方式上，该规定大胆运用行政协调手段。如第四十九条关于审查方式的一般规定中规定了复议机构可以通过协调的方式解决行政争议，这是对复议案件审查方式的创新性规定，对于提高行政效率以及当事人对复议决定的接受具有重要意义。我国行政法的主流理论认为，复议不适用调解，但在实践中，我国大量的行政复议纠纷都是通过调解和协商解决的。行政复议之所以撤案率高，重要原因就是当事人在“协调处理”的名义下达成了和解。调解往往达到真正的息诉止争，提高行政复议的效率。行政复议决定的作出，可能要经过长时间的审批等待，但如果双方可依法进行协调，事情很快就能解决。还有一种情况是由于老百姓对执法行为不了解或存在误解，因而提出行政复议。通过行政复议机关的协调，让百姓“因为服气所以不告了”。

四是考虑到对行政管理相对人选择权的尊重，还作了诸如行政复议申请的转送、对被申请人答辩的知悉和抗辩权等规定，明确申请人对被申请人答辩的知悉和抗辩权。该规定明确，如申请人或第三人对被申请人提交的答复书和提供的证据材料有异议或有相反证据的，可在行政复议机构确定的期限内向行政复议机构提交反驳书及反驳证据。

五是该规定突出法律规范的人性化、适应信用社会发展、促进精神文明建设等内容的制度设计。如其针对复议申请人设立了行政复议申请声明制度，建立了申请人承诺制度，要求申请人对提交材料的真实性作书面声明并承担相应的法律后果，这一规定是对申请人善意主张权利的一种指引。还规定针对复议人员在证据审查时应当遵循的职业道德要求。

《广州市行政复议规定》注重复议与其他行政救济方式的衔接，确定了申请复议与信访等其他申诉途径的关系。实践中，由于行政管理相对人缺乏对行政复议的正确理解等各种原因，常出现相对人未按照法律的明确规定提出复议申请，而采取申诉、上访、信访等向其他机关申请的形式以表示不服具体行政行为的情况。该规定第四十二条从充分保障相对人救济权利和尊重其自主决定权的基点出发，在行政复议与申请人表达不服具体行政行为的其他方式的相互衔接上作了规定，该规定明确，申请人通过申请行政复议以外的其他途径作出不服从行政机关具体行政行为的表示，符合行政复议受理条件的，行政复议机关在征得申请人同意后予以受理，从而增强了特定情况下对相对人合法权益的保护。

第五，关于保障行政复议活动的监督和制约机制。

行政复议决定如何得到有效的执行，如何启动行政复议决定执行的监督程序，如何有效地通过行政监察手段督促相关部门执行行政复议决定，已成为亟待解决的问题。为了保障行政复议决定的执行和保障复议活动的顺利进行，《广州市行政复议规定》对有关上位法规定进行了细化。

该规定第九十条至第九十三条，对被申请人和申请人、第三人

不执行行政复议决定及复议决定的监督进行了规定，明确了相关监督保障制度的启动主体和启动程序，对《行政复议法》规定的具体程序作了细化。第九十条是在《行政复议法》第三十二条规定的基础上，针对行政复议机关责令被申请人履行行政复议决定的具体程序作出了细化规定，为申请人和第三人针对被申请人不执行行政复议决定的情形提供了申诉的途径。

该规定同时强化了行政复议内部监督的相关规定。第九十三条规定了对错误的行政复议决定的内部监督，可以通过本机关自行纠正和上级行政机关纠正两种途径实现，这一规定，既体现了行政复议的行政监督性质，也体现了对公民、法人或者其他组织合法权益的进一步保护。

第六，对复议机关法律责任的明确。

《广州市行政复议规定》第十三章共六条全部是对行政机关及其工作人员的法律责任的规定。这些规定具有较强的操作性，有利于行政管理相对人权利的行使，保障监督行政机关依法行使职权的立法宗旨的实现。

如《行政复议法》第三十八条赋予了行政复议机构针对行政复议工作中的违法行为规定的法律责任的处理建议权，但实践中这一程序很少得以启动。该规定对此作出了具有可操作性的程序规定，通过制作《行政复议违法行为处理建议书》的方式来落实行政复议机构的这一职责。

又如，该规定第九十八条对相关法律责任的追究程序、启动程序进行了详细和明确的规定。把监督大权和对行政责任追究程序的启动权交给了公民、法人或其他组织。为了避免“官官相护”，该规定扩大了投诉的渠道，除了行政复议机关的法制机构可以启动监督程序之外，申请人也可以投诉，启动追究责任的制度，对行政复议机关违反行政复议法规定的行为可以投诉。明确了当事人认为行政复议机关及其工作人员等有违反规定行为的，有权向有关主管行政机关和政府法制机构举报，接受举报的单位应当依法进行调查处理，并规定了接受建议的行政机关告知处理结果的义务，即将处理结果告知举报人。这条规定将行政复议责任追究机制明确化，减少了随意执法的制度空间。同时，该规定还对部门间“踢皮球”的情况明确罚则，属于其他行政复议机关受理的行政复议申请，接受申请的区、县级市人民政府应在7日内转送。不按规定转送行政复议申请，造成严重后果的，直接负责的主管人员和其他直接责任人将被降级、撤职或开除。

《深圳市人民政府办理行政复议案件若干规定》

该规定的创新性主要反映在行政建议制度的确立上。其第二十一条规定：“通过行政复议案件的审理，认为被申请人的行政管理活动需要按照依法行政原则进行改进的，复议机构可以向该被申请人发出行政建议。”

（三）广东行政复议对全国行政复议制度完善的示范作用

1. 行政复议机构职责的增加。

《行政复议法》第三条规定了行政复议机构作为行政复议具体运作组织及其应当履行的七项职责，随着社会的不断发展，这些职责要求已经不能满足行政复议机构妥善解决相关问题、保护相对人维护权利的需要。《广州市行政复议规定》第六条在《行政复议法》的基础上又增加了办理转送行政复议申请事项；办理行政赔偿事项；监督行政复议申请的受理和行政复议决定的执行；具体组织实施《行政复议法》，督促指导行政复议工作；办理行政复议、行政应诉案件统计和重大行政复议决定备案事项；组织办理直接对本机关提起行政诉讼的行政案件的行政应诉工作等几项职责。

上述有关行政复议机关职责的规定，都体现在国务院2007年出台的《行政复议法实施条例》中：一是规定各级行政复议机关应当认真履行行政复议职责，支持本机关负责法制工作的机构依法办理行政复议事项，并依照有关规定配备、充实、调剂专职行政复议人员，保证行政复议机构的办案能力与工作任务相适应。二是规定县级以上地方各级人民政府应当建立健全行政复议工作责任制，

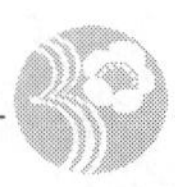

将行政复议工作纳入本级政府目标责任制。三是细化行政复议机构的职责。四是强化行政复议的责任追究制度，还规定对行政机关及其工作人员的违法行为，行政复议机构可以向人事、监察部门提出对有关责任人员的处分建议，也可以将有关人员违法的事实材料直接转送人事、监察部门处理；接受转送的人事、监察部门应当依法处理，并将处理结果通报转送行政复议机构。①

2．听证程序的引入。

《行政复议法》第二十二条规定“申请人提出要求或者行政复议机关负责法制工作的机构认为有必要时，可以向有关组织和人员调查情况，听取申请人、被申请人和第三人的意见”。《广州市行政复议规定》不仅规定了听证制度，而且进一步规定了听政的具体程序和效力。② 这为《行政复议法实施条例》关于听证制度的规定提供了经验。③

3．和解和调解结案方式的确立。

国务院1990年出台的《行政复议条例》排除了调解的适用，其第八条规定：“复议机关审理复议案件，不适用调解。”《行政复议法》虽然在行政复议的基本原则中去掉了该规定，但也未将调解作为法定的结案方式，其第二十八条规定的法定结案方式仅包括维持、履行、撤销、变更、确认五种。但行政复议实践中调解被大量地运用于处理行政争议的过程中，并且取得了良好的效果。为此，《广州市行政复议规定》第四十九条规定：“在审查过程中，行政复议机构可以通过协调解决争议。”这一规定也为《行政复议法实施条例》所借鉴：一是增加了和解制度。为了有效化解行政纠纷，平衡利益，《行政复议法实施条例》规定公民、法人或者其他组织对行政机关行使法律、法规规定的自由裁量权作出的具体行政行为不服申请行政复议的，申请人与被申请人在行政复议决定作

① 参见《行政复议法实施条例》第三条第（一）、（二）、（三）、（四）、（五）项。

② 参见《广州市行政复议规定》第49～51条。

③ 参见《行政复议法实施条例》第33条。

出前可以自愿达成和解。二是增加了调解结案的方式。《行政复议法实施条例》规定对行政机关行使法定裁量权作出的具体行政行为不服申请行政复议的案件或者当事人之间的行政赔偿或者行政补偿纠纷，行政复议机关可以按照自愿、合法的原则进行调解。[①]

总的看来，不论是在理论观念层面，还是在实践经验层面，广东行政复议的制度建设和实践都在一定程度上触及了中国复议制度背后的深层结构，为中国复议制度深层的完善和改革作出了重要贡献。

① 参见《行政复议法实施条例》第50条。

第三章
通过司法改革实现司法正义
——30年来的广东检察制度和审判制度

一、检察制度

十年“文化大革命”，政法机关受到极大冲击，人民检察制度遭到前所未有的破坏，检察机关被取消。“文化大革命”结束后，政法工作开始拨乱反正。1978年3月，第五届全国人大一次会议通过第三部《宪法》，规定重新设置人民检察院。特别是中共十一届三中全会的胜利召开，国家进一步加强社会主义民主和法制建设，人民检察制度得到了恢复发展，由此翻开了崭新的篇章。

随着我国民主与法制建设的深入发展，随着广东省经济和社会的快速发展，全省检察工作也取得了日新月异的进步，创造了一个又一个非凡的工作业绩。特别是进入21世纪以来，全省检察机关在中共广东省委和最高人民检察院的领导下，在人大监督和政府、政协及社会各界支持下，以邓小平理论和“三个代表”重要思想为指导，全面贯彻落实科学发展观，按照构建社会主义和谐社会的要求，不断提高法律监督能力，全面履行法律监督职责，各项工作取得了新发展，为建设和谐广东提供了有力的司法保障。

（一）检察机构

改革开放以来，广东经济和社会不断发展，案件数目不断增加，日趋复杂，国家和社会对检察工作的要求越来越高。为了适应这种要求，广东省各级检察机关不断完善，不仅在数目上出现了较大的增长，而且在检察业务机构的设置上也不断地进行改革和调整。

1．各级检察机关。

1978年5月，中共中央发出关于《恢复和建立检察机关》的通知，要求各省在6月底前恢复和建立检察机关。6月30日，根据省委通知广东省人民检察院正式重建，恢复对外办公。

自1978年省检察院恢复重建后，全省各地检察机关陆续开始重建。1979年1月5日，中共广东省委发出通知，要求各地、市、县党委认真贯彻全国第七次检察工作会议精神，按照“边筹建、边工作，以工作促筹建”的方针，在2月底前把全省检察机关建立起来。至2月底，全省建立各级检察院116个，占全省应建检察机关数的94%。1982年，省内各地依行政区域设置检察机关共有韶关、汕头等8个分院；广州、深圳等4个省辖市检察院和海南黎族苗族自治州检察院；市、县（区）检察院114个。

1983年，广东行政区划开始改为市管县体制，各级检察院随之进行相应调整。1987年3月，全国铁路运输检察院广州分院改名为广东省人民检察院广州铁路运输检察分院，连同下属的广州等4个运输检察院，划归广东省人民检察院领导。至1987年，全省共有157个检察院，其中省院1个，省院下辖市、分院、自治州院15个，县、区、县级市院134个，劳改派出院3个，铁路基层院4个。

1988年4月，第七届全国人民代表大会第一次会议决定，撤销海南行政区，设立海南省。随着广东行政区划的变动，原海南行政区检察分院和海南黎族苗族自治州检察院及其下属各基层院划归海南省检察院领导。

1988年，随着广东全面推行市管县体制，广东的行政区划陆续发生较大变化：肇庆、惠州、梅县、东莞、中山、云浮等升格为地级市；新设汕尾、河源、清远、阳江等地级市。此外，还在一些

城市增设了区。相应的，检察机关的名称和数目也发生了变化。迄今为止，广东全省共有162个检察院，其中：省院1个，市院21个、分院1个、县院46个、区院45个、县级市院31个、铁路基层检察院5个、劳改派出检察院3个、经济开发区派出检察院9个。

检察院是国家的法律监督机关，依法行使下列职权：① 对于叛国案、分裂国家案以及严重破坏国家的政策、法律、政令统一实施的重大犯罪案件，行使检察权。② 对于直接受理的国家工作人员利用职权实施的犯罪案件，进行侦查。③ 对于公安机关、国家安全机关等侦查机关侦查的案件进行审查，决定是否逮捕，起诉或者不起诉。并对侦查机关的侦查活动是否合法实行监督。④ 对于刑事案件提起公诉，支持公诉；对于人民法院的刑事判决、裁定是否正确和审判活动是否合法实行监督。⑤ 对于监狱、看守所等执行机关执行刑罚的活动是否合法实行监督。⑥ 对于人民法院的民事审判活动实行法律监督。对人民法院已经发生效力的判决、裁定，发现违反法律、法规规定的，依法提出抗诉。⑦ 对于行政诉讼实行法律监督。对人民法院已经发生效力的判决、裁定发现违反法律、法规规定的，依法提出抗诉。

广东省人民检察院是广东省的法律监督机关，对广东省人民代表大会及其常委会负责并报告工作，接受最高人民检察院的领导并对其负责，领导全省各级人民检察院的工作。省辖市人民检察院（如广州市人民检察院）对市人民代表大会及其常委会负责并报告工作，接受广东省人民检察院和最高人民检察院的领导并对其负责，领导辖区内各基层检察院的工作。

2. 检察业务机构。

1978年省检察院重建时，设立刑事检察处、法纪检察处和监所（劳改）检察处。1979年7月，第五届全国人民代表大会通过第二部《人民检察院组织法》，检察制度开始迈入逐步健全的新时期。根据形势需要，省检察院设立了刑事检察处、法纪检察处、监所检察处、经济检察处、信访处等机构。

进入20世纪80年代，省检察院的机构设置有了新的发展。1981年6月，信访处改名控告申诉检察处。1988年9月，省检察院成立贪污贿赂罪案举报中心。1989年8月，为深入开展反腐败斗争，经最高人民检察院和中共广东省委批准，省检察院率先在全国检察机关成立了第一个集举报、侦查、预防犯罪为一体的反贪污贿赂工作局（简称“反贪局”），下设办公室、侦查处、预防处、举报中心四个内设机构，同时撤销经济检察处。1990年1月，反贪局办公室改名为综合指导处。同年10月，省检察院民事行政检察处成立。1996年6月，反贪局成立大要案指导处，综合指导处改名为综合处。同月，省检察院刑事检察处分设为刑事检察一处和刑事检察二处。刑事检察一处负责公安机关、国家安全机关侦查的案件；刑事检察二处负责检察机关自侦案件。1999年5月，省检察院控告申诉检察处与贪污贿赂罪案举报中心合并设立控申举报检察处。2000年5月，反贪局成立案件协查办公室，同年11月，省检察院设置职务犯罪大要案侦查指挥中心。2001年，刑事检察一处更名为侦查监督处，刑事检察二处更名为公诉处。2006年6月，公诉处分设为公诉一、二、三处。2007年4月，法纪检察处更名为反渎职侵权局。

截至2007年，省检察院共设有反贪局，反渎职侵权局，控告检察处，刑事申诉检察处，侦查监督处，公诉一、二、三处，监所检察处，民事行政检察处，侦查指挥中心等检察业务机构。广东省各级检察机关的业务机构，根据自身的情况，参照省检察院的设置。

（二）检察队伍

随着广东经济和社会的不断发展，检察任务日趋繁重和复杂，国家和社会对检察队伍的要求也越来越高。广东省各级检察院大力加强队伍建设，取得了显著的成绩：检察队伍不断壮大，不仅编制数目剧增，而且队伍的政治素质、业务素质和职业道德素质不断提高，涌现出一批又一批先进集体、先进工作者和英模人物。检察官

的任职条件和要求也在不断的提高。

1. 编制及人员配备。

1978 年 6 月，广东省人民检察院重建。重建初期，检察机关的工作、生活条件相当困难，除省检察院暂定编 60 人外，全省检察编制尚未确定。加上受“文化大革命”影响，不少干部对检察工作“心有余悸”。为加速检察机关筹建，中共广东省委于 9 月份批转省检察院《关于我省各级检察院重建情况的报告》，要求各地积极选调检察干部，选调干部可采用“四带”办法（即被选调者可从原单位自带编制、工资、住房、办公用具），并认真解决筹建中的实际问题。1979 年，各级检察机关贯彻“边筹建、边工作，以工作促筹建”的方针，检察队伍不断壮大，至 9 月份已增至 1560 人，接近“文化大革命”前全省实有检察干部人数。

1979 年公布的《检察院组织法》规定，各级人民检察院设检察长一人，副检察长和检察员若干人。各级人民检察院设助理检察员和书记员若干人。经检察长批准，助理检察员可以代行检察员职务。书记员办理案件的记录工作和有关事项。各级人民检察院根据需要可以设司法警察。自 1979 年以来，广东各级人民法院均按以上规定配备人员。

从 1988 年开始，由于广东省行政区划的变更和检察工作的需要，最高人民检察院和广东省编制委员会多次对广东检察机关增加编制。到 2007 年为止，全省实有检察人员达到 1.2 万多人。

2. 检察官的条件与任免。

（1）条件。

1978 年 12 月，广东省召开第十次全省检察工作会议，根据第七次全国检察会议上提出的“要选拔党性强、作风好、懂政策、有干劲并有一定文化程度的干部担任检察工作”的精神，要求全省各级检察院“选配好各级领导班子，特别是一、二把手”，“县一级人民检察院检察长应由县级干部担任”。

1985 年 9 月，中央规定：第一，地方各级人民检察院检察长、检察员应当配备政治上坚强，能坚决贯彻执行党的路线、方针、政策，敢于坚持原则、秉公执法，具有相当文化水平和实际工作经验，懂得法律，有工作能力的干部担任。第二，省人民检察院检察长一般配备副省长一级干部；检察员一般配备处一级干部。分院、自治州、省辖市人民检察院检察长一般配备副专员一级干部。县（市）、市辖区人民检察院检察长一般配备副县级以上干部。

1995年之前，我国对担任检察官的条件只有行政职级上的要求，而无其他任职条件的规定。1995年《检察官法》首次全面规定了担任检察官的条件。2001年修正的《检察官法》根据法学教育发展情况和法制发展状况，对检察官任职条件进行了调整：一是提高了检察官任职的学历要求；二是提高了初任检察官考试的规格，从过去检察系统组织初任检察官考试，改为由国家组织统一司法考试。①

根据修正后的《检察官法》要求，担任检察官的条件如下：① 具有中华人民共和国国籍。② 年满23岁。③ 拥护中华人民共和国宪法。④ 有良好的政治、业务素质和良好的品行。⑤ 身体健康。⑥ 高等院校法律专业本科毕业或者高等院校非法律专业本科毕业具有法律专业知识，从事法律工作满2年，其中担任省、自治区、直辖市人民检察院、最高人民检察院检察官，应当从事法律工作满3年；获得法律专业硕士学位、博士学位或者非法律专业硕士学位、博士学位具有法律专业知识，从事法律工作满1年，其中担任省、自治区、直辖市人民检察院、最高人民检察院检察官，应当从事法律工作满2年。曾因犯罪受过刑事处罚的或曾被开除公职的人员不得担任检察官。

此外，初任检察官采用严格考核的办法，按照德才兼备的标准，从通过国家统一司法考试取得资格，并且具备检察官条件的人员中择优提出人选。人民检察院的检察长、副检察长应当从检察官或者其他具备检察官条件的人员中择优提出人选。

（2）任免。

① 孙谦主编：《中国检察制度论纲》，人民出版社2004年版，第319页。

1978 年下半年，全省检察机关重建后，对检察长的任用由人大常委会直接任命制改为地方人民代表大会选举制。

1979 年颁布的《人民检察院组织法》规定：省检察院检察长由省人民代表大会选举和罢免；副检察长、检察委员会委员和检察员由检察长提请本级人民代表大会常务委员会任免。省人民检察院检察长、副检察长和检察委员会委员的任免，须报全国人民代表大会常务委员会批准。自治州、直辖市、县、市、市辖区人民检察院检察长由本级人民代表大会选举和罢免，并报上级检察院检察长提请本级人民代表大会常务委员会批准。副检察长、检察委员会委员和检察员由检察长提请本级人民代表大会常务委员会任免。

1980 年，中共中央恢复由上级公检法机关协助地方党委管理、考核有关干部的制度。地方党委对公检法机关领导干部的调配，应征得上级公检法机关的同意。下级检察长、副检察长候选人，由同级党委讨论提名，报上级党委审批的同时，应征求上级检察院的意见，然后再报人大常委会任免。为此，省检察院要求各级人民检察院检察长、副检察长和检察委员会委员的任免，都要逐级上报到省人民检察院。

1983 年 9 月，修订后的《人民检察院组织法》明确规定除选举出的各级检察长的任免，仍须报上一级人民代表大会常务委员会批准外，副检察长、检察委员会委员、检察员的任免，均由本级人民代表大会常务委员会批准。

1995 年，省检察院严格执行《检察官法》及最高人民检察院的规定，明确检察官任免权限和程序：地方各级检察院检察长由地方各级人民代表大会选举和罢免，副检察长、检察委员会委员和检察员由本院检察长提请本级人民代表大会常务委员会任免。地方各级人民检察院检察长的任免，须报上一级人民检察院检察长提请该级人民代表大会常务委员会批准。助理检察员由本院检察长任免。

根据 2001 年修正后的《检察官法》，检察官有下列情形之一的，应当依法提请免除其职务：① 丧失中华人民共和国国籍的；② 调出本检察院的；③ 职务变动不需要保留原职务的；④ 经考核确定为不称职的；⑤ 因健康原因长期不能履行职务的；⑥ 退休的；⑦ 辞职或者被辞退的；⑧ 因违纪、违法犯罪不能继续任职的。

对于不具备法律规定的条件或者违反法定程序被选举为人民检察院检察长的，上一级人民检察院检察长有权提请该级人民代表大会常务委员会不批准。对于违反法律规定的条件任命检察官的，一经发现，做出该项任命的机关应当撤销该项任命；上级人民检察院发现下级人民检察院检察官的任命有违反本法规定的条件的，应当责令下级人民检察院依法撤销该项任命，或者要求下级人民检察院依法提请同级人民代表大会常务委员会撤销该项任命。最高人民检察院和省、自治区、直辖市人民检察院检察长可以建议本级人民代表大会常务委员会撤换下级人民检察院检察长、副检察长和检察委员会委员。

（三）检察业务

自改革开放以来，广东省的经济和社会快速发展，检察业务不断拓宽，由原来的刑事检察、法纪检察和监所检察，逐步发展为现在的刑事检察、贪污贿赂检察、渎职侵权检察、监所检察、控告申诉检察、民事行政检察等各个方面的检察工作，为全省经济建设和社会发展、为建设和谐广东提供了有力的司法保障。

1. 贪污贿赂检察。

广东省人民检察院重建后，根据1979年最高人民法院、最高人民检察院、人民公安部《关于执行刑事诉讼法规定的案件管辖范围的通知》和1980年最高检察院关于案件管辖内部分工的规定，经济检察机构负责直接受理立案侦查的案件有六类，分别是：贪污案；贿赂案；偷税案；假冒商品案；挪用国家救灾、抢险、防汛、优抚、救灾款物案；人民检察院认为需要直接受理的其他案件。

1982年8月，全国人大法制委规定“挪用公款归个人使用，超过6个月不还或者挪用公款进行非法活动，以贪污论处”。之后，广东省检察机关开始受理挪用公款的案件。

1988年1月，全国人大常委会通过《关于惩治贪污罪贿赂罪

的补充规定》，对挪用公款、巨额财产不明、隐瞒不报境外存款等行为作了严格的处罚规定。同年 10 月，根据最高人民法院、最高人民检察院、公安部联合通知，检察机关经济检察部门开始受理挪用公款、巨额财产不明、隐瞒不报境外存款案。

1997 年以后，根据修订后的《刑事诉讼法》的有关规定，以及 1998 年最高人民检察院《关于人民检察院直接受理立案侦查案件范围的规定》，检察机关反贪部门直接受理的案件范围调整为 12 个罪名的案件：贪污案、挪用公款案、受贿案、单位受贿案、行贿案、对单位行贿案、介绍贿赂案、单位行贿案、巨额财产来源不明案、隐瞒境外存款案、私分国有资产案、私分罚没财产案件。国家机关工作人员利用职权实施的其他重大的犯罪案件，经省检察院决定，可以立案侦查。

2. 渎职侵权检察。

1978 年 12 月，第七次全国检察工作会议决定加强法纪检察工作，确定首要查处的是非法拘捕、刑讯逼供致死人命的案件。1979 年根据最高法院、最高检察院、公安部关于案件管辖范围的通知，省检察机关法纪检察管辖的案件范围是：① 刑讯逼供案；② 诬告陷害案；③ 破坏选举案；④ 非法拘禁案；⑤ 非法管制、搜查案；⑥ 报复陷害案；⑦ 非法剥夺宗教信仰自由案；⑧ 伪证陷害、隐匿罪证案：⑨ 侵犯通讯自由案；⑩ 泄露国家机密案；⑪ 枉法追诉、裁判案；⑫ 体罚虐待人犯案；⑬ 私放罪犯案；⑭ 人民检察院认为需要自己直接受理的国家工作人员的其他违法乱纪的案件。

1997 年 1 月，根据新修订的《刑法》和《刑事诉讼法》的规定，检察机关渎职侵权检察查办的主体范围，仅限于国家机关工作人员利用职务实施的 35 种渎职、侵权案件，即《刑法》第九章规定的“渎职罪”案件。具体是：滥用职权案；玩忽职守案；徇私舞弊案；故意泄露国家秘密案；过失泄露国家秘密案；枉法追诉、裁判案；民事、行政枉法裁判案；私放在押人员案；失职致使在押人员逃脱案；徇私舞弊减刑、假释、暂予监所执行案；徇私舞弊不移交刑事案件案；滥用管理公司、证券职权案；徇私舞弊不征、少

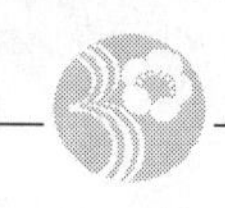

征税款案；徇私舞弊发售发票、抵扣税款、出口退税案；违法提供出口退税凭证案；国家机关工作人员签订、履行合同失职被骗案；违法发放林木采伐许可证案；环境监管失效案；传染病防治失职案；非法批准征用、占用土地案；非法低价出售国有土地案；非法低价出售国有土地使用权案；放纵走私案；商检徇私舞弊案；商检失职案；动植物检疫徇私舞弊案；动植物检疫失职案；放纵制售伪劣商品犯罪行为案；办理偷越国（边）境出入境证件案；放纵偷越国（边）境人员案；不解救被拐卖绑架妇女、儿童案；阻碍解救被拐卖绑架妇女、儿童案；帮助犯罪分子逃避处罚案；招收公务员、学生徇私舞弊案；失职造成珍贵文物毁损、流失案。上述案件的主体必须是国家机关工作人员。此外，国家机关工作人员利用职权实施的非法拘禁案、非法搜查案、刑讯逼供案、暴力取证案、虐待被监管人员案、报复陷害案和破坏选举案，也由渎职侵权检察部门查办。

3．刑事检察。

刑事检察包括审查批准逮捕、审查起诉、刑事侦查监督、刑事审判监督等工作。

（1）审查批准逮捕。

1979 年 2 月 23 日，《逮捕拘留条例》公布实行。根据该条例的规定，人民检察院负责审查批准逮捕被告人。1979 年通过并自 1980 年起正式实行的《刑事诉讼法》也明确规定了这一点。1997 年，《刑法》修订后正式实施，广东省各级检察机关更新执法观念，严格适用法律，在司法实践中调整新旧刑法的适用矛盾，掌握新罪名以及罪与非罪的界限。

（2）审查起诉。

根据《宪法》、《刑事诉讼法》的规定，刑事案件的刑事审查起诉权由人民检察院行使。1979 年 1 月 10 日，广东省检察院在广州召开第十次检察工作会议，贯彻第七次全国检察工作会议精神，布置全面开展审查起诉工作。

1979 年广东省检察院发出《关于实施新法律、做好批捕、起

诉、出庭公诉工作的意见》，要求各级检察机关严格依照新的刑诉法做好审查起诉工作。凡提起公诉的案件，必须查清五个方面的问题：一是犯罪事实、情节是否清楚，证据是否确实充分，犯罪性质和罪名的认定是否正确；二是有无遗留罪行和其他应当追究刑事责任的人；三是是否属于不应追究刑事责任的；四是有无附带民事诉讼；五是侦查活动是否合法，认定的犯罪事实是否清楚，证据是否确实充分。

1981年7月，广东省检察院在贯彻最高人民检察院关于《刑事检察工作试行细则》的基础上，规定检察机关对不需要判处刑罚或者免除刑法的被告人可以免予起诉以及办理免予起诉案件的程序。1983年9月，广东省检察院发出《关于办好严打案件的通知》，要求全省各级检察机关在审查起诉时坚持"两个基本"，即基本事实清楚、基本证据确凿，不纠缠细枝末节，把好事实证据关，把好犯罪有无遗漏罪行关，把好案件定性关，把好罪与非罪界限关。

1985年4月，全省第十一次检察工作会议决定把检察机关自行侦查（直接受理）的贪污案、受贿案、法纪案件，需要提起公诉的，交由刑事检察部门审查决定，并由刑事检察部门派人出庭公诉。1987年11月，广东省检察院下发《关于自侦案件由刑检部门起诉、出庭的补充规定》，解决了自侦案件制作起诉意见书、补充侦查、决定撤销案件或免予起诉等程序问题。

1993年3月，广东省各级检察机关继续坚持"一要坚决，二要慎重，务必搞准"的原则，采用"三看三指导"方法办好案件，即：一看被告人的行为有无社会危害性及其大小，用犯罪本质特征的理论指导办案；二看具体案件是否符合犯罪构成的四个要件，缺一个要件也不行，用犯罪构成要件的理论指导办案；三看现行经济政策与刑事法律规定是否有矛盾或差异，善于用中央和地方的最新经济政策来指导办案。在办案中做到：积极办好大要案，妥善处理好小案，对"踩线"案件和"边缘"案件要慎重处理，在把握不大的情况下宜缓不宜急，宜宽不宜严。

（3）刑事侦查监督。

根据《刑事诉讼法》的规定，检察机关对刑事诉讼活动侦查机关的侦查行为行使侦查监督权。刑事侦查监督包括在刑事诉讼中对适用法律、定性等实体公正方面的监督和对搜集证据、执行逮捕方面的监督。在国家刑事诉讼中，侦查监督属于追诉犯罪的中心环节，处于承上启下的枢纽地位，在刑事诉讼中起着维护司法公正的关键作用。侦查监督的内容主要包括：①刑事立案监督。对于不应立案而侦查机关立案侦查的案件和侦查机关应当立案而不立案侦查的案件，检察机关有权实施监督。②对侦查活动中违法行为的监督。③对强制措施执行情况开展监督。④对遵守办案程序及诉讼时限的监督。根据《刑事诉讼法》的规定，检察机关实施侦查监督的主要途径和方式有：①通过审查批捕、审查起诉和监所检察，发现侦查机关（侦查人员）在侦查活动中是否存在违法行为。②通过派员提前介入以及参加公安机关对重大案件的讨论和其他侦查活动，履行侦查监督职责。③接受诉讼参与人对侦查人员侵犯其诉讼权利和人身权利的行为所提出的控告和举报，及时进行审查并予以纠正。④审查侦查机关执行检察机关决定的情况通知，及时纠正违法行为。

1989年3月，省检察院与省公安厅联合制定了《关于加强检察、公安机关互相联系的意见》，进一步明确了检察机关提前介入公安机关侦查活动的目的、范围、任务和方法。1990年6月，省检察院总结推广了加强侦查监督工作的五点经验：一是提高认识，强化监督意识；二是处理好与侦查部门的关系，敢于和善于进行法律监督，在制约中配合；三是以严重危害社会治安和严重影响社会稳定的重、特大案件及疑难案件为重点，确定提前介入的范围；四是沟通信息渠道，主动与侦查部门建立获取信息的重大案情通报制度、联席会议制度、交换资料制度，建立点、线、面相结合的信息反馈网络；五是根据不同类型案件确定提前介入时间和工作重点。

1991年5月，省检察院组织召开批捕跟踪监督工作座谈会，总结交流批捕案件跟踪监督的经验，并推广了汕尾市检察院的经

验，确定跟踪监督的范围和重点：一是对批捕后的执行情况，羁押期限情况，继续侦查后的处理情况以及决定不捕后的执行情况，决定退查后的补查情况，建议追捕漏犯后侦查机关是否采纳等，进行跟踪监督；二是重点对“另案处理”、“在逃”、“另处处理”的案犯以及同案犯的查处情况，进行跟踪监督。

1997 年 11 月，省检察院及时转发最高人民检察院《关于积极开展立案监督工作的通知》，要求各级检察机关依法处理司法实践中存在的“有案不立、有罪不究”的问题，采取有力措施，指定专人负责立案监督工作，与公安机关建立立案材料备查制度，加强与检察机关内部控告申诉部门及其他国家机关信访部门的联系，密切联系群众，深入调查研究，探索开展立案监督工作。是年，全省检察机关在侦查监督方面重点抓了侦查程序合法化的监督，改变过去重实体轻程序的观念和做法：一是对侦查过程中的违法行为敢于监督，敢于纠正；二是对违法取证行为坚决纠正，以避免证据来源不合法而影响出庭支持公诉。

（4）刑事审判监督。

根据《刑事诉讼法》的规定，人民检察院有权依照法定的职权和程序，对人民法院的刑事审判活动是否合法和所作的判决、裁定是否正确进行监督。其目的是确保人民法院统一正确行使审判权，严格依法办事，防止审判权滥用，维护司法公正。行使刑事审判监督权的主要方式有：刑事抗诉、对刑事二审出庭履行监督职责、启动刑事再审程序、对刑事审判活动中的违法行为提出口头或书面纠正意见等。

1979 年，省检察院要求各级检察机关认真贯彻《刑法》、《刑事诉讼法》，全面做好审查起诉和出庭支持公诉，并在六个方面开展审判监督：一是法庭组成人员是否合法，是否有应当回避的人员；二是法庭对诉讼参与人的权利是否充分保障，有无妨碍或限制被告人行使诉讼权利的不正当行为；三是审判程序是否按照法定诉讼制度和程序进行；四是法庭的判决和裁定是否正确；五是审判人员有无接受贿赂及贪污枉法；六是审判活动的其他方面是否合法。

省检察院于1989年推广了广州市人民检察院总结的《履行法律监督职责，认真出好二审庭》经验：一是明确任务。对事实证据、上诉理由、抗诉理由，原审程序等方面进行细致的审查，力求做到全面、真实。二是健全制度。首先与法院共同制定抗诉案件检察院先行审查制度；其次根据实际情况，确定二审案件检察院应出庭的范围。三是针对特点出好二审庭，检察院对原审正确的判决，坚持予以维护，促使被告人认罪伏法；对原审部分不当的判决，提出纠正意见；对原审依据不足的判决，要求二审法庭查清事实，补足证据或发回重审；对原审完全错误的判决，要求法院依据事实、证据、法律，实事求是作出改判。

1994年9月，省检察院刑检部门转发最高人民检察院《关于加强刑事抗诉工作的通知》，要求全省各级刑检部门采取以下措施贯彻执行：一是加强抗诉案件的请示与指导。下级刑检部门对应否抗诉认识不够统一，把握不准的案件要加强请示报告，上级刑检部门对此类案件要及时审查，帮助下级刑检部门把好抗诉质量关。二是加强抗诉工作的检察与监督。上级刑检部门通过无罪判决和抗诉案件备案审查制度，掌握对下级刑检部门抗诉案件进行监督、指导的主动权，发现应抗诉未抗或抗诉不当的及时予以指导或纠正。三是加强抗诉经验的总结与推广。

1999年，省检察院发出通知，要求全省各级检察机关在刑事审判监督中加强“两个意识”（即敢于监督、善于监督意识和行使职权意识）和“三个监督”（即庭前监督、庭上监督和庭后监督）。

4. 民事行政检察。

根据《民事诉讼法》和《行政诉讼法》的规定，人民检察院有权对民事审判活动和行政诉讼活动实行法律监督。民事行政检察是检察机关起步较晚的一项检察业务工作。

1990年，广东省被最高人民检察院、最高人民法院指定为全国行政诉讼法律监督试点单位之一。9月18日，省检察院与省法院联合会签《关于贯彻最高人民法院、最高人民检察院〈关于开展民事、经济、行政诉讼法律监督试点工作的通知〉的具体意

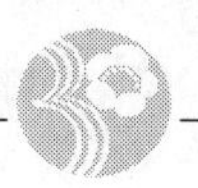

见》。经省检察院和省法院商定，广州、深圳、汕头、湛江、肇庆市检察院和中级人民法院为广东省进行行政诉讼法律监督的试点单位。试点单位根据《行政诉讼法》规定及最高人民法院、最高人民检察院试点工作的通知实行法律监督。省检察院和省法院重点抓好五市的行政诉讼法律监督试点工作。试点检察院、法院相互配合，密切联系，共同研究，积极稳妥地将试点情况报告省检察院和省法院。

1991年1月17日，省检察院和省法院联合会签《行政诉讼法律监督试点工作方案（试行)》，明确规定试点检察院受理抗诉案件的来源、审查、立案、调卷，以及人民法院对人民检察院提出抗诉的案件应当进行提审、再审、出庭。9月3日，省检察院民事行政检察处与控告申诉检察处向全省发出《关于不服人民法院民事、行政判决、裁定的申诉材料处理意见的通知》，要求各级检察院根据最高人民检察院“统一受理，内部分流，归口办理，分级负责”的原则，对不服人民法院民事、行政判决、裁定的申诉（含控告、检举）材料，由控告申诉检察部门负责处理。9月25日，省检察院印发《关于人民检察院受理民事、行政申诉分工问题的通知》，规定凡是民事诉讼当事人（包括经济诉讼当事人）不服人民法院已经发生法律效力的民事判决、裁定向人民检察院提出的申诉；行政诉讼当事人不服人民法院已经发生法律效力的行政判决、裁定向人民检察院提出的申诉以及有关民事、行政诉讼的法律咨询，由人民检察院控告申诉检察部门统一受理；人民检察院控告申诉检察部门对受理的民事、行政申诉，按分级负责原则，分别移送作出判决、裁定的人民法院的同级人民检察院民事行政检察部门审查处理；人民检察院受理公民、法人和其他组织对审判人员在民事诉讼和行政诉讼中违法审判行为的检举或对人民法院已经发生法律效力的民事、行政判决、裁定可能有错误的告诉，以及涉及公民、法人的民事权益受到明显侵害而投诉无门的告诉，也适用上述通知精神办理。

1992年1月10日，省检察院印发《广东省人民检察院关于办理民事、行政检察案件的试行规定》，规范检察院办理不服法院已经发生法律效力的民事、行政判决、裁定申诉案件的程序，包括受理案件、立案审查、提出抗诉、出席法庭以及其他规定。6月17日，省检察院转发《最高人民检察院“关于民事审判监督程序抗诉工作暂行规定”的通知》，进一步规范全省民事行政检察业务工作。1992年12月，省检察院统一印制民事行政检察法律文书23种，发至全省各市、县（区）检察院使用。

1996年，省检察院加强民事行政检察工作规范化建设，主要有：① 抗诉案件应由同级法院再审，如果同级法院裁定指令下级法院再审，提出抗诉的检察院可以指令下级检察院派员出席再审法庭，宣读抗诉书，发表支持抗诉意见，参与法庭调查，进行法律监督。② 民事行政案件抗诉的唯一标准是《民事诉讼法》和《行政诉讼法》的有关规定，核心是判决、裁定是否错误。省级检察院主要是办好重点案件和人民群众关注的案件，但对于诉讼标的小、内容简单的案件，也不能忽视，不走抗诉途径，可通过其他渠道予以解决，绝不能听之任之，置人民利益于不顾，只要裁判有错误就要依法予以解决。③ 民事行政检察工作监督范围，包括对民事行政判决、裁定的抗诉，也包括对民事审判和行政诉讼活动的监督。对于违背自愿、合法原则的非法调解，对于执行程序中的其他违法行为等，检察机关有权监督。发现确有错误，侵害一方当事人或者他人合法权益的，可以向法院发出检察建议或者纠正违法通知书，如果同级法院不接受，可以提请上级检察机关向同级法院发出检察建议，要求其纠正下级法院的错误。④ 对于民事行政检察工作中的不规范做法，应当一律纠正，限期解决，不得再继续进行。

1997年8月4日，省检察院制定《广东省检察机关关于人民法院再审民事行政抗诉案件派员出席法庭工作细则》，该细则规定：人民法院开庭审理抗诉案件，如果是同级抗同级审的，由提出抗诉的人民检察院派员出庭支持抗诉，如果是上级人民法院指令下级人民法院再审的，提出抗诉的人民检察院也可指令下级人民检察院派员出席再审法庭支持抗诉；出庭人数一般为两人，即指派一名

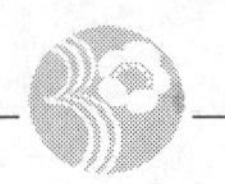

检察员（或助理检察员）和一名书记员；出庭人员必须熟悉案情；对于法律关系复杂、影响大的案件，若是指令下级检察院派员出庭支持抗诉的，上级检察院可下去指导出庭准备工作；与人民法院协商出庭事宜；搞好庭前预测，出庭前应对庭审中可能出现的情况作一个预测，准备答复、处理及应变的方案；人民法院开庭审理抗诉案件，应当在审判席右下侧设抗诉人席；出席再审法庭，任务五项：一是上级人民检察院指令下级人民检察院出庭支持抗诉的，下级人民检察院的出庭检察人员应在开庭时宣读上级人民检察院的指令出庭函，二是宣读抗诉书，三是参加法庭调查，四是发表出庭意见书，说明抗诉的根据和理由，对合议庭人员组成，法庭审判活动是否合法实行监督，并依法做出评价，五是书记员应做好出庭笔录；制作《出庭意见书》，内容包括一是表明检察人员身份，阐明出席法庭的法律依据和权利，二是对案件要有倾向性的意见，对抗诉理由加以阐述和补充，三是对庭审活动应依法进行监督并作出评价，四是宣传法制；对抗诉案件的再审判决、裁定应当进行审查，填写再审判决、裁定审查意见表，提出审查意见；应将开庭情况及再审裁判结果报告提出抗诉的机关，并向同级人大报告裁判结果；对有重大影响的抗诉案件，应做好宣传报道工作，扩大办案效果；对再审改判的案件，应及时编写案例，以便总结交流经验。

1999 年 1 月 26 日，省检察院民事行政检察处与控告申诉检察处联合发出通知，决定对当事人向人民检察院提出的不服人民法院民事、行政判决、裁定的申诉，仍由控告申诉检察部门受理，控告申诉检察部门受理后，再分送到有管辖权的民事行政检察部门处理。同时，省检察院还要求全省检察机关民事行政检察部门严格执行“公正执法、加强监督、依法办案、从严治检、服务大局”的工作方针，坚持“公开、公正、合法、敢抗、会抗、抗准”的办案原则，从 1999 年开始，一律使用最高人民检察院制定的《人民检察院民事行政检察文书样式（试行）》，案卷材料一律按最高人民检察院《关于民事行政案件案卷排列顺序、保管期限和归档问题的说明》装订、归档，报表一律按《检察机关办理民事、经济、行政案件情况月报表》填写、上报。

5. 监所检察。

监所检察的内容主要包括：对监管场所执法情况的检察监督、对在押人员又犯罪的检察监督、查办监管场所的职务犯罪、通过办理在押人员及其家属的申诉与控告进行监督等。

（1）对监管场所执法情况的检察监督。

1978年，全省各级检察机关监所检察部门配合拨乱反正，平反冤假错案。1979年，全省各级检察机关监所检察部门按照最高人民法院、最高人民检察院、公安部《关于清理老、弱、病、残和精神病犯的联合通知》精神，与有关部门配合，清理了一大批全省在押的老、弱、病、残和精神病犯，并对有关人员作了妥善安置。3月，全省各级检察机关依据最高人民检察院《关于认真执行逮捕拘留条例的通知》的要求，配合公安机关对看守所进行整顿，共检察看守所329次。通过这次看守所检查，全省检察机关普遍建立与看守所联系制度和定期检察制度。

1980年4月，省检察院在三水劳教所召开全省监所检察工作会议，强调要保障《刑法》、《刑事诉讼法》在监管场所的统一正确实施。省检察院先后两次会同韶关市检察院深入省第二监狱进行检察，并与公安部门联合组成调查组，分别对广州市区的8个看守所和惠阳、汕头、湛江三个地区的15个县、市看守所进行全面的检查。各地检察机关继续配合公安部门对看守所进行检查整顿。全省自1979年下半年开始整顿看守所以来，共计清理刑事拘留犯4603名，超期羁押未决犯4505名。全省各县、市、区检察院开始逐步建立驻看守所检察制度，全省普遍试行最高人民检察院制定的看守所检察和劳改检察两个试行办法。

1990年5月，省检察院、省公安厅、省法院、省安全厅联合签发《关于实行人犯羁押换押制度的通知》，要求各地严格贯彻执行，使纠正超期羁押成为制度长期坚持下去。这为全省纠正超期羁押的制度化建设奠定了坚实的基础。1991年，省检察院、省法院、省公安厅、省司法厅联签下发《关于依法对部分犯人实行监外执

行和增大假释面的通知》，加强对劳改、劳教人员减刑、减期、假释、提前解教和监外（所外）执行工作的监督。

1993年，广东一些监管场所为了增加收入，以各种名义收取费用和动员在押人员及其家属捐款捐物。这股乱收费之风在几个月内几乎刮遍全省。省检察院监所检察部门派员展开调查，向省委政法委写出《关于我省政法部门收取被监管人员及其家属各种费用情况的调查报告》，引起重视。9月，全省各级监所检察部门展开监督纠正乱收费的工作。当年，监管场所乱收费现象得到制止。

修改后的《刑法》、《刑事诉讼法》实施后，对办案时限提出了更高要求。全省各级监所检察部门加大纠正超期羁押案件检察监督的力度，重申实行人犯羁押换押制度。

（2）对在押人员又犯罪的检察监督。

1979年7月5日，省检察院在全省劳改检察工作座谈会上要求全省监所检察部门"全部担负劳改犯人重新犯罪案件的审查起诉和出庭公诉工作"。1981年，根据全国人大常委会《关于处理逃跑或重新犯罪的劳改犯、劳教人员的决定》，全省检察机关协同公安、法院和监管场所，从重从快开展打击重新犯罪活动，重点打击"牢头狱霸"。1983年，全省各级检察机关监所检察部门按照最高人民法院、最高人民检察院、公安部、司法部《关于严厉打击劳改犯和劳教人员在改造期间犯罪活动的通知》精神，与有关部门紧密配合，从重从快地打击"两劳"人员犯罪活动，重点打击组织越狱、脱逃、行凶报复、"牢头狱霸"等严重破坏监管秩序、危害社会治安的重新犯罪分子。

1991年，各地检察机关配合监管部门着重查处在押人员杀人、重大伤害、报复伤害干警以及"牢头狱霸"等严重刑事犯罪案件。1996年，中央部署全国范围内的严厉打击刑事犯罪斗争，全省监所检察部门积极配合，对于"严打"期间在押人员抗拒改造、抗拒监管的又犯罪活动进行严厉打击。1999年，全省检察机关把在押人员暴力脱逃、行凶杀人、暴狱、集体闹监等破坏监管改造秩序的犯罪活动作为打击重点，及时指导、强化措施，震慑了犯罪。

（3）查办监管场所的职务犯罪。

1979年，广东检察机关对监管改造场所恢复行使检察权，各级监所检察部门即开始结合执法监督工作，查办职务犯罪。1979年至1984年，随着监所检察机构的逐步设立，监所检察工作由1979年的有重点地、不定期地进行检察，过渡到1984年的全面地、定期地进行检察，查办职务犯罪活动逐渐开展。1985年开始，省检察院在全省推行派驻检察制度，全面担负各项监所检察任务，逐步加强监所检察的业务建设和组织建设，推动查办职务犯罪工作的开展。

1993年6月，全省监所检察工作会议在三水召开，会议提出广东监所检察要“狠抓办案，以办案为龙头，带动和促进各项检察业务的开展”的业务指导思想，推动监所检察办案工作展开。全省各级监所检察部门把加强反腐败斗争，集中精力查办监管改造场所发生的贪污贿赂、侵权渎职等干警职务犯罪案件，置于监所检察工作的首要位置，采取切实有效措施，不断加大办案力度，严肃查处了一大批职务犯罪分子，使监所检察工作出现了前所未有的好势头。

1998年上半年，根据1997年底最高人民检察院作出的检察机关侦查工作归口承办的决定，省检察院监所检察部门适应形势的变化，及时调整工作部署，强调各级监所检察部门要积极开展案件初查和加大执法监督力度，以此推动各项业务的开展。6月12日，最高人民检察院印发了《关于重新明确监所检察部门办案范围的通知》，明确监所检察部门主要侦办体罚虐待被监管人案、失职致使在押人员脱逃案、私放罪犯案以及徇私舞弊减刑、假释、暂予监外执行案“四类案件”。失职致使在押人员脱逃，徇私舞弊减刑、假释、暂予监外执行罪为1997年修订《刑法》新增加罪名。省检察院及时向全省发出通知，要求各地认真贯彻最高人民检察院的通知精神，抓好“四类案件”的查办工作。同时，为推动办案工作的开展，采取了四项措施：一是统一认识，突出办案重点；二是采取有效措施，多渠道收集案件线索，积极开展初查，查明犯罪事实

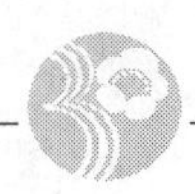

后，该立案的立案，该转办的转办；三是各市分院加强指导，下级院发现干警犯罪线索，市分院做到及时参与研究和查处；四是下级院有能力办理但阻力较大的案件，省院及时派员协助指导，帮助排除干扰和阻力。

（4）通过办理在押人员及其家属的申诉与控告进行监督。

1978 年至 1979 年，全省检察机关监所检察部门主要是配合全省统一进行复查“文化大革命”期间反革命案件和刑事案件申诉的工作，平反冤假错案。1979 年 2 月，根据最高人民检察院《关于劳改检察几个问题的通知》要求，全省监所检察部门积极开展对冤假错案的调查和处理。1981 年，省检察院转发最高人民检察院《关于检察纠正因反对林彪“四人帮”仍在服刑的案件的通知》，要求全省各级检察机关组织力量，对凡是有人申诉的，群众有反映的，复查工作中发现的案件都要做好复查工作。1983 年以后，各地监所检察部门认真办理在押人员及其家属的申诉，该转办的及时转办，对自行办理的申诉案，查清事实后，严格依法处理。

6. 控告申诉检察。

控告申诉检察的主要业务工作是受理控告、申诉案件，处理来信、来访事务。承办受理、接待报案、控告和举报，接受犯罪人的自首；受理不服人民检察院不批准逮捕、不起诉、撤销案件及其他处理决定的申诉；受理不服人民法院已经发生法律效力的刑事判决、裁定的申诉；受理人民检察院负有赔偿义务的刑事赔偿案件等工作。

（1）处理来信来访和办理控告申诉。

1978 年，全省各级检察机关首先突出抓处理公民控告申诉工作。检察机关一开始办公，就受理大量人民来信，接待大量群众上访。10 月 11 日，省检察院在广州召开处理群众来信来访、同违法乱纪作斗争座谈会。会议研究分析了形势，统一了思想，提高了认识，确定当前信访工作的三点要求：一是领导要重视，专人负责，大家动手。要求各级检察长亲自接待来访，审阅来信，调查处理违法乱纪案件。二是要突出重点。重点是党委和上级交办的，有关部门需要检察机关联合查处的和检察机关认为需要自己办理的案件。三是要讲究方法，讲求实效。首先解决那些案情比较明显，是非比较清楚，需要迅速解决的问题，以及长期申诉得不到解决的案件，迅速抓出成效，扩大影响。

1985年1月，最高人民检察院召开全国检察机关第二次信访工作会议，作出《关于加强信访工作的决定》，进一步明确了新形势下控告申诉检察工作的指导思想和任务。3月，全省大多数检察院建立了检察长接待日制度、检察长阅批重大来信制度和办理案件制度，部分检察院推行巡回采访制度。1986年初，省检察院向全省各级检察机关提出以“多办案，多解决问题”为开展控申检察工作的指导思想，大多数单位基本扭转了“只收转不办案”的局面。

1990年1月，省检察院发出《关于进一步加强控申检察工作的通知》，要求各地认真贯彻中央“稳定压倒一切”的指示，高度重视矛盾可能激化的信访，及时消除不利于社会稳定的因素。7月，省检察院又专门发出通知，要求各地认真做好上访老户和集体上访人员工作，尽量劝阻、控制越级上访尤其是进京上访，确保亚运会和国庆节安全。各级控申检察部门牢固树立为稳定服务的思想，把处理告急信访、集体上访和矛盾可能激化的信访作为大事来抓。各级检察机关领导认真改进工作作风，坚持检察长接访日和阅批重要来信制度，继续坚持下基层定点、巡回接访，就地解决许多问题，为群众办好事，排忧解难。

1997年，全省各级检察机关坚持“归口办理，分级负责”和“谁主管，谁负责”的信访工作原则，一级抓一级，及时解决群众来信来访反映的问题。2000年，各级检察院把处理集体访、告急访、群体性事件和上访老户作为信访工作的重点来抓，维护社会稳定。11月，省检察院向全省各级检察院发出《关于认真排查上访老户，维护社会稳定的通知》，要求各级检察院做好上访老户的排查调处工作。

（2）复查刑事申诉案件。

1987年，全省各级检察机关开始全面贯彻实施《人民检察院控告申诉检察工作细则（试行）》，控申检察工作从信访为主开始转为办案为主。全省坚决贯彻高检院《人民检察院控告申诉检察工作细则（试行）》的规定，把“两不一免案件”（不服免诉的申诉案件、不服不起诉决定的申诉案件和不服法院生效判决、裁定的申诉案件）移交控申检察部门办理。

1991年，最高人民检察院对复查不服免诉申诉案件的程序作了修改，规定凡不服免诉7日内提出申诉的案件，由上一级检察院复查。省检察院和市、分院的任务加重。全省各级检察机关切实把工作重点转到办理申诉案件尤其是不服免诉的申诉案件上来。各地复查申诉案件的主要经验和做法是：① 坚持以事实为根据，以法律为准绳，查清事实真相，不搞先入为主，不受原结论的影响；② 认真履行制约职能，重新审查案卷和证据材料，提出审查处理意见；③ 坚持全面复查案件，既要审查证明被告人有罪、罪重的事实和证据，又要注意发现证明被告人无罪、罪轻的事实和证据；④ 认真听取各方面的意见，既要听赞成的意见，又要听反对的意见，尤其是申诉人的申述，防止片面性；⑤ 抓住大是大非的主要问题，分清犯罪与违法、错误的界限，集中解决是否构成犯罪问题，不纠缠于其他枝节问题；⑥ 实事求是，有错必纠，全错全纠，部分错部分纠，不错不纠；⑦ 认真做好善后工作，对撤销原决定的案件，在适当范围内宣布，并督促有关部门解决党纪政纪处分等遗留问题。有的地方在复查案件时，采用对话形式，允许申诉人及其律师申辩。

1992年，省检察院向全省各级检察院发出《关于认真做好不服免予起诉申诉案件复查工作的通知》。各市、分院进一步加强了对复查免诉申诉案件的领导，全省复查工作有了重大突破。工作中，坚持以事实为依据，以法律为准绳的办案原则，抓住了复查刑事申诉案件的两个关键问题：一是把好事实关和证据关，二是把好法律和政策界限。各级控申检察部门在复查工作中，注意不以现行的政策和法律为依据去复查过去的案件，在把握事实和证据的基础上，具体案件具体分析，适度掌握。法律政策界限不明显的，不以犯罪论处。

1993年4月，最高人民检察院印发《人民检察院复查刑事申诉案件规定》，规定控告申诉检察部门管辖的刑事申诉案件。控申检察部门复查申诉案件的范围扩大了，除不服免诉的以外，不服检察机关追缴财物、撤销案件和不服由检察机关侦查起诉的刑事判决的申诉逐渐增多，控申检察部门的任务加重。

1997年，由于检察机关的免予起诉权被新实施的《刑事诉讼法》取消，检察机关自此没有对有关案件作出免予起诉的决定。全省检察机关自此办理的刑事申诉案件主要是不服不起诉决定的申诉案件和不服法院生效判决、裁定的申诉案件。

（3）办理刑事赔偿案件。

1994年11月，广东省人民检察院召开全省检察机关贯彻实施国家赔偿法电话会议，部署广东省检察机关贯彻实施工作。12月，省检察院在开平市召开广东省检察机关贯彻实施国家赔偿法座谈会，以会代训，为广东省检察机关贯彻实施国家赔偿法做好准备。

1996年，刑事赔偿工作已在广东省检察机关全面展开。1997年，全省刑事赔偿工作初步规范化，建立健全了工作制度：一是受理、办理刑事赔偿案件及时向上级检察院汇报的制度；二是请示报告制度；三是一案一总结制度；四是定期对捕后作无罪处理案件进行清理审查的制度；五是捕后作无罪处理自侦案件及时向控申检察部门备案、通报的制度；六是备案审查制度。1999年，全省刑事赔偿工作进一步规范化，有较大发展。省检察院通过备案审查制度和请示报告制度加强对基层院刑事赔偿工作的指导。

（4）刑事立案监督工作。

1997年，全省各级检察机关控申检察部门根据修改后的《刑事诉讼法》第八十七条规定和《人民检察院实施〈中华人民共和国刑事诉讼法〉规则（试行）》第三百二十四条规定，主要办理被害人认为公安机关应当立案而不立案侦查、向检察机关提出的案件以及党委、人大等部门交办或转办的这类案件，依法行使刑事立案

监督权。

1999年1月，最高人民检察院公布施行的《人民检察院刑事诉讼规则》对控申检察部门刑事立案监督职责进行了修改。全省各级控申检察部门根据最高人民检察院的规定，主要抓好三方面的工作：一是提高思想认识，增强监督意识，把立案监督作为一项维护司法公正、惩治犯罪、保护受害人基本权利的重要工作来抓；二是做好宣传工作，通过检务公开、法律咨询等各种形式，让群众了解检察机关对公安机关有案不立的监督职能，开辟案源；三是加强立案监督工作中与审查逮捕部门的分工合作和与公安机关的工作联系。

（四）检察制度创新

广东省毗邻港澳，是中国改革开放的前沿地区，经济发展迅猛，外来人口多，社会关系复杂，导致案件不仅数量多，而且新问题层出不穷，对检察工作提出了较大的挑战。对此，广东省各级检察院从维护司法公正出发，大胆创新，积极探索在法律规定的范围内实行改革的新措施，以改革保公正，以改革促效率，以改革求发展，促进了检察工作的深入发展，保证了各项检察业务的健康发展，取得了较好的法律效果和社会效果。

1. 成立全国第一个经济罪案举报中心。

1987年10月，省检察院控告申诉检察处借鉴香港廉政公署举报工作的经验，向省检察院党组提交了《关于设立举报电话和举报箱的请示报告》。省检察院研究决定，在深圳、广州、汕头3个市检察院进行举报工作试点。1988年1月初，在全省分、市院检察长会议上，省检察院就举报工作试点作了部署。1月22日，深圳市检察院张焕熙检察长向省检察院写了《关于我市检察体制改革三点设想的汇报》，提出了设立经济罪案举报中心的建议。1月25日，深圳市委书记李灏主持召开市委常委会议，同意成立经济罪案举报中心。同日，省检察院控告申诉检察处正式提出《关于举报电话举报箱试点工作方案》，为举报工作试点奠定了基础。2

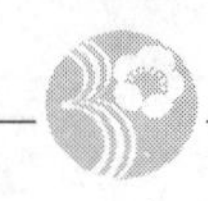

月开始，深圳市检察院经济罪案举报中心进入筹备阶段，省检察院控告申诉检察处根据院领导的指示，派出工作组到深圳市检察院协助筹备工作。2月10日，省检察院正式批复深圳市检察院，同意市院经济罪案举报中心试点。3月4日，深圳市检察院就成立经济罪案举报中心举行新闻发布会。3月8日，深圳市人民检察院经济罪案举报中心正式挂牌办公，全国第一个经济罪案举报中心成立。

随后，汕头市人民检察院、广州市人民检察院举报中心相继成立。5月21日，最高人民检察院发出《关于深圳市检察院经济罪案举报中心工作情况的通报》，传达了刘复之等领导充分肯定深圳市检察院举报试点工作的成绩，要求在全国推广深圳经验，在大中城市以上检察院设立举报中心的讲话精神。6月2日，省检察院党组向省委作了《关于在全省各级检察机关建立贪污贿赂罪案举报机构的请示》，7月，省委办公厅批转了该请示。6月，中共中央发出《关于党和国家机关必须保持廉洁的通知》，要求县以上检察机关建立举报中心。6月下旬，省检察院在全省检察长会议上介绍、推广了深圳、汕头、广州的经验，会议决定，全省各级检察机关设立贪污贿赂罪案举报中心，全面开展群众性的举报工作。8月13日，省七届人大常委会第三次会议听取省检察院陆成景副检察长所作的《关于我省检察机关开展举报工作试点的情况报告》，作出《关于加强对贪污贿赂罪案举报工作的决定》。9月22日，省人民检察院贪污贿赂罪案举报中心成立。至1988年底，全省除了个别新成立的市院未建立举报中心外，其他15个市、分院及105个县、区院均已成立了举报中心。

2. 成立全国第一个反贪局。

1985年后随着市场经济不断的深化，经济领域中的犯罪出现了新情况和新特点，贪污、贿赂等经济犯罪日益突出，全省检察机关坚决贯彻落实中央反腐败斗争的战略部署，把打击经济犯罪作为工作重点，创新举措，进一步加大了查办贪污贿赂案件的力度。

1988年7月初，最高人民检察院在全国检察长座谈会上传达了中央关于把反贪污贿赂等腐败现象当作当前一项重要政治任务来

抓的精神。广东省检察院在会上向最高人民检察院提出了设立“反贪污贿赂犯罪侦查局”的具体设想，得到了最高人民检察院的支持。其后，省检察院召开党组扩大会议，正式提出了建立反贪污贿赂斗争的权威机构的方案。1989 年 8 月 18 日，经过紧张而周密的准备，经中共广东省委、最高人民检察院批准和省人大常委会的决定，在广东省人民政府的大力支持下，中国历史上第一个反贪局——广东省人民检察院反贪污受贿工作局正式宣告成立。

反贪局建立后，坚持“积极探索，循序渐进，边建边干，逐步完善”的方针，通过深化举报、加强侦查和拓展预防，以扎实的工作业绩，打开了局面。1989 年广东省受理举报贪污受贿线索 28152 件。其中，反贪局成立后受理的举报就占 20070 件，而且重大举报线索明显增加，举报质量明显提高。反贪局成立后连续查处 695 件贪污贿赂大要案，占全省 1989 年查处贪污贿赂大要案总数的 65.1%。

反贪局的成立，不仅有效地惩治了贪污贿赂犯罪，而且很快在全国产生了重大的影响。省检察院反贪局成立后仅 4 个月，佛山、汕头、茂名等 14 个市和部分县、区纷纷成立反贪局。全国有 14 个省级检察院，55 个地市级检察院和 100 多个区县检察院先后设立了反贪局。①

3. 成立全国唯一的个案协查办公室。

广东毗邻香港和澳门，1978 年，随着我国改革开放和对外经济交往，越边境和跨国界犯罪日益突出。国内贪污受贿经济犯罪分子携带巨款潜逃出境或将大量国有资产转移出境的案件呈上升趋势，尤其是沿海沿边城市更为严重。香港是国际金融城市，粤港地区政治、经济、文化交流和交往活跃，两地经济犯罪呈现案情重大、损失严重、影响恶劣的特点。香港廉政公署受理的涉境外举报案件，以涉及我国内地尤以广东为多。由于国内与港澳地区法律制度不同，致使中国检察机关和港澳双方在两地调查取证中遇到明显

① 肖扬：《共和国第一个反贪局》，《党风与廉政》1994 年第 3 期。

的法律冲突，对依法惩治贪污贿赂犯罪带来障碍。粤港两地仅仅依靠自己的力量或只采取封闭式的调查方法，很难及时发现和有效打击贪污贿赂犯罪。

1986年，粤港两地开始积极寻求双方建立个案协查关系、交流犯罪情报和运作经验的途径。广东省人民检察院和香港廉政公署在当时的新华社香港分社和港英政治顾问处的指导下，开始建立合作关系，请求对方就个案协助调查取证。粤港两地充分认识到：彼此都具有可以互相借鉴的经验，只有密切双方的合作关系，才能更加有效地打击两地经济犯罪。粤港澳三地开始确认一种合适的区际司法合作途径——个案协查，以强化对涉境外和国外经济犯罪案件的侦破能力，加大打击这类犯罪的力度。

1987年至1990年，广东省人民检察院与香港廉政公署进行了积极而有价值的探索。粤港双方历时3年的合作，确认新的合作方式——开展贪污个案协查。这种合作关系，有力地打击了跨境经济犯罪活动，维护了两地正常的经济活动，保护经济的发展。但是，由于中国内地和香港实行的法律制度不同，在认定犯罪构成方面，包括对犯罪主体的确立和犯罪标准的界定，证据有效性的确认，以及涉及敏感问题的取证程序，存在着法律冲突，操作程序上也有差异。多年来，粤港双方坚持务实探索，求同存异，不断排解法律障碍，达成了某些谅解和共识。1990年9月17日至19日，广东省检察院和香港廉政公署双方派员在珠海市举行会晤，签署《会晤纪要》，在《会晤纪要》确立的框架下，双方逐步规范操作程序，改善操作方法，使个案协查得到顺畅运作。

1990年11月，省检察院根据最高人民检察院的要求成立了全国唯一的个案协查办公室，专门承办全国检察机关与港澳地区司法部门相互协查案件等事宜，自成立以来共协查办案数百件，有力打击了跨国跨地区的贪污贿赂等经济犯罪活动。

4. 职务犯罪预防的广东模式。

全省各级检察机关积极开展预防职务犯罪工作，并根据自身的实际情况，创造了“茂名模式”、“江门模式”、“深圳模式”等职

务犯罪预防模式，收到很好的法治效果和社会效果，在全国具有重大的影响。

（1）“茂名模式”。

1989年以后，茂名市检察机关反贪部门认真探索，大胆实践，走出了一条以党委领导、检察机关反贪部门为主、社会各界积极参与、专门预防和社会预防相结合的路子，建立预防贪污贿赂犯罪专门机构并形成网络，取得了较好的预防职务犯罪的社会效果。《人民日报》、《南方日报》、《法制日报》、《中国检察报》、《粤港经济日报》等10多家报刊为此作了专门报道。最高人民检察院和省检察院先后推广了茂名市检察机关的经验，全国不少省市检察院来函索取经验材料或来人参观学习，其预防经验被称为“茂名模式”。“茂名模式”有四个特点：

一是由零敲碎打向整体性拓展。反贪局预防部门在职责范围内，研究制定整套的预防制度和措施，把检察建议、廉政共建、法制宣传、纠正违法、案前制约、案后监督等预防措施配套完善，多管齐下，收到了系统工程系统抓，综合问题综合治的功效。二是由软任务向硬指标拓展。为了使预防工作真正落到实处，茂名市院反贪局预防部门制定了《预防贪污贿赂犯罪达标细则》，从机构、制度、教育、惩治、整改五大方面制定达标细则，使预防网络建设有目标，对预防网络的工作检查、监督有标准。这几项达标内容被市委列入全市《实施社会治安综合治理一票否决权试行方案》，并以市委正式文件印发，使预防贪污贿赂犯罪成为继计划生育、植树造林之后实行一票否决权的第三项工作，软任务变成硬指标。1998年，全市预防贪污贿赂犯罪工作又纳入党风廉政建设责任制的重要内容，使预防犯罪工作与实行目标管理责任制紧密结合，融合到生产经济管理中去，切实为抓好党风廉政建设和反腐败斗争解决深层次问题。三是由单一预防向社会各界积极参与拓宽。茂名市院反贪局预防部门在开展预防犯罪工作中，坚持专门预防与群众预防相结合的道路，动员全社会各阶层的力量，发挥各单位、部门的职能作用，共同开展综合治理，形成一个以群众为基础，检察机关为骨

干，社会各职能部门为依托的，全方位、多功能的预防贪污贿赂犯罪体系。检察机关专门法律监督同群众监督相结合，以社会、群众为基础，着力提高公民的预防意识，充分利用报纸、电台、电视台、宣传车、宣传栏等阵地进行广泛宣传，大造声势。同时，派出人员到各部门、企业、学校等单位进行法制宣传，提高干部群众的预防犯罪意识。四是由案后预防向案前预防拓展。1989 年 8 月以后，茂名全市检察机关先后与 176 个企事业单位开展共建廉政活动，在这些单位开展经常性的预防工作，健全内部监督，减少了贪污贿赂犯罪的发生。

（2）“江门模式”。

江门市检察机关预防犯罪工作起步较晚，1994 年才在反贪局内设预防机构。他们运用系统论的方法，注重规模效应，整体推进优化预防效果。“江门模式”有如下特点：

一是上下联动形成规模。江门市检察院切实加强对基层检察院预防工作的领导和指导，上下两级检察院联手动作，较好地形成规模效应。1996 年江门市企业经营者职业法律资格培训在市直企业取得经验，1997 年在全市全面推开。市政府下发文件，江门市院反贪局预防部门和市人事局干部学校一起与基层检察院、人事局在台山、开平、恩平、新会等地共举办了 17 期法律资格培训班，当地 1650 多名企业经营者参加了法律资格培训，经考试合格领取企业经营者法律资格证书。1998 年初，江门市院与人民银行江门分行 13 家金融机构的“一把手”和市院领导组成金融系统预防犯罪领导小组，配合金融体制改革，联手开展预防金融犯罪、防范和化解金融风险工作。针对金融系统基层网点负责人犯罪发案率比例高的情况，领导小组决定对全市金融系统基层网点负责人进行法律、制度、风险意识为主题的专项教育。两级检察院和两级金融机构用两个月时间，专门培训全市 3100 多名基层网点负责人。各基层检察院与所在地的金融机构同时建立预防金融犯罪协调小组，台山市院组成宣讲小组，深入该市 210 多个金融网点宣传刑法关于金融犯罪的规定，2100 多人接受了教育。二是整体推进形成规模。两级

市的党政领导亲自推动企业经营者职业法律资格培训，组织、人事、宣传、税务、金融、物价等职能部门通力协作，报纸有文，电视有影，电台有声，其规模和影响大大超过法律资格培训班的教育覆盖面。三是调整思路，谋求预防职务犯罪工作可持续发展。《刑法》、《刑事诉讼法》修改后，检察机关直接受理的案件范围是国家工作人员职务犯罪案件，预防对象发生了变化。从预防贪污贿赂等经济犯罪转变为预防职务犯罪，主要是国家机关工作人员，重点是党政领导干部、司法人员和行政执法人员。根据“两法”修改后预防对象的变化，江门市检察院设置预防科，作为院的一个业务部门，统筹协调全市预防工作。1998 年，预防科制定《江门市人民检察院预防职务犯罪工作实施意见》，指导全市预防职务犯罪工作向规范化、制度化发展。四是调整预防手段。江门市检察机关的预防工作从体制、机制和法律“三位一体”的结合上提出对策，以有效的制约为主要手段，使之不能犯罪。

（3）“深圳模式”。

深圳市检察院从 1994 年 7 月反贪局成立时，就开始专业化的贪污贿赂犯罪预防工作。深圳市反贪局坚持“打防并举，标本兼治，重在治本”的方针，吸收境内外防贪工作经验，采取同步预防、行业预防、法制宣传教育等专业化方式预防贪污贿赂犯罪。

反贪局成立之初，借鉴香港廉署做法，开展有深圳特色的“事前预防工作”。市检察院预防处联系贪污贿赂犯罪发案情况，选择市重点工程项目，开展同步预防工作。1994 年开始，预防处根据基建行业贪污贿赂犯罪发案率高（当时占深圳市检察机关受理的同类案件的 30%），工程施工项目供求矛盾突出，工程发包工作中贿赂行为比较常见的情况，配合贯彻执行市人大颁布的《深圳经济特区建设工程施工招标投标条例》，逐步展开工程同步预防工作。先后介入了铁岗水库和西丽水库两条溢洪道改造工程、深圳市大沙河扩建工程、东部供水水源工程、深圳河治理工程、深圳市地铁工程、深圳市西部通道工程、深圳市重点文化设施工程等的招投标活动，进行同步监督预防，在工程招投标的标底保密、技术评审委员组成、评审原则和方法、如何防止外界干扰、保证依法办事、公平公正等方面做了有益的探索，同时也加强了对有关从业人员的防贪教育。深圳市检察机关根据该市贪污贿赂犯罪案件发案分布情况，特别重视基建、银行、保险、工商等行业的预防工作，从中选择29个重点单位开展预防工作。市检察院在深圳发展银行、中行深圳分行、工行深圳分行建立预防工作联系点；福田区检察院协助广深高速公路公司建设文明单位；南山区检察院加强国有企业、保险从业人员的职务犯罪预防工作。

1996年8月19日，经省检察院批准，深圳市检察院借鉴香港廉政公署的做法，成立全国首家同类机构——深圳市检察院预防贪污贿赂犯罪咨询委员会，从党政、商贸法律、金融证券、基建教育等行业的人大代表和政协委员当中聘任12名咨询委员。该委员会工作内容是：向检察机关提出预防工作建议，提供预防工作咨询意见；向检察机关提供有关信息，介绍有关行业的专业知识及具体运作情况，反映社会对防贪工作的意见；听取检察机关的预防工作情况报告，了解有关预防工作建议实施情况，协助落实防贪措施；参加预防贪污贿赂犯罪专题调查研究，根据行业特点参加有关的重要会议以及现场监察预防；对检察机关的工作进行监督，帮助改进工作作风和方法等等。

此外，2003年以来，省检察院为贯彻落实省委、省政府关于建设文化大省的战略部署，把预防职务犯罪工作拓展到高校和科研领域，先后和暨南大学等建立了共同预防职务犯罪工作机制，取得了良好的法律效果和社会效果，总结的经验——高校预防的“暨南大学模式”——得到省委、国家教育部的肯定和最高人民检察院的推广。2005年，省检察院与省教育纪工委联合召开了高校预防职务犯罪研讨会，分析高校职务犯罪的规律特点，研究预防对策，推广暨南大学预防职务犯罪的经验。省院检察长带头到中山大学、省教育厅作法制专题报告，受到一致好评。

5. 积极探索办理未成年人犯罪案件的有效方法。

为切实保障未成年人权益，遏止未成年人犯罪上升态势，深化

未成年人犯罪案件审查起诉制度改革，充分贯彻“教育、感化、挽救”的方针政策和“教育为主、惩罚为辅”原则，在法律许可的范围内，最大限度地为未成年人提供司法保护，切实体现检察工作与时代发展同步，广东省各级检察院积极探索办理未成年人犯罪案件的有效方法，收到了良好的社会效果。

在探索办理未成年人犯罪案件的有效方法上，广州市海珠区人民检察院的做法在全国具有较大的影响。该院紧紧围绕未成年人刑事检察工作的重点，努力探索未成年人犯罪检察工作新思路、新途径、新方法，把青少年维权工作贯穿于检察工作的各个环节，力求体现人性化、社会化、轻缓化，取得了明显的社会效果和法律效果。近年来，该院获得了全国精神文明建设先进单位、团中央“优秀青少年维权岗”、“全国模范检察院”、“全国十佳检察院”、“全国文明接待室”、“全国文明单位”等荣誉称号，被人们誉为“阳光检察”。海珠区人民检察院的主要做法如下：

第一，专事专办，首创未检室。根据检察工作职能和未成年人犯罪个案的特点和需要，2004 年海珠区人民检察院整合现有办案资源，将原办理未成年人刑事案件小组，从侦监和公诉部门独立出来，成立专门机构——未成年人犯罪检察室（简称“未检室”），专门履行未成年人案件的批捕和公诉两项职能。未检室工作由具有丰富办案经验、责任心强、业务水平高的同志负责，配备的办案人员熟悉未成年人特点、善于做未成年人思想教育工作。

第二，充分调查，扩大不捕面。由于时间短，任务重，未成年人批捕案件存在重审查、轻调查的现象。轻调查就难以准确了解未成年人的基本情况，从而使一些本不需逮捕的人被逮捕。海珠区人民检察院通过明确逮捕标准，打破籍贯限制，将具备在校学生等四种情形的未成年人，作为不捕的重点对象。通过调查直接了解未成年犯的平时表现、性格特点及家庭情况等，为分析判断是否逮捕及有无帮教可能性提供重要依据。

第三，优先取保，降低羁押率。过去认为，审查起诉要保证未成年罪犯随时在案，羁押必不可少。但事实证明羁押过长，容易导致未成年犯的交叉感染，矫正难度也随之增大。海珠区人民检察院对未成年犯坚持非羁押的原则，创建取保候审优先审查制度，将符合条件的未成年犯以取保代替羁押。优先审查制度分为申请、听取意见、审核和批准四个阶段。申请阶段申请人必须提供申请书、监管方案和学校意见；听取意见阶段，承办人召开审查会，充分听取被害人、学校、监护人等对未成年犯的意见。听取完毕后，承办人提请未成年人犯罪检察室负责人审核，最后提交检察长决定。取保候审优先审查制度通过适用取保措施，能使未成年犯间的感染几率降到最低，能最大限度维护未成年犯的身心健康，最终保证对他们矫正的实效性。

第四，公开咨询，用好不诉权。海珠区人民检察院大胆创新不起诉公开咨询制度，将法律规定的相对不诉制度用足用好，向未成年犯予以更多倾斜。未成年犯的诉与不诉，应当先征集社会各界的意见。在此基础上，将社会各界的意见提交检委会，由检委会作出诉与不诉的决定。不诉公开咨询方法，能促成被害人和未成年犯的和解，消除激烈的社会矛盾，但最重要的是能消灭未成年人的犯罪前科，对他个人今后的成长意义重大。

第五，多管齐下，公诉人性化。为保证出庭效果，海珠区人民检察院对未成年人案件的出庭方式进行探索，效果明显。一是建立庭前心理辅导机制。针对未成年人开庭前普遍具有的恐惧、紧张心理，该院聘请中山大学心理学教授及心理医生组建心理辅导小组，在开庭前对未成年人进行心理辅导。二是讯问语言以温柔亲切代替冷淡生硬，语气和缓而无逼人之势。三是推行多媒体示证制度，以文稿形式将案件所有证据形象直观地展现在未成年人面前，便于其理解证据内容，更好地行使诉讼权利。四是法庭教育主体多样化，增加未成年被告人的父母、老师、朋友作为教育主体，由公诉人最后进行总结性的教育发言。这样的整体发言，相对单纯的说教，更有针对性和说服力，且更容易找到教育的“感化点”，效果自然就好。

6.“三位一体”机制建设走在全国前列。

2000年以来，最高人民检察院就检察机关建设提出了“三位一体”的要求，即建立和完善业务建设、队伍建设和信息化建设“三位一体”的检察工作长效管理机制，强调用现代信息技术手段管理检察业务和检察队伍，以推动各项检察工作取得新的进步。但是，最高检并没有统一的标准，各地的实践做法不一。广东省各级检察院大力加强“三位一体”机制建设，建立健全了一批规范办案程序、保证办案质量和办案安全的制度，强化了对侦查、逮捕、起诉等环节的监督管理。逐步实现网上办公、批案。利用信息化技术，开展案件远程汇报讨论、侦查指挥、审讯和出庭监督指挥等，较好地发挥了以信息化促规范化、以规范促公正的作用。

在“三位一体”机制建设中，广州市黄埔区人民检察院的做法尤其引人注目。2003年以来，黄埔区人民检察院本着“突破制度建设的传统思维和框架，寻求先进管理理论支撑规范化建设”的工作思路，提出了“导入ISO9000管理模式构筑规范化管理体系”的工作方案，把ISO9000标准的“过程控制”理念作为建立检察工作流程管理机制的理论支撑点，将管理知识、法律知识与“规范执法”观念三者结合，先后构建出《黄埔区人民检察院规范化管理体系》、《黄埔区人民检察院质量管理体系文件》，全面开展规范化建设，并在全国率先通过ISO9000质量管理体系认证。2005年，在此基础上，以规范执法行为为主要内容，对执法现状进行分析，针对查找出的执法不规范、不公正的突出问题，在全国率先构建出《检察业务标准》，进一步深化规范化建设，有效规范了执法行为，为整个检察机关规范化建设开拓出广阔的思维空间。

自《检察业务标准》试运行一年多以来，黄埔区人民检察院的各项工作有章可循，案件质量得到了制度性的保证，办案质量得到了显著提高。逮后不诉率大幅度下降，起诉案件全部获法院有罪判决，准确率达100%，工作效率得到明显提升，杜绝了执法不文明的现象，取得了显著的成效。同时，黄埔区人民检察院所取得的成绩在全国也引起了较大的反响。2005年12月，最高人民检察院贾春旺检察长视察黄埔区人民检察院时明确指出，黄埔区人民检察院开展规范化、信息化建设的工作很有成效，建立检察业务标准的做法完全符合检察机关提出的业务建设、队伍建设和信息化建设“三位一体”的检察工作发展方向。

（五）重大案件的查处

改革开放以来，广东各级检察院牢固树立为改革、发展、稳定服务的指导思想，强化保障和服务职能，先后查处了王仲贪污受贿案、张子强等特大跨境犯罪案、湛江特大走私贿赂案件等，充分发挥检察职能，维护社会稳定，为经济发展提供司法服务和保障。与此同时，检察院在查处过程中创造性地解决了大量的新问题或疑难问题，为今后查处类似的案件或立法提供了宝贵的经验。

1. 王仲贪污受贿案。

王仲，男，1928年生，原中共汕头地委政法委员会副主任。王仲在任海丰县县委书记期间，于1980年7月至1981年8月，在反走私的斗争中，利用职权，以“替人代买”、“送领导”等名义，多次从海丰县汕尾镇、边防检查站、公安分局的缉私物资仓库等处，取走大批缉获的各种走私物品，计有各类手表236块，收录机17部，电视机、自行车、电风扇、衣物、药品、家具等价值人民币58141元。1979年至1981年7月，王仲利用职权，帮助申请出港人员提前获准出境，从中收取出港人员贿送的电视机6部、收录机2部、电冰箱1台，价值人民币11600元。此案由广东省人民检察院汕头分院依法提起公诉，1982年12月21日，汕头地区中级人民法院依法判处王仲死刑，剥夺政治权利终身。12月28日，广东省高级人民法院维持原判。经报最高人民法院批准，于1983年1月17日对王仲执行枪决。

王仲是改革开放后第一个因腐败被枪毙的县委书记，该案的查办在当时引起了全国轰动。改革开放以来，中国的经济得到了迅猛的发展，但是贪污、贿赂等腐败现象也随之滋生蔓延，严重侵蚀改革开放的成果与进程。作为改革开放前沿的广东省，这种现象更为突出，王仲贪污受贿案就是一个很好的写照。这个案件使后来任广

东省人民检察院检察长的肖扬同志充分意识到，“随着社会财富大幅度增长，公共权力也随之扩大，难免会出现一些监督失灵的真空地带，这就为少数人进行权钱交易提供了可能性。如果社会没有形成严格完善的管理体制加以防范，大量产生腐败行为的可能性将会变成现实性”。①正是基于这样的考虑，经过紧张而周密的准备，经中共广东省委、最高人民检察院批准和省人大常委会的决定，在广东省人民政府的大力支持下，广东省人民检察院在1989年率先在全国成立了反贪局，有效地遏制了贪污贿赂犯罪的蔓延。

2. 张子强等特大跨境犯罪案。

1991年至1997年，被告人张子强、陈智浩（均系香港居民）等人屡次从内地非法购买爆炸物、枪支、弹药等偷运到香港，经多次密谋、策划后，于1996年5月和1997年在香港绑架了李某、林某和郭某，勒索高达16亿港币的赎金。1994年底至1995年初，被告人陈智浩等人在深圳市抢劫天津市物资综合贸易中心的提货单，提走一批钢材销赃，抢劫中致被害人死亡。被告人陈智浩等人先后于1991年6月和1992年3月，携带在内地非法购买的枪支、弹药，在香港抢劫金铺2次，共抢得7间金铺的金器一批。此外，1990年至1991年，陈智浩等人从内地非法购买一批枪支、弹药，偷运到深圳市，藏匿在被告人罗月英的住处。

1998年10月，广州市人民检察院依法对张子强等36人非法买卖、运输、储存爆炸物；非法买卖、运输、储存枪支、弹药；走私武器；绑架、抢劫；私藏枪支弹药、窝赃案提起公诉，检察人员依法履行国家公诉人职责，出席广州市中级人民法院审判大会支持公诉。

在法庭上，控辩双方针对案件的司法管辖权、绑架案没有被害人报案、抢劫致人死亡案没有被害人尸体等问题展开了激烈的交锋。基于被告人的香港居民身份和部分犯罪发生在香港的事实，张子强等被告人及其辩护人提出将其中一部分被告人移交香港处理的

① 肖扬：《共和国第一个反贪局》，《党风与廉政》1994年第3期。

观点，公诉人指出，在被告人的共同犯罪中，有的犯罪涉及内地，有的主犯的犯罪行为实施地涉及内地，有的共同犯罪中的主犯，依法应该对犯罪涉及内地的全部犯罪负责，有的犯罪对象和犯罪使用的工具均来源于内地。根据《中华人民共和国刑事诉讼法》第二十四条“刑事案件由犯罪地的人民法院管辖”以及《中华人民共和国刑法》的有关规定，内地司法机关对起诉书指控的全部犯罪具有管辖权。针对辩护人提出的“没有尸体、没有尸体检验报告就不能认定被告人抢劫中使用暴力，致人死亡”的观点，公诉人指出，一些毁尸灭迹的案件，在其他证据充分的情况下，照样也可以认定。针对绑架案没有被害人报案的辩护观点，公诉人出示了长江实业集团提取的10亿港币现金本票和新鸿基地产公司支取5亿5千万港币的证明。此外，控辩双方还对某些主犯是否在共同犯罪中起主要作用，是否应按牵连犯定罪处罚，被告人是否有立功、自首等问题展开了辩论。经过长达6天半的法庭审理，法庭采纳了公诉人的大部分意见，分别对被告人作了有罪判决。一审判决后，张子强等29名被告人提出上诉，广东省高级人民法院除对2人改判外，判决驳回张子强等27人上诉，维持原判。

张子强案是1997年香港回归祖国后，由内地检察机关提起公诉的涉及不同法域的重大刑事案件，其中有18名罪犯是香港居民，案情特别复杂，境内外高度关注，被海内外媒介称为“世纪大案”。广东检察机关成功地完成了起诉工作，使犯罪分子得到了应有的法律制裁，不仅受到了最高人民检察院的表彰，而且也为今后处理此类涉港澳重大刑事案件提供了宝贵的经验。

3. 湛江“9898”特大走私受贿系列案。

1998年9月始，广东检察机关会同有关部门，依法查处了代号“9898”的湛江特大走私案。该案是新中国成立以来走私额最大、涉及执法监管部门人员最多的一起严重经济犯罪案件，号称20世纪的“世纪大案”。据查，以李深、林春华、陈励生等人为首的走私团伙，从1996年初至1998年9月，大肆走私汽车、钢材、成品油等货物，案值达110亿元，偷逃国家税收62亿元。涉案人

员331人，牵涉公职人员259人，其中厅局级干部16人，处级干部45人，科级干部64人，湛江市委、海关、边防、商检、港务等部门“一把手”均被拉拢腐蚀。

案发后，广东省人民检察院迅速从全省反贪和刑检部门抽调办案骨干组成若干侦查、批捕、起诉办案组。提前介入侦查工作，争分夺秒审查卷宗，就侦查方向和证据材料的收集、固定、印证、合法性等问题向公安机关提出建设性意见，深挖有可能认定的证据，在短时间内做好犯罪嫌疑人的审查批捕和审查起诉工作，保证整体案件的统一审理。

自1998年9月8日至1999年9月，广东检察机关共投入办案人员200余人。办案工作中，在部分重要犯罪嫌疑人外逃、证据被销毁、线索中断等多重困难和复杂的情况下，检察机关办案人员正确履行宪法和法律赋予的职责，准确运用政策、法律和法规，讲究办案策略与方法，以高度的政治责任心，不畏艰险，顽强拼搏，与兄弟单位密切配合，团结协作，发挥整体作战的优势，圆满完成了各项工作任务，保证了案件的顺利查处，为保障改革开放和经济建设，维护社会稳定和国家经济安全，做出了积极贡献。

案件的成功查处在国际国内产生了重大的政治影响，受到社会各界的广泛关注和好评。办案中，涌现出了许多先进典型和感人事迹，展示了检察官良好的精神风貌。他们坚持实事求是、依法办案的原则，不怕困难，不辞劳苦，服从命令，听从指挥，遵守办案纪律，保守办案秘密，表现突出。在他们当中，有的在组织领导方面，做出特殊贡献，起到特别重要的作用，成绩卓著；有的取得关键性证据，对突破案件起到决定性作用，对案件查处或定性产生重要影响。为激励先进、弘扬正气、总结经验，进一步宣传扩大反走私、反腐倡廉的成果和影响，最高人民检察院专门下达决定，对检察机关参与查处湛江特大走私贿赂案件的有关集体和个人予以记功和嘉奖。

二、审判制度

"文化大革命"十年动乱，法院工作受到了严重破坏。1976年10月，粉碎"四人帮"反革命集团，党的十一届三中全会拨乱反正，重新确立了实事求是的思想路线，确立了以经济建设为中心和改革开放的政策，人民法院的审判工作重新焕发生机，迈进了一个崭新的时期。

随着我国民主与法制建设的深入发展，随着广东省经济和社会的快速发展，全省法院审判工作也取得了日新月异的进步，创造了一个又一个非凡的工作业绩。特别是进入21世纪以来，全省法院坚持以邓小平理论和"三个代表"重要思想为指导，牢固树立和落实科学发展观，全面贯彻"公正司法、一心为民"的指导方针，依法履行审判执行工作职责，强化对各级法院工作的指导监督，深化法院工作改革，认真落实司法为民措施，大力推进基层建设和队伍建设，促使全省法院工作取得了新进展，在维护广东省社会稳定、保障经济与社会和谐发展、推动依法治省等方面发挥着越来越重要的职能作用。

（一）审判机构

改革开放以来，广东经济和社会不断发展，案件数目不断增加，日趋复杂，国家和社会对审判工作的要求越来越高。为了适应这种要求，广东省各级审判机关不断完善，不仅在数目上出现了较大的增长，而且在审判业务机构的设置上也不断地进行改革和调整。

1. 各级审判机关。

1950年2月1日，经广东省人民政府批准，成立广东省人民法院。1955年初，原广东省人民法院改为广东省高级人民法院。1967年12月28日，广东省高级人民法院被撤销。1972年7月20日，广东省高级人民法院正式恢复。1973年初，广东省10个中级

人民法院，111 个基层人民法院均已恢复。到 1987 年，广东设高级人民法院 1 个，中级人民法院 14 个，基层人民法院 129 个。①

从 1988 年起，广东的行政区划陆续发生较大变化：国家撤销海南行政区，设立海南省；肇庆、惠州、梅县、东莞、中山、云浮等升格为地级市；新设汕尾、河源、清远、阳江等地级市。此外，还在一些城市增设了区。相应的，审判机关的数目也发生了变化。截至 2006 年，广东省高级人民法院下辖中级法院 23 个，基层法院 132 个。②

（1）广东省高级人民法院。

广东省高级人民法院是广东省的最高审判机关，依法行使审判权并监督下级人民法院的审判工作，对广东省人民代表大会及其常务委员会负责并报告工作。其主要职责是：① 依法审判法律规定由高级人民法院管辖的和其认为应当由自己审判的刑事、民事、行政、海事等第一审案件。② 依法审判法律规定由高级人民法院管辖的刑事、民事、行政、海事等第二审案件。③ 依法核准死刑缓期两年执行的案件；依法复核死刑案件；根据最高人民法院授权核准死刑案件。④审理死刑缓刑缓期两年执行、无期徒刑的减刑案件和依法应由高级人民法院审理的假释案件。⑤ 受理不服全省各级人民法院、专门法院生效裁判的各类申诉和再审申请，对其中确有错误的，提起再审或指令下级人民法院再审。⑥ 依法审判由广东省人民检察院按照程序提出的抗诉案件。⑦ 依法审判最高人民法院交办的刑事、民事、行政、海事等案件。⑧ 依法对下级人民法院行使指定管辖权。⑨ 监督下级人民法院的审判工作。⑩ 根据《国家赔偿法》规定，办理赔偿案件。⑪ 执行高级人民法院已经发生法律效力的第一审判决、裁定以及法律规定应当由高级人民法院执行的其他生效法律文书和外省区市法院委托执行的案件。⑫ 对

① 广东省地方史志编撰委员会编：《广东省志・审判志》，广东人民出版社 1999 年 10 月版，第 34～37 页。

② 《广东省法院年鉴（2006）》，广东人民出版社 2007 版，第 355 页。

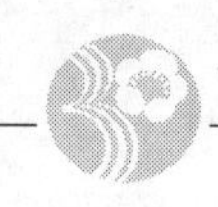

法律、法规、规章等草案提出意见；针对案件审理中发现的问题提出司法建议；组织、指导全省法院的调研工作。⑬ 组织全省各级人民法院、专门法院同外国司法界、国际组织之间的司法交流活动；办理有关国际司法协助事项。⑭ 在审判工作中宣传法制，教育公民自觉遵守宪法、法律。⑮ 管理广东省高级人民法院直属事业单位和社会团体。⑯ 承办其他应由广东省高级人民法院负责的工作。[①]

（2）中级人民法院。

中级人民法院按地区设立，依法独立行使审判权，监督和指导下级法院的审判工作，接受广东省高级人民法院的监督和指导，对其所在地的人民代表大会及其常务委员会负责并报告工作。主要职责是：① 审判法律规定、广东省高级人民法院指定由市法院管辖和市法院认为依法应当由本院审判的刑事、民事、行政等第一审案件。② 审判法律规定的对基层人民法院判决和裁定的上诉案件、抗诉案件。③ 审查处理不服本院和下级法院判决、裁定的各类申诉和申请再审案件，审判依审判监督程序提出的抗诉案件。④ 审判由广东省人民检察院按照审判监督程序提出的抗诉案件。⑤ 审查申请承认外国法院判决、裁定及申请撤销、承认国际仲裁机构裁决案件。⑥ 对下级法院管辖不明的案件等指定管辖。⑦ 监督和指导基层人民法院的审判工作；管理、协调法院执行工作。⑧ 依法行使司法执行工作权和司法决定权；依法决定国家赔偿。⑨ 对有关法律、法规、规章草案提出意见；对案件审理中发现的问题提出司法建议。⑩ 承办其他应由法院负责的工作。[②]

此外，广东省高级人民法院还下辖由广州海事法院和广州铁路运输中级法院两个专门法院。广州海事法院管辖范围为广东省沿海海域、与海相通的内河水域、港口及其岸带以及南海部分海域。辖

---

① 广东省高级人民法院简介，参见 http://www.gdcourts.gov.cn/jianjie.htm，2007年8月27日访问。

② 广州市中级人民法院简介，参见 http://www.gzcourt.org.cn/courtintro/fyjs/list_fyjs.jsp? type=1，2007年8月27日访问。

区海岸线3368公里，海域41.93万多平方公里，内河设标里程总计约4千公里。广州海事法院负责审理海事侵权纠纷、海商合同纠纷等64类案件。[①] 广州铁路运输中级法院的管辖范围为广东、湖南、海南三省境内包括京广、京九、浙赣、广深、焦柳、湘黔、湘桂、洛湛、广梅汕、梅坎、石长、广茂、粤海、海南西环线、平南共4426公里的营业铁路，负责审理与铁路运输有关的刑事犯罪案件和与铁路运输有关的经济纠纷案件。[②]

（3）基层人民法院。

基层人民法院设在县、自治县、不设区的市和市辖区，依法独立行使审判权，接受上级法院的监督和指导，对其所在地的人民代表大会及其常务委员会负责并报告工作。基层人民法院的职责如下：① 审判刑事、民事和行政案件的第一审案件，但是法律、法令另有规定的案件除外。对于受理的案件，认为案情重大应当由上级人民法院审判的时候，可以请求移送上级人民法院审判。② 处理不需要开庭审判的民事纠纷和轻微的刑事案件。③ 指导人民调解委员会的工作。

基层人民法院根据地区、人口和案件情况可以设立若干人民法庭。人民法庭是基层人民法院的派出机构，其职责是审理一般民事案件和轻微刑事案件，指导人民调解委员会的工作，进行法制宣传，处理人民来信，接待人民来访。人民法庭并不是一个独立的层级，其判决和裁定就是基层人民法院的判决和裁定，当事人如不服人民法庭的判决和裁定，可直接上诉于相应的中级人民法院。

2．审判业务机构。

1979年第五届全国人民代表大会第二次会议通过修改的《法院组织法》，该法院组织法在地方人民法院的组织和职权的规定上，与1954年颁布的《法院组织法》大体相同，其中明确了高级

① 广州海事法院简介，参见 http://www.gdcourts.gov.cn/zhyuan_jianjie/haishi.htm，2007年8月27日访问。

② 广州铁路集团网站，参见 https://www.gzrail.com.cn/portal/about.jsp，2007年8月27日访问。

人民法院除设刑事审判庭、民事审判庭外，还设经济审判庭。1983年全国人大常委会又对《法院组织法》进行修改，基层人民法院可以设刑事审判庭、民事审判庭和经济审判庭；规定中级人民法院设刑事审判庭、民事审判庭、经济审判庭，根据需要可以设其他审判庭；高级人民法院设刑事审判庭、民事审判庭、经济审判庭，根据需要可以设其他审判庭。

到1987年，广东省高级人民法院设刑事审判第一庭、刑事审判第二庭、刑事审判第三庭、民事审判庭、经济审判庭等；中级人民法院设刑事审判第一庭、刑事审判第二庭、民事审判庭、经济审判庭、执行庭等；基层人民法院设刑事审判庭、民事审判庭、经济审判庭等，并派出若干人民法庭，大部分基层法庭还设执行庭。①

1987年10月，广东省高级人民法院行政庭成立，并开始受理案件。1994年，广东省高级人民法院顺应形势发展的需要，在全国首批成立了专门的知识产权审判庭，广州、深圳、珠海、汕头、佛山等知识产权案件较多的中级法院也相继设立了专司知识产权审判的知识产权庭。到1998年，广东省高级人民法院设刑事审判第一庭、刑事审判第二庭、民事审判庭、经济审判第一庭、经济审判第二庭、知识产权审判庭、行政审判庭、审判监督庭、执行庭等机构。

2002年7月，广东省高级人民法院启动机构改革，建立了大民事审判格局，完善了刑事、民事、行政三大审判体系。改革后的机构，按照刑事诉讼法、民事诉讼法、行政诉讼法三大诉讼法的相应类别设置。两个刑事审判庭，按照《刑法》分则规定的十种类型犯罪，重新调整了分工。建立了大民事审判格局，民事审判分为四个庭，即专门审理家庭、婚姻、人身权利和房地产纠纷案件的民一庭；专门审理法人之间、法人与其他经济组织之间的各类合同及侵权纠纷案件的民二庭；专门审理著作权、商标权、专利权、技术

---

① 广东省地方史志编撰委员会编：《广东省志·审判志》，广东人民出版社1999年版，第37页。

合同等知识产权纠纷案件的民三庭以及专门审理海事海商案件、涉外、涉港澳台商事案件的民四庭。通过改革，刑事、民事、行政三大审判体系进一步得到完善，审判工作职责分工更加明晰，更加科学合理。

到2007年为止，广东省高级人民法院内设立案庭、刑事审判第一庭、刑事审判第二庭、民事审判第一庭、民事审判第二庭、民事审判第三庭、民事审判第四庭、行政审判庭、审判监督庭、执行局等机构。广州、深圳市中级人民法院的审判业务机构原则上与省法院审判业务机构相对应，其他中级人民法院、广州海事法院和基层法院根据实际情况确定业务机构。

（二）审判队伍

随着广东经济和社会的不断发展，审判任务日趋繁重和复杂，国家和社会对审判队伍的要求也越来越高。广东省各级人民法院大力加强队伍建设，取得了显著的成绩：审判队伍不断壮大，不仅编制数目剧增，而且素质也在不断加强，大量高学历人才进入审判队伍。法官的任职条件和要求也在不断地提高。

1．编制及人员配备。

1972年广东省高级人民法院恢复，编制为88名；各地、县人民法院的编制，由各地党委参照“文化大革命”前的情况研究决定。据1973年统计，广东全省法院编制为2774名。

1979年中共广东省委组织部决定给全省法院增调2247名干部(包括200名律师)。而后又因案件多，人员少，任务与力量的矛盾突出，逐步增加编制和人员。至1987年底，全省法院实有人数达到11040名。

1954年和1979年公布的《法院组织法》，规定基层、中级、高级三级人民法院均设院长、副院长、庭长、副庭长、审判员和其他人员（书记员、执行员、法医、法警等）。自1954年以来，广

东各级人民法院均按以上规定配备人员。①

从1988年开始，由于广东省行政区划的变更和法院工作的需要，广东法院系统的编制不断扩大。截至2006年底，全省法院共有干警18347人，其中博士35人，硕士1043人，本科11093人，其余6176人。共有法官9881人，其中博士33人，硕士653人，本科6390人，大专以下2805人。②

2. 法官的条件与任免。

（1）条件。

1979年颁布的《人民法院组织法》规定，有选举权和被选举权的年满23岁的公民可以有资格担任法官。1983年修改时，增加了人民法院的审判人员必须具有法律专业知识的规定。1995年《法官法》专设第四章规定了法官的条件。根据该章第九条的规定，担任法官必须具备六项条件，其中第六项条件要求法官最低程度必须是高等院校法律专业毕业或者高等院校非法律专业毕业具有法律专业知识。2001年6月，第九届全国人大常委会第二十二次会议对担任法官的条件做了部分修正，主要是把对法官学历层次的要求提高到了本科阶段。

根据修正后的《法官法》要求，担任法官的条件如下：① 具有中华人民共和国国籍。② 年满23岁。③ 拥护中华人民共和国宪法。④ 有良好的政治、业务素质和良好的品行。⑤ 身体健康。⑥ 高等院校法律专业本科毕业或者高等院校非法律专业本科毕业具有法律专业知识，从事法律工作满2年，其中担任高级人民法院、最高人民法院法官，应当从事法律工作满3年；获得法律专业硕士学位、博士学位或者非法律专业硕士学位、博士学位具有法律专业知识，从事法律工作满1年。其中担任高级人民法院、最高人民法院法官，应当从事法律工作满2年。曾因犯罪受过刑事处罚的或曾被开除公职的人员不得担任法官。

① 《广东省法院年鉴（2006）》，广东人民出版社2007版，第46页。

② 《广东省法院年鉴（2006）》，广东人民出版社2007版，第46页。

此外，初任法官采用严格考核的办法，按照德才兼备的标准，从通过国家统一司法考试取得资格，并且具备法官条件的人员中择优提出人选。人民法院的院长、副院长应当从法官或者其他具备法官条件的人员中择优提出人选。

（2）任免。

1972 年广东省高级人民法院恢复后，各级人民法院的正副院长、正副庭长、审判员，按干部管理权限，由各级党委任免（当时各级人民代表大会制度尚未恢复）。1977 年 12 月，广东省第五届人民代表大会第一次会议召开，广东各地也相继召开人民代表大会。各级人民法院院长分别由同级人民代表大会选举产生。

1979 年《法院组织法》重新颁布之后，依照该法的规定，地方各级人民法院院长由地方各级人民代表大会选举，副院长、庭长、副庭长和审判员由地方各级人民代表大会常务委员会任免。在省内按地区设立的和在直辖市内设立的中级人民法院的院长由省、直辖市人民代表大会选举，副院长、庭长、副庭长和审判员由省、直辖市人民代表大会常务委员会任免。在民族自治地方设立的地方各级人民法院院长，由民族自治地方各级人民代表大会选举，副院长、庭长、副庭长和审判员由民族自治地方各级人民代表大会常务委员会任免。各级人民法院的助理审判员，由司法行政机关任免。

1982 年广东省高级人民法院、广东省司法厅根据最高人民法院和司法部关于司法厅局主管的部分任免权移交高级人民法院主管的决定，从 1982 年 9 月 25 日起，原由广东省司法厅任免的高级人民法院助理审判员，改由省高级人民法院任免。1983 年 9 月，全国人民代表大会常务委员会关于修改《中华人民共和国法院组织法》的决定，将各级人民法院的助理审判员，改由本级人民法院任免。

1995 年《法官法》规定，地方各级人民法院院长由地方各级人民代表大会选举和罢免，副院长、审判委员会委员、庭长、副庭长和审判员由本院院长提请本级人民代表大会常务委员会任免。在省、自治区内按地区设立的和在直辖市内设立的中级人民法院院长，由省、自治区、直辖市人民代表大会常务委员会根据主任会议的提名决定任免，副院长、审判委员会委员、庭长、副庭长和审判员由高级人民法院院长提请省、自治区、直辖市的人民代表大会常务委员会任免。人民法院的助理审判员由本院院长任免。

根据2001年修正后的《法官法》，法官有下列情形之一的，应当依法提请免除其职务：① 丧失中华人民共和国国籍的；② 调出本法院的；③ 职务变动不需要保留原职务的；④ 经考核确定为不称职的；⑤ 因健康原因长期不能履行职务的；⑥ 退休的；⑦ 辞职或者被辞退的；⑧ 因违纪、违法犯罪不能继续任职的。

对于违反法律规定的条件任命法官的，一经发现，做出该项任命的机关应当撤销该项任命；上级人民法院发现下级人民法院法官的任命有违反本法规定的条件的，应当建议下级人民法院依法撤销该项任命，或者建议下级人民法院依法提请同级人民代表大会常务委员会撤销该项任命。

（三）审判业务

自改革开放以来，广东省的经济和社会快速发展，审判领域不断拓宽，由原来的刑事、民事两大审判，逐步发展为现在的包括刑事、民事（包括传统的民事、经济、知识产权、房地产等）、行政等各个方面的审判工作，为全省经济建设和社会发展、为建设和谐广东提供了有力的司法保障。

1. 刑事审判。

（1）危害社会治安的犯罪。

1979年《刑法》公布，1980年实施。此后，广东各级人民法院依照《刑法》审判刑事案件。自1979年冬起，广东刑事犯罪猖獗，刑事案件发案率上升，恶性重大案件时有发生。针对上述情况，全省各级人民法院集中力量，严惩了一批杀人、放火、抢劫、强奸及其他严重危害社会治安的犯罪分子。[①]

---

① 广东省地方史志编撰委员会编：《广东省志·审判志》，广东人民出版社1999年10月版，第77页。

进入20世纪90年代以来，各级法院认真总结多年来开展“严打”整治斗争的成功经验，结合广东省实际，坚持“严打”方针不动摇，依法严厉打击各种严重危害社会治安的犯罪活动，尤其是黑恶势力犯罪，故意杀人、故意伤害、爆炸、抢劫、绑架等严重暴力犯罪，“黄、赌、毒”犯罪，拐卖妇女、儿童犯罪，盗窃机动车辆及抢夺等多发性犯罪。此外，针对珠江三角洲地区的治安形势，坚决贯彻省委部署，精心组织打击“双抢”犯罪的专项斗争。

（2）经济犯罪。

从1982年起，广东省各级人民法院按照中共中央、国务院《关于打击经济领域中严重犯罪活动的决定》和全国人大常委会《关于严惩严重破坏经济的罪犯的决定》，结合本省、本地的实际情况，确定了具体的打击重点：一是坚决打击大肆进行经济犯罪活动，给国家和集体造成重大经济损失的犯罪分子；二是严惩那些以权谋私的犯罪分子；三是严惩诈骗数额巨大的犯罪分子；四是严惩盗窃公共财物数额特别巨大情节特别严重的犯罪分子。[①]

进入20世纪90年代以后，随着广东经济的迅猛发展，按照中央和省委、省政府整治市场经济秩序的工作部署，重点打击生产销售假冒伪劣商品、走私贩私、制贩假币、金融诈骗、虚开增值税专用发票、侵犯知识产权等严重扰乱市场经济秩序的犯罪活动。同时，依法惩治贪污、贿赂、挪用公款等职务犯罪。

各级法院在刑事审判中坚持质量第一原则，严把案件事实关、证据关、程序关和法律适用关，准确定罪量刑，尤其是严把死刑案件质量关，确保办成“铁案”。自2006年7月1日起，广东省高级人民法院依法对所有死刑二审案件实行开庭审理。坚持严惩与宽大相结合原则，对具有法定从轻、减轻或者免除处罚情节的，依法予以从轻、减轻或者免除处罚；对积极改造、有悔罪表现并符合法定条件的在押罪犯，依法予以减刑、假释。

---

① 广东省地方史志编撰委员会编：《广东省志·审判志》，广东人民出版社1999年10月版，第83～85页。

2. 民事审判。

改革开放初期，广东省各级人民法院审理的民事案件主要有：婚姻、房屋、债务、继承、山林水利、损害赔偿等案件。其中，以婚姻、房屋案件居多。在《民法通则》颁布前，广东省各级人民法院审理民事案件以国家政策和法律、法令为审判依据；1986年《民法通则》颁布后，以《民法通则》及各项法律、法令为准则。①

1980年广东各级人民法院开始建立经济审判庭，专门审理经济纠纷案件。此后，经济审判工作迅速发展。这一时期，广东省各级人民法院审理的经济案件主要有经济合同纠纷、承包合同纠纷、涉外涉港澳经济纠纷。

随着科学技术的发展、知识经济的兴起和经济全球化进程的加速，使知识产权司法保护的重要性和紧迫性日渐凸显。从1994年起，广东省高级人民法院以及广州等知识产权案件较多的中级法院相继设立了专司知识产权审判的知识产权庭。十多年来，广东法院公正高效地审理了一大批知识产权案件，在依法保护知识产权权利人的合法权益，制裁侵犯商标权、专利权、著作权等违法行为，维护正常的市场秩序，捍卫法律的尊严和彰显我国的法治形象等方面，都发挥了重要的作用。

2002年广东省高级人民法院启动机构改革，建立了大民事审判格局，将传统的民事、经济、知识产权、房地产等全部纳入民事审判的领域。广东各级法院全面落实为经济和社会发展服务的要求，大力加强民事审判工作，保护当事人合法权益，依法规范经济和社会活动秩序。这一时期，广东省各级人民法院审理的民事案件主要有：① 从妥善调处人民内部矛盾，维护社会安定团结，促进社会安定和谐的原则出发，依法妥善处理婚姻家庭、继承、民间借贷、侵权、损害赔偿等各种民事纠纷。② 高度重视对各类群体性纠纷案件的处理，对因企业转制、征地拆迁、商品房买卖、商铺租

---

① 广东省地方史志编撰委员会编：《广东省志·审判志》，广东人民出版社1999年10月版，第118~119页。

赁、拖欠外来工工资等涉及人数众多、社会影响大的案件，依法及时立案审理，避免矛盾激化，妥善解决纠纷，维护了当事人的合法权益和正常的社会秩序。③ 加强对国企改革案件的审判，积极稳妥地审理涉及国有企业兼并、重组、股份制改造、债转股、产权转让、破产等案件，依法促进国企改革的顺利推进。④ 加强对借贷、票据、证券、期货、保险和融资租赁等金融纠纷案件的审判，促进了防范和化解金融风险工作的深入开展。⑤ 进一步加大对知识产权的保护力度，依法保护知识产权人的合法权益，促进了科教兴粤战略的深入实施。⑥ 坚持主权原则、司法统一原则和非歧视原则，恪守我国参加和批准的国际条约，遵循国际惯例，依法审理涉外、涉港澳台商事及海商海事案件。

在民事审判工作中，广东法院坚持实体公正与程序公正并重原则，严格诉讼程序，规范质证、认证活动，确保准确认定案件事实、正确适用法律。同时，严格执行审限制度，强化对案件的流程管理，不断提高审判效率，及时有效地保护当事人合法权益。审理中大力加强诉讼调解工作，努力在自愿、合法的前提下促成双方当事人达成和解。

3. 行政审判。

行政审判工作是我国改革开放以来，人民法院承担的一项全新的审判任务。二十多年来，行政审判工作从无到有，从小到大，经历了不平凡的发展历程。1982 年起，人民法院根据《民事诉讼法（试行）》的规定，开始试行受理部分行政案件，为行政诉讼制度的建立提供了宝贵的经验。各级人民法院逐步建立了行政审判机构，为正式开展行政审判工作奠定了组织基础。1990 年 10 月《行政诉讼法》正式实施，是我国宪政建设、民主政治建设和民主法制建设上具有里程碑意义的一件大事，标志着我国行政诉讼制度正式建立。党的十五大提出了依法治国基本方略，并将这一治国基本方略写入宪法，成为一项重要的宪法原则，为行政审判工作提供了重要的宪法保障。随后，全国人大及其常委会先后颁布了《国家赔偿法》、《行政处罚法》、《行政复议法》等法律，国务院相继发

布《全面推进依法行政的决定》和《行政复议条例》，与行政诉讼相关的法律体系进一步完善。根据这些法律法规，最高人民法院制定了一系列重要的司法解释，进一步完善了行政审判制度。

《行政诉讼法》颁布十多年来，广东省法院在各级党委的领导、人大的监督和政府的支持配合下，按照依法治省工作的要求，大力加强行政审判工作，维护公民、法人和其他组织的合法权益，监督和支持行政机关依法行政，积极促进依法治省进程。按照《行政诉讼法》的规定及最高法院司法解释的要求，依照“依法、积极、稳妥”的方针审理各类“民告官”案件。在审理中，依法审查行政行为的合法性，促进依法行政。自中国加入世界贸易组织以来，重视做好对与“入世”相关的商标、专利复审等新型行政诉讼案件的审判工作，切实发挥好司法审查在维护国际贸易公平竞争和保护国家利益方面的作用，维护我国良好的对外法制形象。

广东法院克服工作新、人员少和执法环境差等困难，受理和审理了大量行政诉讼案件，为全面贯彻执行行政诉讼法，做了许多卓有成效的工作，取得了有目共睹的成绩。其中，在国内、国际上影响较大的大要案也有相当一批，如新光花园酒家诉广州市人民政府行政纠纷案，深圳贤成大厦有限公司、泰国贤成两家公司诉深圳市工商局、招商局行政纠纷案，广东省药材公司诉财政部国有资产管理行政纠纷案，香港昆利发展有限公司、香港晶泽有限公司、香港宗进国际发展有限公司诉湛江海关行政处罚案，蔡增雄诉拱北海关行政处罚案，茂南区州村、灯园村、富地坡村诉茂名市人民政府土地确权行政案等。通过对这些行政案件的审理，有效地促进了广东经济建设的发展，化解了社会矛盾，维护了社会稳定。

（四）审判制度创新

广东省是中国改革开放的前沿地区，经济发展迅猛，外来人口多，社会关系复杂，导致案件不仅数量多，而且新问题层出不穷，对法院的审判工作提出了较大的挑战。对此，广东省各级法院从维护司法公正出发，大胆创新，积极探索在法律规定的范围内实行改

革的新措施，以改革保公正，以改革促效率，以改革求发展，促进了法院工作的深入发展，保证了各项审判工作的健康发展，取得了较好的法律效果和社会效果。

1. 深化审判方式改革。

近年来，全省法院不断深化审判方式改革，全面落实公开审判制度，强化庭审功能，继续推行“控辩式”、“诉辩式”的庭审方式，逐步完善民事案件庭前证据交换制度，加大调节力度，依法扩大适用建议程序审理民事、刑事案件的范围，审判效率不断提高。

不断改革和完善审判管理制度，全面落实公开审判和公开执行原则，实行立审分立、审执分立、审监分立，推行审判流程管理制度，积极运用计算机和网络技术开展审判流程管理，强化对审判、执行活动的管理监督，建立起了权责明确、相互配合、相互监督、高效运转的审判运营管理制度，促进了工作质量和效率的不断提高。

积极开展审判组织改革，在明确合议庭和审判委员会的职责分工，逐步取消院长、庭长层层审批案件制度的基础上，全面完成了审判长选任工作，改革审判委员会工作制度，明确审判委员会的工作职责。深入开展裁判文书改革，努力增强裁判文书的说理性和公开性，试行裁判文书公开上网。

在深化审判方式改革上，广东法院涌现出了一批在在全国具有首创性或重大影响的做法，其中具有代表性的有：

（1）裁判文书上公开法官意见。

自 1999 年起，广州海事法院率先在全国尝试在裁判文书上公开法官意见的做法。先是在部分判决书中试行公布少数意见，到 2000 年开始全部实行。后来，不但公布少数意见，而且连持该意见的每一名审判员的名字都予以公布。其特点是：先记载合议庭多数意见，表述为“审判员某某、某某认为”，后记载合议庭少数意见，表述为“审判员某某认为”，最后在判决部分记载“合议庭根据多数意见做出如下裁判”等。广州海事法院的这种做法在全国具有重大影响，得到了最高人民法院的肯定。最高法院万鄂湘副院长2003年在广州海事法院视察时指出，在中国，海事、涉外经济案件的裁判文书公开合议庭法官的意见是对整个司法体制的突破性改革，意义十分重大。①

此外，广州海事法院的庭审记录系统和法律文书数据库的建设在全国法院系统也是首创，受到最高人民法院的肯定和推广。庭审记录系统是以多媒体技术为基础的智能数字系统，采用先进的音频视频数字处理技术，对庭审现场作出客观真实记录，确保了开庭审判记录的客观公正，进一步增强了公开审判的透明度。裁判文书数据库涵盖了广州海事法院建院以来已结案的全部一审和二审裁判文书，具备快捷搜索和高级搜索功能，成为法官审判和调研的重要辅助工具。

（2）知识产权的“三审合一”审判方式。

长期以来，知识产权刑事、民事和行政审判分属不同的审判庭，不但裁判尺度不易统一，而且给当事人造成诉累。深圳市南山区人民法院自2004年起，在某些知识产权案件中实行由知识产权民事法官与刑庭法官或行政庭法官临时联合组成合议庭的“三审合一”松散型审理方式，取得了良好的审判效果。该模式为南山区人民法院首创，被称为“南山模式”。②

从2006年7月1日起，广州市天河区、深圳市南山区和佛山市南海区人民法院这三家基层法院被指定为知识产权刑事、民事、行政审判“三审合一”审判方式改革试点法院。这三家法院将在知识产权民事审判庭的基础上，重新构建知识产权庭，集中负责审理知识产权刑事、民事和行政案件。知识产权审判庭应当至少配备一个合议庭。合议庭成员应由具有比较丰富的刑事、民事、行政审判经验的审判人员组成。合议庭成员可以按照各自专业背景、审判经历等分别负责承办知识产权刑事、民事和行政案件。每个合议庭

---

① 《判决书改革力促透明审判　让害群之马无法卸责》，《瞭望东方周刊》2005年7月6日。

② 肖海棠：《关于知识产权审理模式的探析与思考——以广东知识产权审判为视角》，《电子知识产权》2006年第10期。

应当至少配置1名司法辅助人员（法官助理或书记员）。

知识产权审判庭负责审理以下知识产权案件：① 知识产权民事案件。除专利、植物新品种、集成电路布图设计纠纷之外，争议金额不满200万元，案情简单，社会影响不大的知识产权民事案件。② 知识产权刑事案件。假冒注册商标罪，销售假冒注册商标的商品罪，非法制造、销售非法制造的注册商标标识罪，假冒专利罪，侵犯著作权罪，销售侵权复制品罪，侵犯商业秘密罪，与侵犯知识产权有关的非法经营罪及其他侵犯知识产权的犯罪。③ 知识产权行政案件。根据《行政诉讼法》和最高人民法院有关司法解释规定由基层法院受理的知识产权行政案件。

开展知识产权审判“三审合一”审判模式改革意义重大：在三大诉讼法的基本框架内，通过优化人员结构和对审判职能进行合理分工，成立专门的知识产权庭，负责统一审理刑事、民事和行政知识产权案件，实现知识产权的立体司法保护。这对于保证知识产权案件司法尺度统一，提高知识产权司法保护的能力和水平及提升国际形象产生积极影响。同时，也可以为国家知识产权保护机关提供交流、分享、宣传知识产权司法保护信息的平台，从而促进知识产权的司法保护。

（3）推行死刑案件二审开庭审理工作。

最高人民法院于2005年12月发出了《关于进一步做好死刑第二审案件开庭审理工作的通知》，明确死刑二审开庭不能简单重复一审程序等要求。广东省高级人民法院根据最高人民法院的要求，认真推行死刑案件二审开庭审理工作。

在总结二审开庭审理工作经验的基础上，广东省高级人民法院进一步改革和完善二审开庭程序，研究和规范死刑案件二审开庭审理相关工作，加大调研和指导力度，及时研究制定了《关于死刑上诉案件二审开庭审理工作规程（试行）》、死刑二审案件开庭审理工作流程图、七种二审开庭案件文书样式等规范性文件，开全国之先例，为二审开庭提供了必要的指导，受到最高人民法院的充分肯定，相关规范性文件被刊载供全国法院参考。

该工作规程明文规定二审法院对死刑案件二审应开庭审理，且不受上诉人及上诉范围的限制，应对一审判决认定的事实和适用法律进行全面审查。此外，该工作规程还对死刑二审案件开庭审理的方式、重点宣读的判决书内容、庭审的重点、举证和质证的方式等事项作了较为清楚的规定。

自2006年7月1日起，广东省高级人民法院对所有死刑二审案件全面实行开庭审理。与此同时，广东省高级人民法院主动与广东省人民检察院、公安厅、司法厅沟通，初步建立起相互协调、相互制约的工作机制；积极推行死刑案件的证人和鉴定人出庭制度，贯彻落实好保障被告人人权的各项制度。

对所有死刑二审案件全面实行开庭审理意义重大：最大限度发挥第二审法院的把关作用，纠正错误判决，防止冤错案件发生，有利于依法准确惩罚犯罪，有利于加强司法领域的人权保障，也有利于从制度上保证死刑判决的公正和慎重。

（4）运用协调方式解决行政争议。

近年来，在行政审判实践中，由于城市拆迁、征地补偿等行政案件大量增加，一些行政案件呈现出当事人之间矛盾容易激化，容易导致群体性事件等不良社会效果的特点。然而，根据我国行政诉讼法的规定，人民法院审理行政案件不适用调解，因此裁判很难从根本上解决纠纷，往往是“官了民不了”、“案结事未结”，社会效果并不理想。有鉴于此，广东省在全国范围内率先出台《广东省高级人民法院关于行政案件协调和解工作若干问题的意见》，并于2006年12月25日起在广东全省试行。

该意见要求行政案件协调和解应当符合“三性”：一是合法性，协调和解应当在对被诉具体行政行为进行合法性审查的基础上，查清事实、分清是非，根据自愿、合法的原则进行；二是灵活性，只要有利于促使和解达成，可以采取灵活多样的方式进行；三是实效性，达成和解协议的案件，在送达裁定书结案之前，应当尽可能使协议的各项内容得以落实，真正做到“案结事了”。

该意见还设计了许多具有突破性意义的制度，是一个全新的尝

试。其核心内容有二：一是关于协调结案的方式。行政案件除了单独提起的行政赔偿案件以外，人民法院不得制作行政调解书并以行政调解的方式结案，而且，二审或者再审程序中，通过协调，原告申请撤诉，应如何结案，目前法律没有作出相应规定。而该意见规定，法院可用裁定撤销原审裁判，以准许一审原告撤回起诉的方式结案，既符合相关法律的规定，也方便了当事人。二是关于和解协议的落实。由于行政案件通过协调达成的协议无法像民事审判一样，用调解书的形式将协议的内容以法律文书的形式确定下来，因而和解协议主要靠各方自觉履行，目前并不具有法律约束力。一旦当事人任何一方反悔不履行和解协议，法院不能强制执行，容易形成尴尬局面。该意见强调各级法院在送达裁定书之前要慎重考虑协议的履行情况，尽可能促使协议各方在送达裁定书之前履行完毕各自的义务，以实现协调的最终成效。①

该意见的试行使行政案件和解协调程序得到规范，为全省各级法院进一步开展协调和解工作提供依据，在全国具有重大的影响。更为重要的是，运用协调方式解决行政争议，充分发挥行政审判职能作用，为构建社会主义和谐社会提供了有力的司法保障。

2. 深化再审诉讼制度改革。

随着改革的深入和经济、社会的发展，各类矛盾和纠纷大量发生，表现在审判监督领域，就是当事人或案外人通过各种途径申诉、申请再审大量增加，“申诉难”的问题进一步突出。广东省作为改革开放的前沿阵地，这一问题尤为明显。由于现行立法对审判监督程序仅有原则性规定，未能根据审判监督程序的特点设立相应独立、明确、具有可操作性的程序，导致各地法院实际操作中在立案标准、是否开庭、是否进行证据交换等问题上做法不一，也导致一些案件多次申诉、多次再审。

胡锦涛总书记在十六届三中全会上要求解决好老百姓“打官

① 《广东省就行政案件协调和解出台意见》，参见 http://www.chinalaw.gov.cn/jsp/contentpub/browser/contentpro.jsp?contentid=co1047616326。

司难”的问题，最高人民法院肖扬院长指示要“把切实解决一些群众申诉难的问题放在重要位置”。2003年在深圳召开的全国法院审判监督工作座谈会，明确提出要完善再审程序，通过改造现行审监程序，构建再审之诉，将现行的带有行政化色彩的申诉与申请再审模式诉权化、程序化、法定化。为此，广东省高级人民法院在参考、借鉴其他兄弟省市制定的有关规定和外国的再审制度，广泛征求全省各中院和部分基层法院的意见，以及有关学者和有关部门意见的基础上，经过反复讨论，于2004年10月制定实施了《再审诉讼暂行规定》。

《再审诉讼暂行规定》分一般原则、管辖、申请与立案、审判、附则五个部分。一般原则部分主要规定了再审诉讼的概念、再审立案的标准、中止执行的条件、再审诉讼的法律适用及再审次数等内容。管辖部分主要规定了由作出原生效裁判的法院受理的原则。申请与立案部分主要规定了有权申请再审的主体、申请再审的期限及请求范围、申请再审案件应具备的程序方面或实体方面的条件、不予再审的情形、法院立案庭审查材料的期限等内容。审判部分主要规定了审理范围、是否开庭、提交审委会讨论情形、审理期限等内容，并对刑事、民事、行政案件依法应予改判与裁定终结再审诉讼等情形分别作了具体规定。附则部分规定了该暂行规定的适用范围等内容。

《再审诉讼暂行规定》确定了“有诉必理”、“可能有错立案”、“确有错误依法纠正”等原则，从再审诉讼的一般原则、管辖、申请与立案、审判等方面对申请再审的主体和期限、申请再审案件的管辖、裁定立案再审的条件、再审改判的条件等作了详细规定，明确了可以进行再审程序的六类案件45种情形和不予再审的17种情形；创造行地提出把“可能有错”确定为再审立案的标准，克服了原再审立案标准要求原生效判决“确有错误”标准过高、将立案标准与再审标准混同的缺陷，降低了进入再审的门槛，拓宽了当事人申诉进入再审的渠道，依法保证了当事人的申诉权，为解决“申诉难”提供了制度依据。同时，赋予案外人申请再审的权利，

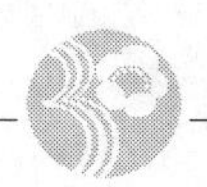

让案外人直接介入到原生效裁判的再审之中，有效保护其合法权益；规定进行再审后，当事人提出中止执行申请并提供足额财产担保的，人民法院可以决定中止执行，克服原作出再审裁定一律中止执行的做法可能导致当事人滥用再审申请权损害对方当事人权利的弊端。

《再审诉讼暂行规定》的制定在全国属首创，保障了当事人的申诉、申请再审权，是深化审判监督改革，实现申诉与申请再审模式诉权化、程序化、法定化的积极探索，在全国反应良好，得到了社会各界的普遍肯定，评价“为解决老百姓申诉难找到了一条好的出路”。2005 年 11 月，在广州召开的全国法院审判监督工作座谈会上，最高人民法院审监庭庭长宫鸣以“当事人申诉、申请再审的权利得以保障，申诉难的局面得以改变，再审诉讼机制得以规范，司法为民的宗旨得以彰显”对《再审诉讼暂行规定》的制定与实施给予高度评价。[①]

3．深化执行工作改革。

1999 年以来，广东省各级人民法院深入推行执行工作改革，不断探索解决“执行难”问题的新思路、新办法，执行工作改革取得了显著的成绩。

（1）不预收执行费。

执行难，一直是人民群众反映强烈的老大难问题。打赢了官司，要向法院申请执行，按现有规定需预交申请执行费以及实际执行费。而不少案件因找不到欠债人或欠债人无法还债，当事人交了诉讼费、执行费之后却无法追回全部欠债，甚至是“颗粒无收”。

为维护当事人的合法权益，减少当事人不必要的诉讼支出，维护人民法院公正执法形象，不收取实际不能执行的案件的申请执行费，取信于民，根据《民事诉讼法》、最高人民法院《人民法院诉讼收费办法》和《〈人民法院诉讼收费办法〉补充规定》以及《最

① 陈冰等：《建立再审之诉制度的实践探索与思考》，《法律适用》2006 年第 7 期。

高人民法院关于对经济确有困难的当事人予以司法救助的规定》等法律法规的规定，结合广东省法院执行工作实际，2001年广东省高级人民法院出台了《关于执行案件不预收申请执行费以及对经济确有困难的当事人提供司法救助的暂行规定》。

该暂行规定主要包括以下五个方面的内容：① 明确确定了人民法院受理执行案件时，一律不向申请执行人预收申请执行费的原则。② 确定了以实际执行到的执行款项为基数计算相应的申请执行费数额的原则。③ 规定了人民法院裁定以物抵债后中止、终结执行的案件收取申请执行费的具体办法。④ 规定了对经济确有困难的当事人给予司法救助的具体做法。⑤ 规定执行法院必须严格按照最高人民法院规定的范围和实际支出费用数额，收取实际执行费，不得变相增加收费标准和收费项目。

该暂行规定的出台具有重大意义：首先，申请执行费变“事前收费”为“事后收费”，即立案时法院不预收申请执行费，而且一改以执行标的作为计费基数的旧做法，以实际执行到的款项为基数计费。这样，申请执行人一旦“颗粒无收”，申请执行费一分钱也不用交。此举属开全国先河的突破性改革。其次，执行案件的当事人确有困难的，可减交或免交申请执行费。据估算，此项改革实施后，广东全省法院收取的申请执行费一年将减收数亿元，也就是说，当事人因此而减负数亿元！有关人士认为，这是广东省法院一项了不起的“民心工程”，因为改革实际上就是法院减收、群众减负。①

（2）摇珠选定评估、拍卖等中介机构。

在执行中委托评估、拍卖被执行人财产，是人民法院依法独立行使执行权的一项重要司法活动，是人民法院落实“公正与效率”主题，取信于民的“窗口”。人民法院在执行阶段委托评估、拍卖的特定标的物不同于市场经济条件下自由交易的物，具有行政机关不具有的强制性，是保障国家利益和法人、个人合法权益实现的法

① 《不预收申请执行费　广东法院救助弱者》，《北京晨报》2001年12月30日。

律手段。但是，由于法律相关规定不明确，特别是具体操作中，让哪个中介机构参与基本上由法院的有关人说了算，导致“暗箱操作”盛行，不利于廉政建设和司法公正。

2000年广东省高级人民法院出台了《关于人民法院委托评估、拍卖工作若干问题的暂行规定》，在全国率先采用公开摇珠选定法选择评估、拍卖机构，全面规范委托评估工作。2002年，为了防止有些办案人员与评估、拍卖机构以及当事人串通在一起，以协商一致为名，指定评估、拍卖机构牟取私利，广东省高级人民法院出台了《关于进一步规范全省法院委托评估、拍卖工作的通知》，不再允许当事人协定指定评估、拍卖机构，一律通过摇珠选定。

近年来，中介机构参与破产清算是广东各地法院在破产审判工作中为实现公正与效率的司法目标而采取的一项新举措。但由于司法解释的规定过于原则，各地法院实际执行情况不太一致，特别是破产合议庭直接指定中介机构参与破产清算，使破产清算过程中容易出现道德风险。为了解决这些问题，2006年广东省高级人民法院出台了《关于规范破产清算工作若干问题的暂行规定》，将摇珠选定法运用于参与破产清算的中介机构的选择。具体而言，破产清算组聘请的所有中介机构（包括会计师事务所、律师事务所等），一律在法院公布的司法委托中介机构名册中通过摇珠随机选定。这不仅能够减轻法院监督的工作量，将破产清算的具体繁杂事务交由破产清算组聘请的中介机构办理，使法院从繁杂的清算事务中解脱出来；最重要的是，至少在程序上能使法院更加明显地处于居中裁判的中立地位，从而使破产审判程序更趋于公正合理，进一步提高破产清算的效率和公信力。

4. 积极探索少年审判制度。

近年来未成年人违法犯罪案件呈不断增长之势，现有的普通审判程序难以适应青少年审判的司法特性，同时也未体现对青少年的人文关怀。为全面维护未成年人合法权益，预防和减少未成年人违法犯罪，2005年10月，最高人民法院发布的《人民法院第二个五年改革纲要》中明确提出“完善审理未成年人刑事案件和涉及未

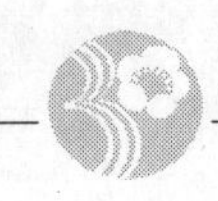

成年人权益保护的民事、行政案件的组织机构”的改革任务。对此，广东省高级人民法院于2006年制定下发《关于进一步加强少年法庭工作的指导意见》，明确了加强少年法庭工作的任务要求和具体措施。全面落实教育为主、惩罚为辅的少年审判政策。进一步改进少年法庭审判方式，积极推广“圆桌审判”、庭前社会调查报告、社会服务令、监管令等项制度，积极建立与工、青、妇等部门的协调联系机制，在全社会营造保护未成年人合法权益的法制环境。

2006年12月，广州中院在全国率先成立了办理各类涉及未成年人案件的独立建制的综合审判庭，其收案范围包括刑事、民事和行政三大部分：其一，被告人为未成年人的刑事案件、被害人为未成年人的刑事附带民事诉讼案件；未成年罪犯的减刑、假释案件。其二，当事人一方或双方为未成年人的民事案件；涉及未成年人权益的抚养纠纷案件（除婚姻案件外）；涉及未成年人权益的探视子女权纠纷案件（除婚姻案件外）。其三，当事人为未成年人的行政案件。少年审判庭对未成年人刑事案件和涉及未成年人权益的民事、行政案件进行“三审合一”的审判模式，根据未成年人身心特点，积极探索教育式、维权式的专业审判方式，最大限度地保护未成年人的合法权益，有效预防和减少未成年人违法犯罪。

少年审判庭在随后的实践中摸索出一套具有鲜明特点的少年司法工作体系：

第一，圆桌审判方式。审理未成年人案件采用圆桌审判方式。在法庭里，中央是一张椭圆形的会议桌，法官、公诉人等分别坐在桌子的一边，整个法庭布置色调温和，审判过程像在开会一样的氛围中轻松完成。未成年被告人将被去掉手铐等械具，与其监护人、辩护人甚至帮教老师坐在一起。

第二，“四分开”制度。在少年刑事司法中，从羁押到审判都由专门的机构、专门的人员在专门的地方进行，在公安阶段实行“分开羁押、分开预审”，在检察阶段实行“分开批准逮捕、分开审查起诉”，在法院阶段实行“分开审理”，在监狱劳教机构实行

“分开劳教”。

第三，全面保护体系。在审理民事、行政案件从诉前、诉中、诉后，都始终以未成年人为中心，根据他们的身心特点，给予不同于成年人的特殊保护。尽量将司法机器的负面影响降到最低程度。

第四，社会矫正制度。在少年刑事司法中始终坚持惩罚是手段，帮教是目的的宗旨。少年审判庭对违法犯罪少年的帮助爱护和教育感化延伸至庭后，法庭的职责不仅仅是审判，更要做好案件审结之后的帮教工作。

第五，社会观护员制度。社会观护员是来自法院委托和聘请的由热心青少年工作的社会团体、组织、人士组成的“少年法庭之友”。对未成年人民事案件中涉及未成年人的抚养权、监护权、人身健康等合法权益的保护问题，由社会观护员对涉案的未成年人进行社会调查、关心及保护。所涉及观护的未成年被告人的家庭、街道、居委（社区、学校），应配合实施观护的社会观护员，提供其工作方便。对于不予以协助的上述单位，必要时由人民法院出面协调。

广州市中级人民法院在少年法庭建设工作中，锐意进取，保障有力，初步形成了一整套的工作机制，无论从法庭硬件建设还是审判人员配置上，都走在了全国前列，在全国引起了较大的反响，得到了最高人民法院的充分肯定。

（五）重大案件审理

改革开放以来，广东各级法院牢固树立为改革、发展、稳定服务的指导思想，强化保障和服务职能，先后审判了张子强等特大跨境犯罪案、湛江“9898”特大走私受贿系列案、广东国投破产案等一批在国内外具有重大影响的案件，充分发挥法院的审判职能，维护社会稳定，为经济发展提供司法服务和保障。与此同时，法院在审理过程中创造性地解决了大量的新问题或疑难问题，为今后审理类似的案件或立法提供了宝贵的经验。

1．张子强等特大跨境犯罪案。

该案是1997年香港回归祖国后，由内地审判机关审理的涉及不同法域的重大刑事案件，其中有18名罪犯是香港居民，案情特别复杂，境内外高度关注，被海内外媒介称为“世纪大审判”。

1998年10月30日，广州市中级人民法院对张子强等36名被告人非法买卖、运输爆炸物、抢劫、绑架、走私武器、弹药、非法买卖、运输枪支、弹药、私藏枪支、弹药、窝赃一案作出一审判决。其中，对被告人张子强以非法买卖爆炸物罪，判处死刑，剥夺政治权利终身；以绑架罪，判处无期徒刑，剥夺政治权利终身，并处没收财产人民币6.62亿元；以走私武器、弹药罪，判处无期徒刑，剥夺政治权利终身，并处没收财产人民币10万元。决定执行死刑，剥夺政治权利终身，并处没收财产人民币6.21亿元。

一审宣判后，被告人张子强等不服，提出上诉。上诉人张子强及其辩护人称：本案犯罪行为实施地在香港，侵犯的客体是香港居民的人身权和财产权，应由香港法院管辖，一审法院管辖不当；张子强购买爆炸物只与钱汉寿联系，不应对全案负责；原判非法买卖爆炸物罪的量刑偏重；原判认定的绑架罪证据不足，申请二审调取被害人陈述、同案人供词及有关物证；走私武器弹药行为只是绑架罪的预备行为，不应单独定罪；张子强检举了他人偷越边境、抢劫香港金行、贩毒等多宗犯罪线索，具有立功表现，应当从轻处罚。

经审理查明，广东省高级人民法院认为：

本案指控的犯罪，有些犯罪行为虽然是在香港实施，但是组织、策划等实施犯罪的准备工作，均发生在内地；实施犯罪所使用的枪支、爆炸物及主要的作案工具均是从内地非法购买后走私运到香港，依照《中华人民共和国刑事诉讼法》第二十四条的规定，内地法院对本案依法享有管辖权。

上诉人张子强是非法购买爆炸物的货主和策划、指挥者，钱汉寿参与密谋并负责购买、运输，二人在共同犯罪中起主要作用，均是主犯，应按照其所组织、指挥或参与的全部犯罪处罚。原判量刑适当。张子强及其辩护人认为张不应对全案负责，没有依据。

上诉人张子强在两次绑架犯罪中均提起犯意，并出资购买作案

工具，且分占巨额赎金。这些情节有本人和同案人的供述及指认密谋地点、绑架现场、作案工具、被害人开出的提款汇票及授权书等证据证实，足资认定。张子强在实施绑架的共同犯罪中起组织、指挥作用，是主犯，应当按照其所组织、指挥的全部犯罪处罚；原判量刑适当。张子强及其辩护人上诉认为认定绑架罪的证据不足，申请调取新的证据，理由不能成立。

上诉人张子强等违反海关法规，逃避海关监管，携带枪支、弹药偷运出境，其行为构成走私武器、弹药罪，情节特别严重。在共同犯罪中，张子强起组织、指挥作用，是主犯，应当按照其所组织、指挥的全部犯罪处罚。张子强及其辩护人上诉认为走私武器、弹药是为了实施绑架犯罪，应当被绑架罪吸收，不能独立定罪的理由，不能成立。

张子强的辩护人认为张子强在二审期间检举他人的犯罪线索，有立功表现，应当从轻处罚一事，广东省公安厅刑侦局证实，张子强的检举均无法查证，不构成立功。

综上所述，一审判决认定事实清楚，证据确凿、充分，定罪准确，对上诉人张子强等的量刑适当。上诉理由及其辩护人的辩护理由不能成立，应予驳回。据此，广东省高级人民法院依照《中华人民共和国刑事诉讼法》第一百八十九条第（一）项的规定，于1998年12月4日判决：维持一审对上诉人张子强等的判决。依照《最高人民法院关于授权高级人民法院核准部分死刑案件的通知》的规定，广东省高级人民法院在终审判决中同时核准了判处上诉人张子强等死刑，剥夺政治权利终身的刑事判决。

一、二审宣判后，广东省市两级法院分别召开了情况介绍会，向海内外新闻媒介通报了案件的审理情况，扩大了社会影响。案件从检察机关起诉到二审宣判执行死刑，历时68天，努力做到既准又快，充分体现人民法院审判大要案件的高效率和依法从重从快打击暴力犯罪的坚强决心，维护社会主义法制的威严。

2. 湛江“9898”特大走私受贿系列案。

代号“9898”的湛江特大走私案是由党中央、国务院直接领

导，中央纪委牵头指挥查处的新中国成立以来走私额最大、涉及执法监管部门人员最多的一起严重经济犯罪案件，号称20世纪的“世纪大案”。1998年9月，由中央纪委牵头的联合工作组，在中共广东省委、省人民政府的支持配合下，奔赴湛江开展查案工作。到1999年5月，基本查清了湛江特大走私、受贿案的案情。以李深、林春华、陈励生等人为首的走私团伙，从1996年初至1998年9月，大肆走私汽车、钢材、成品油等货物，案值达110亿元，偷逃国家税收62亿元。本案涉案人员331人，牵涉公职人员259人，其中厅局级干部16人，处级干部45人，科级干部64人，湛江市委、海关、边防、商检、港务等部门“一把手”均被拉拢腐蚀。

1999年4月，案件由检察机关起诉到法院后，广东省高级法院对审判工作精心组织，精心督办、指导，确保依法公开公正审判。由于涉案人员较多，依据法律规定，广东省高级法院指定广州、湛江、茂名、深圳、佛山五个市中级法院分别负责案件的审判。各院都安排主管副院长担任审判长，选派得力审判人员组成合议庭，严格依法进行审判，确保办案质量。

五家法院先后于1999年6月初和9月初两次公开审判共80人。走私团伙头目李深、张椅、林春华、邓崇安，湛江海关原关长曹秀康、原调查处处长朱向成被依法判处死刑；湛江市原市委书记陈同庆、原副市长杨婚青，茂名海关原关长杨洪中，湛江边防分局原局长邓野及原政委陈恩，走私团伙头目和骨干陈励生、姜连生、李勇、林柏青分别被判处死刑，缓期两年执行；其他走私分子被判处有期徒刑。

湛江特大走私、受贿案的审判在国内外产生了强烈的反响，意义重大：不仅使涉案犯罪分子受到了法律的严惩，而且表明了人民法院秉公执法、公正办案的决心——正如广东省高级人民法院吕伯涛院长在宣判后的讲话中所强调的，对于为谋取暴利而利用各种手段进行走私的犯罪分子，以及利用职务和工作之便，为走私活动提供便利、充当“保护伞”，从中收受贿赂的犯罪分子，无论是什么人，职位有多高，人民法院坚决贯彻依法从严的方针，充分运用法

律规定，该重判的重判，该判死刑的依法判处死刑，决不手软。

3．广东国投破产案。

该案是我国第一起非银行金融机构破产案，也是全国法院迄今为止受理的一宗最大的破产案件，所涉及境内外债权人数众多，破产财产数额特别巨大，破产清算工作非常复杂、艰巨。党和国家领导人高度重视，指示要依法、按规、参照国际惯例审理好广东国投破产案。

广东国投曾是一家拥有外汇经营权的非银行金融机构，进入20世纪90年代，特别是1977年下半年亚洲金融危机爆发以来，由于经营管理混乱，出现了严重的外债支付危机。为保护债权人的合法权益，中国人民银行于1998年10月6日决定关闭广东国投，并由中国人民银行组织清算组，对该公司进行关闭清算。鉴于广东国投严重资不抵债，不能清偿到期境内外巨额债务，经报国务院同意，由主管部门广东省政府和中国人民银行批准，原广东国投及其全资子公司广东国际租赁公司、广信企业发展公司、广东国投深圳公司于1999年1月11日分别向广东省高级人民法院，广州、深圳市中级人民法院提出破产申请。

广东国投进入破产程序时，共有494家境内外债权申请人申报债权，申报债权总额为人民币467亿多元。面对广东乃至全国法院都从未遇到过的大案，省法院创造性地确定了“一带三”的审理格局，即一个母公司和三个全资子公司，分别由省法院和广州、深圳两个中院审理。针对前来申请的境内外债权人有近500名的情况，省法院参照国际惯例创造性地设立了由债权数额最大的九家债权人组成的债权人主席委员会（其中六家为境外债权人）。不但提高了破产清算工作的透明度，而且完善了债权人利益保障机制，同时也从制度上维护了债权人的利益。为了保证破产清算工作的公正性和权威性，最大限度地保护境内外债权人的合法权益，破产清算组聘请了国际知名、并在国内有法定资格的中介机构毕马威华振会计师事务所、开士打律师行参与破产清算工作和境外法律事务，聘请广东君信律师所负责境内法律事务。

此外，在省法院的统一组织指挥下，采取集中委托执行的办法，指定债务人所在地58个法院负责追收广东国投等四家破产企业的对外债权和投资权益。共执行案件280多件，涉及金额近180亿元，此举使得债权人的利益得到最大的保护，也有效缩短了办案期限。

经过四年的努力，广东国投破产案终于在2003年2月28日依法终结破产程序，实现了较高的债权清偿率，受到中外当事人的广泛好评。境内外几十家新闻媒体竞相作了报道，称“这是中国破产债权清算率最高的经典案例”、“四年就能了结，充分证明了中国司法的高效率”。3月28日，最高人民法院院长肖杨对该案作了重要批示，称赞广东法院不负重托，不辱使命，向国人、世人证明，中国法院和法官是能够办理高难度案件的。4月9日，最高人民法院在广州隆重召开审理广东国投破产案有功集体和个人表彰大会，对审理该案的7个集体和37名个人予以记功表彰。

第四章
司法行政与法治国家
——30 年来的广东司法行政建设

一、司法行政与法治国家建设

(一) 司法行政的性质与概况

司法在整个法律制度中是非常重要的一环，是激活文本上的法律进而转化为“活的法律”的必需阶段。“司法体制”通常是一个含义较为广泛的说法，其既包括狭义上的司法审判机构，如法院，也包括行使检察权的检察院，还有保障国家公共安全的专门机关，如警察机构，另外还包括司法行政机关，如司法局。司法行政实际上是整个司法体制中的一个组成部分。在我国，司法行政机关是国家政权的重要组成部分，在司法体系和法制建设中占有重要地位。我国司法行政机关具有双重属性：一方面，其具有国家行政机关的性质，行使与司法相关的行政管理权；另一方面，它又具有司法机关的属性，承担辅助国家司法职能实施的具体任务，如刑罚的具体执行。

1949 年 10 月 30 日，根据当时的《中央人民政府组织法》设立了中央人民政府司法部，这可谓中国司法行政体制建设的开端。之后，在 1954 年改称为中华人民共和国司法部，同时在各大行政区成立了行政区司法部，大行政区撤销后，又陆续建立了省、自治区、直辖市司法厅、局，地区、市一级设有专管司法行政工作的机构。1959年，由于历史上的各种复杂原因，全国司法行政机关全部被撤销，直到1979年9月召开的第五届全国人民代表大会常务委员会第10次会议决定，加强司法行政工作，重建司法部；同年10月，中共中央和国务院发出《关于迅速建立地方司法行政机构的通知》，由此，我国的司法行政工作揭开了健康发展的新篇章。目前我国司法行政体制的具体设置是，国务院下设司法部，主管国家的司法行政工作。各省、自治区、直辖市设司法厅（局），省辖市和自治区辖市、地区、自治州、盟设司法局（处），县、市、市辖区、旗设司法局。城市街道和县属区、乡、镇设司法助理员。

司法行政机关的任务和职责随着国家形势的发展和需要不断变化。目前，司法行政机关承担的任务和职责主要有11项：① 监督和指导全国监狱执行刑罚、改造罪犯的工作，监督和指导全国劳动教养工作；制定全国法制宣传教育和普及法律常识规划并组织实施，指导和检查各地区、各行业的依法治理工作，指导对外法制宣传工作，管理法制报刊；监督和指导全国的律师工作和法律顾问工作，管理社会法律服务机构和在华设立的外国（境外）律师机构；监督和指导全国公证机构和公证业务活动，负责委托港澳地区律师办理在内地使用的公证事务；指导全国的人民调解和司法助理员工作；管理部直属的高等政法院校，指导全国的中等、高等法学教育工作和法学理论研究工作；组织参加联合国有关预防犯罪领域的会议和活动，承办联合国有关对口部门的往来业务，组织参加国际有关人权问题的法律研讨和交流活动、开展政府间的法律交流与合作；参加与外国签订司法协助协定的谈判，负责国际司法协助协定执行的有关事宜；参与国家立法工作，组织司法领域人权问题研究；监督大型监狱、劳动教养场所国有资产的保值增值，管理直属单位的国有资产；指导全国司法行政系统的队伍建设和思想政治工

① 摘自司法部网站，“司法行政工作简介”网址为 http://www.legalinfo.gov.cn/moj/leader/2006-04/30/content_20396.htm，截至2008年1月18日。

作，协助省、自治区、直辖市管理司法厅（局）领导干部。

（二）司法行政与法治国家

司法行政机构作为兼具司法和行政双重职能的重要机关，对于法治国家的建设具有重要意义，而实际上其也的确在我国社会经济发展中发挥了重要积极作用。近60年来，特别是改革开放30年来，我国各级司法行政机关为法治国家建设作出了巨大贡献，司法行政各项业务工作不断蓬勃发展。目前，全国已建成20所部级现代化文明监狱、15所现代化文明劳教所，罪犯、劳教人员改好率达90%以上，重新犯罪率为8%，我国成为世界上重新犯罪率最低的国家之一。律师制度的改革推动了律师行业的发展，全国已有律师事务所11691多家，专、兼职律师11.8万多人。① 各级公证机构达3179个，业务范围扩大到200多项。全国恢复和新建普通法律院校（系、专业）333所（个），新建地方成人政法院校29所，新建司法学校、监狱警校53所。从1986年开始的全民普法教育，使全国8.1亿普法对象中的7.1亿人接受了各种形式的法制教育。依法治理是实现依法治国的必由之路，目前全国已有27个省（自治区、直辖市）、185个地级市、1686个县（市、区）及65%的农村、工厂、学校、街道等基层单位和100多个行业、部门、总公司开展了依法治理工作。全国已建成乡镇司法所33290个，成立了98.4万个基层人民调解组织，917.5万名调解人员是社会治安综合治理的第一道防线；全国建立基层法律服务所35873家，拥有基层法律工作者118359人。正在各地推广的“148”法律服务专用电话是司法行政工作又一道亮丽的风景线。至1999年8月，全国有198个地

① 截至2005年，我国执业律师已达11.8万多人，其中专职律师103389人，兼职律师6841人，公职律师1817人，公司律师733人，军队律师1750人，法律援助律师4768人。另外，还有律师辅助人员3万多人。具有本科以上学历的律师已占律师总数的64.6%，其中，研究生以上学历的律师已经超过1万人，同时，律师执业组织形式逐步完善，全国共有律师事务所11691家，其中合伙律师事务所8024家，合作律师事务所1746家，国家出资设立的律师事务所1742家。截至2005年6月，数据来源司法部网站 http://www.legalinfo.gov.cn/moj/lsgzgzzds/2005-06/14/content_154886.htm。

（市、州）、2508个县（区、市）已经开通这一电话专线，共计6000多条。另外，全国有29个省（自治区、直辖市）、15个省级市以及196个地市、601个县（区、市）已经建立法律援助机构。在司法外事领域，我国已与30多个国家签订了46项司法协助条约和引渡条约，其中31项已经生效。①

随着社会法制环境的发展变化，对于司法行政工作也不断提出了新的要求。目前，依法治国，建设社会主义法治国家，已经成为一项基本国策和国家治理的基本策略。坚持依法治国基本方略，树立社会主义法治理念，弘扬法治精神，对实现国家各项工作法治化至关重要。法治精神，乃是指坚持法律至上，尤其是宪法和法律至上，要把法治理念和现代法治思想内涵全面落实到立法、行政、司法、法律监督、公民行为等各个方面、各个环节上，以实现建设法治国家的目标，进而全面促进社会文明进步和谐。建设法治国家、发展和谐社会，这都需要司法行政工作的积极作用。“司法行政工作与依法治国有着内在的必然联系。司法行政工作是依法治国系统工程的有机组成部分，司法行政机关的职能基本上都与依法治国有关。”② 司法行政系统作为社会大系统的重要组成部分，司法行政机关是依法行使国家司法行政权力、对国家司法行政事务进行组织和管理的国家机关，其担负着法制宣传、法律服务、法律保障和服务社会等重要职能，充分有效地发挥职能作用，对于建设法治国家、构建和谐社会，服务经济发展都具有十分重要的意义。

司法行政是辅助国家司法权行使的行政事务机关，同时也是社会治安综合治理的“第一道防线”和打击违法犯罪的“最后一道关”，为了实现促进法治国家建设和和谐社会构建的任务，就必须在监狱、劳教、法制宣传、律师、公证、人民调解等方面全面发展创新，进而全面建设小康社会，率先发展、协调发展、加快发展，

---

① 摘自司法部网站，“司法行政工作简介”网址为 http://www.legalinfo.gov.cn/moj/leader/2006－04/30/content_20396.htm，截至2008年1月18日。

② 《司法部强调司法行政工作要服务于依法治国基本方略》，《人民日报》1998年9月24日。

营造和谐稳定的社会环境和良好的法治环境，作出更新更大的贡献。

（三）广东司法行政工作的发展与进步

广东省是我国近代开埠最早的地方，具有开放优势，往往能够在制度建设和观念认识上开风气之先。改革开放以来，广东省在各方面的发展一直是全国标兵。在司法行政工作方面，广东省在改革开放以来的30年间也实践和提出了很多值得全国其他地方借鉴的成功经验。广东省司法厅成立于1955年2月，1956年7月广州设立了全国第一家法律顾问处，到1957年底广州已经设立了32家法律顾问处。1959年4月广东省司法厅被撤销。1979年9月，五届全国人大常委会第十次会议决定设立中华人民共和国司法部，主管全国司法行政工作，次年即1980年2月，广东省人民政府决定恢复成立省司法厅，当年3月，广东省司法厅正式挂牌办公。但在当时，可谓百废待兴，因此司法厅的职能也尚未明确清楚，直到1982年9月，原由司法行政机关管理的法院机构设置、编制、助理审判员的任免、审判制度、司法统计、装备和经费等工作划归法院；1983年7月，原由公安部门管理的劳动改造、劳动教养工作移交司法行政机关，才能严格地说是广东省司法行政工作全新发展时代的开始。

广东省司法行政工作的发展大致可以分为四个阶段：一是建国到1979年为不完整的萌芽阶段。二是1980年到1988年为恢复创建和起步阶段。到1981年底，全省司法行政机构的组建工作基本完成。全省基本都设置了司法局或处，设置了77家律师事务所，律师有275人；建立公证处119个，工作人员296人。三是1989年到1992年为全面发展阶段。四是1992至今是深化而快速发展的阶段。改革开放30年来，广东省的司法行政工作取得了巨大的成绩，对于广东省经济社会的发展起了非常重要的保障和促进作用，

主要体现在以下方面：①

第一，全力维护稳定工作大局，为促进广东省社会政治稳定发挥了重要的作用。广东现有监狱25所，劳教所31所，其中有2所监狱、3所劳教所被评为部级现代化文明监所，5所监狱、13所劳教所被评为省级现代化文明监所。近五年来，广东省共接收本省籍刑释解教人员94514人，通过各种形式安置刑释解教人员85046人；人民调解组织有近3万个，调解人员20多万人，共调解各类民间纠纷50万多件，调解成功率达96%；防止因民间纠纷转为刑事案件6000多件，制止群体性械斗4000多件，防止群体性上访5000多宗。广东省在监狱管理上不断创新，实践新的管理和教育模式，而在劳教、调解方面也不断摸索和总结，推出了一整套的经验。

第二，积极改革和拓展法律服务工作，为经济建设和改革开放提供优质高效的法律服务。广东省律师从2000年底的7292名增加到2005年底的11640名，“十五”期间，广东省律师共办理各类法律事务116.86万件。截至2006年底，广东拥有全国数量最多的律师事务所和律师人数，广东省律师事务所增加到1237家，律师13851人；律师党员4241人，占律师总数的30.6%。而到2005年底，广东省共有144个公证处，1300多名公证员，其中职业公证员700名。广东省公证办证量连续4年突破1000万件，占全国办证总量的1/10；涉外、涉港澳台公证每年约45万件，占全国1/7强。广东省开办的公证项目发展到200多项。

律师执业者对于广东省的感觉总是有几分亲切，因为在改革开放的历程中，是广东省最先为职业律师提供和创造了一个相对融洽的环境。在发展中，广东省在律师管理，包括政府管理和自我管理方面推陈出新，尤其是逐渐形成了律师严格自律的职业道德约束；而在律师队伍建设上则注重律师的素质和专业业务水平的提高，发展专业律师队伍，同时还首先发展了公职律师制度。

① 摘自广东省司法厅网站，网址为 http://www.gdsf.gov.cn/webpub_sft/leader/ry-bz.htm，截至2008年1月18日。参阅《广东年鉴2006》，第186页。

与此同时，与广东省快速发展的经济社会状况相适应，在公证、仲裁方面，广东司法部门也不断完善，尤其是针对港澳事务，建立起了快速高效公正的执法环境。

第三，加强法学教育，深入开展法制宣传，努力建设法治大省，同时也为改革稳定发展营造良好的法制环境。广东省努力加强法律职业人才的培养，法治社会的维系离不开法律职业者的共同建设，因此法学教育是法治水平的重要标志和基础。目前，广东省不同层次的法学高等教育院校总数有 53 所（不包括法律职业教育院校），已形成了由本科院校（包括普通本科法学教育、成人本科法学教育、高职法学教育）、高职院校（高职、成高法律教育）、独立设置成人高校（普通高职法律专业、成高法律专业）以及司法警察学院、法官学院、检察官学院、司法干部学校等多种形式的法律教育机构组成的，既有普通教育和成人教育、又有职业教育，既有学历教育、又有非学历教育的，从中专、专科、本科、第二学士学位到法律硕士、法学硕士、法学博士的各种教育层次皆备，从夜大、电大、自学考试、函授、半脱产到全日制等各种形式俱全的教育培训的整体式教育模式。

“四五”普法期间，广东省共有 7000 万人（次）参加各类法律知识考试，9720 万人（次）接受了法制宣传教育，广东省中心镇以上学校全部聘请了兼职的法制副校长，建立青少年学生法制教育基地近 1000 个，外来员工中，有 85% 以上接受上岗前普法教育。企业经营管理人员参加培训、法律考试达 200 多万人（次）。广东省达到“民主法治示范村”标准的村已占农村总数的 50%，有 13 个村被授予“全国民主法治示范村”称号，有 130 个村被评为广东省“民主法治示范村”。

法治国家的建设首先离不开整个国民法治意识的提高，对此，广东省司法行政工作在普法上落实狠抓，全面推广，尤其是针对外来人口较多的特点，开展了富有特色的外来工普法宣传。整个普法工作开展的既全面又具有特色，既深入又生动。

第四，加强基层基础建设，为司法行政工作全面发展奠定了坚

实的基础。1980年首建了乡镇司法办公室，2001年3月又实现了司法所“立户定编”。目前，广东省已建成和在建的司法所共256个，法律服务所1914个，基层司法服务工作者6016名。乡镇司法所（法律服务所）扎根基层，遍布城乡，为解答城乡居民法律问题、化解基层矛盾纠纷起到重要的作用，成为乡镇经济发展、维护基层社会稳定不可缺少的力量。司法行政的大量工作是针对我国农村地区的，我们国家就目前来说还是一个农业国家，农村就是我们最大的国情，因此司法行政工作也必须加强基层建设，这是整个国家的法治根本所在。广东省不断通过专项教育整顿、学习培训等形式，提高监狱劳教人民警察、司法行政机关公务员和法律服务工作者三支队伍的政治素质和业务素质。譬如，2005年全省司法行政系统受省部级以上表彰的各类先进集体186个，先进个人305人，其中有3个单位荣立集体一等功，32人荣立个人一等功。1个单位获全国五一劳动奖状，2人获全国五一劳动奖章，2人被评为全国先进工作者。被评为广东省先进集体2个，先进工作者2人；获广东省五一劳动奖章9人。

第五，充分发挥法律援助工作优势，为社会困难群体提供法律服务。1999年8月，广东省九届人大常委会第十一次会议通过了《广东省法律援助条例》。2003年7月，建立公职律师，进一步解决了社会困难群体打官司难的问题。目前，广东省148个市、县（区）全部建立了法律援助机构，形成了省、市、县三级政府法律援助机构网络，并逐步向乡镇一级延伸。此外，还开始在监狱设立服刑人员法律援助部。到2005年底，广东省依托司法所成立1336个工作站或联络站，设立366个法律援助服务组织和112个涉军法律事务援助机构；广东省法律援助机构专职人员555人。

对于很多人来说，或者是由于文化知识水平的限制，或者是由于物质条件的缺乏，接受法律教育和借助法律工具维护权益和解决纠纷都还是高成本的，因此，法律援助工作就具有切实必要性。广东省是全国范围内最先通过地方立法确定法律援助的省份之一，并且随着社会的不断发展，目前已经建立了多层次、全方位的法律援

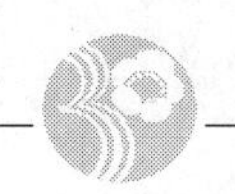

助体系，这为法律的进一步普及和提供法律服务创立了一个坚实的平台。

二、法制宣传与公民法律意识

（一）法律普及与公民精神

法制宣传，在中国有一个非常直接简洁的称呼，即“普法”。这一法律宣传制度的建立既有历史的原因也有现实的理由。

从历史上看，进行社会主义法律宣传普及是我国改革开放不断发展的需求。1978 年后，我国确立了以经济建设为中心的社会主义现代化建设的基本路线。随着各项事业，尤其是经济建设的不断发展，法治也显得越来越重要。党的十二届三中全会关于经济体制改革的决定指出，经济体制的改革和国民经济的发展，使越来越多的经济关系和经济活动准则需要用法律形式固定下来。因此，这就明确地提出，要从过去主要依靠政策，转到既要依靠政策，又要按照法律办事的轨道上来；而且最为主要的应该是通过法律手段进行治理，法律成为制度文明的核心。为此根据国家治理方式的转变，制定了一系列与经济发展相适应的法律法规，而要保障法律的实际效力，就必须首先向全体公民普及法律常识，使之知法、懂法、守法，只有这样，才能增强广大干部、群众的遵纪守法观念，依法办事，为我国改革开放和现代化建设创造一个安定的社会环境。1985 年 11 月 5 日，中共中央和国务院转发了中宣部、司法部《关于向全体公民基本普及法律常识的五年规划》。五年普法规划由此开始实施。这种形势下，中宣部、司法部于 1986 年 6 月召开了全国法制宣传工作会议，会议提出，从这一年起用五年左右时间，在全体公民中普及法律常识。这是新中国成立以来第一次专门讨论法制宣传教育工作的全国性会议，实际上也是对全国普及法律常识工作的一次总动员。

从现实需要与进一步发展的角度来看，法律普及是培养公民精

神，建设法治国家，逐步推进政治体制改革的根本条件之一。法治之养成端赖于公民法律意识的培养，而公民法律意识之养成又是公民精神的根本内容。建立社会主义民主与法治，推行依法治国，必须重视公民法律意识的培养，公民法律意识是法治的前提和基础。“培育和弘扬法治精神，旨在让法律深入人心，重在宣传教育。在向法治社会迈进的时候，提高公民的法律意识和法律知识只是普法宣传工作的初级目标；最终目标应当是让法律真正走进生活，引导公民从内心确立起法律的权威，从生活中养成法治的习惯。”①

法律谚语中曾说：“法律必须被信仰，否则它将形同虚设。”法律必须要熨帖民众生活，必须能够深入抵达人的内心，因此，法律的精神必须通过不断的法律宣传普及进行传播。

（二）广东省普法的总体概要

1985年以来，按照党中央、国务院的决定和全国人大常委会的决议，广东省各级普法主管部门在当地党委、政府的领导和人大常委会的监督下，在各部门、各系统的密切配合下，成功地实施了四个五年普法规划，第五个五年普法规划目前正在实施中。②

1985年广东省成立了普及法律常识领导小组，下设普及法律常识办公室，此后，各市县也成立了普及法律常识领导小组，为“一五”普法的开始做准备。1986年“一五”普法全面启动。

“一五”普法期间，着重抓了普及法律常识的宣传启蒙教育，让公民了解掌握最基本的法律常识，在此基础上，逐步引导到依法治理上来。可以说，“一五”普法为后面的几个普法“五年规划”奠定了扎实的基础。“一五”期间全省约有3800万人参加了宪法、刑法等“十法一例”的学习，各经济管理部门和企业还开展了以《全民所有制工业企业法》为中心的“十法六例”的学习教育。

---

① 傅达林：《让法治精神浸透每一个公民的血脉》，《光明日报》2007年12月4日。

② 以下内容参阅 广东省司法厅网站，“广东普法工作概况”，http://www.gdsf.gov.cn/webpub_sft/shownews.jsp? newsid=20040513050329018735_1684&css=mode.css。

在“二五”普法时期，抓了两本书的学习，即学习《中华人民共和国宪法讲话》和《社会主义法制建设若干问题讲话》，开展了50多个法律法规的学习宣传活动，依法治理工作由点到面逐步铺开，积极配合农村社教和社会治安综合治理开展了多形式多方位的法制宣传，通过各类法制宣传学习和依法治理活动，广东省广大干部群众的法律意识、法制观念有了一定的增强，政府部门依法行政、人民群众依法办事的自觉性有了一定的提高，有力地促进了社会的稳定。

“三五”普法，在前两个“五年普法”的基础上，向新的广度和新的深度拓展，初步实现了从法律知识的启蒙教育向提高以领导干部为重点的公民法律意识的转变，从单一普法向全面推进依法治理实践的转变，普法和依法治理逐步走上制度化、法制化的轨道，在推进依法治省的进程中发挥了基础性作用。在“三五”普法时期，广东省6000多万有接受教育能力的公民接受了法律教育。1999年广东各地广泛开展了“法律进万家、法律三下乡（法律咨询下乡、法制图片展览下乡、法制文艺演出下乡）和三到家（法律读本发行到家、抓好户主学习并把法律知识带回家，利用普法骨干把法制宣传送到家）”活动，其中举办图片展览3339次，参观人数达到446.7万多人（次），法制文艺演出622场，观看人数达到163万多人（次），法律服务2107次，咨询人数55万多人（次），发行资料320万份等，效果显著。[①] 另外，在广东省的1000多万外来经商务工人员中广泛开展了“三个一”系列活动，通过“三五”普法，大多数公民的法律素质和道德素质得到提高，各级领导干部依法管理社会、依法管理经济、依法处理社会事务的能力得到增强，为广东省的精神文明和物质文明的建设起了积极的推动作用。

“四五”普法的重点对象是各级领导干部、国家公务员、司法和行政执法人员、经济部门和企业管理人员、乡镇村基层干部、青

① 参阅《中国司法行政年鉴2000》，第124页。

少年、农民、外来工，而各级领导干部是重中之重。“四五”普法期间加大普法力度，创新普法方法手段和形式，广东省共有7000万人（次）参加各类法律知识考试，9720万人（次）接受了“四五”普法教育，实际接受教育面达95%以上。共组织领导干部法律知识考试1345次，参考达516688人（次），组织领导干部上法制课735775人（次）。广东省中心镇以上学校全部聘请了兼职法制副校长，建立青少年学生法制教育基地近1000个，大多数市在校青少年学生违法违纪率保持在控制线以下，保持多年没有在校学生犯罪的记录。广东省3000多万外来员工中，有85%以上接受上岗前普法教育。企业经营管理人员参加培训、法律考试达200多万人（次）。达到“民主法治示范村”标准的农村占广东省农村总数的50%，有13个村被授予“全国民主法治示范村”称号，有130个村被评为广东省“民主法治示范村”。①

2006年，全省对“四五”普法工作进行了总结并顺利启动“五五”普法规划。37个集体、43名个人被评为全国“四五”普法先进，341个集体、522名个人被评为全省先进。根据《省委宣传部、省司法厅关于在全省开展法制宣传教育的第五个五年规划》，广东省“五五”法制宣传教育工作的主要任务是：深入学习宣传宪法和国家基本法律制度；深入学习宣传经济社会发展的相关法律法规；深入学习宣传与群众生产生活密切相关的法律法规；深入学习宣传整顿和规范市场经济秩序的法律法规；深入学习宣传维护社会和谐稳定、促进社会公平正义的相关法律法规；坚持普法与法治实践相结合，大力开展依法治理；组织开展法制宣传教育主题活动。“五五”普法启动后，围绕维护社会稳定做好一系列重点工作，2006年还召开了全省基层普法维稳工作会议，编写普法维稳十二讲并下发基层；聘请了123名法律专家组成“五五”普法高级讲师团，并继续加强对公务员、外来务工人员、青少年等重点对象的普法。

---

① 参阅《广东年鉴2006》，第186页。

（三）普法教育法制化

如果说一开始普法宣传仅仅是一种政策，那么随着社会发展的复杂化和普法宣传的不断深入，总结以往的普法经验使其稳定和制度化则是一项重要举措。2006 年 12 月，《广东省法制宣传教育条例》经广东省十届人大常委会第二十八次会议第二次审议通过，于 2007 年 1 月 1 日起施行。此举将使广东的法制宣传教育由主要依靠行政手段实施转变为依靠法治手段推进，实现法制宣传教育的法制化、规范化。

该条例明确提出，法制宣传教育是指通过多种形式向公民普及宪法、法律和法规的基本知识，增强公民的社会主义法治理念和权利义务观念，培养公民自觉遵法守法的行为习惯，形成依法办事的社会氛围。其主要内容包括：

法制宣传教育体现政府主导下的社会共同责任。条例规定各级人民政府应当将法制宣传教育工作纳入国民经济与社会发展的总体规划和年度计划，并组织实施。明确了各主要行政部门在法制宣传教育中的职责：一是要求本系统工作人员学法用法，以提高依法行政水平，特别是对司法、有行政执法权的行政机关，尤其要加强学法；二是具有社会事务管理权的部门如公安、民政、劳动、文化、新闻、出版部门，要结合本职工作对公众进行法制宣传教育；三是要求国有资产管理部门、工商部门要指导而不是强制企业对员工进行普法、学法。同时，新闻媒体是法制宣传的主要平台，也是公众接受法律知识的最主要渠道，通过媒体普法，效率高、成本低，所以明确规定新闻媒体必须承担法制宣传的社会责任，要开设法制栏目，刊登法制公益广告。

以法律形式保障经费投入，公职人员必须参加学法考试。关于普法经费问题，条例规定，各级人民政府对开展法制宣传教育所需经费应当予以保障。法律规则必须公布公开，这是现代法治的基本精神。国家机关、事业单位和社会组织，有义务运用各种资源，公开、免费向公众告知法律、法规和相应政策，社会公众接受法制宣传服务则是无偿的。开展法制宣传教育应当有相应的经费和宣传设施保障，从长期的普法实践来看，法制宣传教育经费不足、宣传设施不够是制约法制宣传教育工作开展的一个重要因素。因此，通过地方立法加大对法制宣传教育经费、宣传设施建设的投入，并保障法制宣传教育经费落实到位意义重大。公职人员学法，是提高法律素质的一个重要方面，只有他们的法律素质得到提高，才能不断提高依法决策、依法管理、依法办事的能力。法制宣传教育实行考试、考核则是检验公职人员包括领导干部学法效果的一个很好的方法，也是督促他们学法的一种手段。条例规定，法制宣传教育实行考试、考核制度。考试、考核的对象主要是公职人员，包括领导干部。同时特别强调：公职人员、行政执法人员在录用、取得执法资格时，必须参加法律知识考试或者考核。

不履行宣传职责将负法律责任。对不履行法制宣传教育职责、未达到考核标准、无故不参加法律知识考试、弄虚作假、骗取资格和荣誉、挪用、截留、克扣法制宣传教育经费等行为，条例都规定了相应的法律责任，以保障其顺利实施。使法制宣传教育从软任务变为硬措施，对保证法制宣传教育工作任务的完成，具有较强的约束力。

“法制宣传日”、“法制副校长”成为一项制度。该条例还把“法制宣传日”和“法制副校长”规定作为一项法律制度进行了规定：“每年12月4日全国法制宣传日期间，各部门、各单位应当根据法制宣传教育工作的安排开展法制宣传主题活动”；“中小学校应当聘请具有一定法律知识和法制工作经验的人员兼职法制副校长”。

（四）校园普法与法制副校长

中小学校聘请兼职法制副校长的做法是由广东省首创、在全国推广、并通过较长实践证明效果明显的成熟经验，此次用立法的形式固定下来，形成制度，并使其法制化。

广东省各地充分利用法制副校长双重身份的优势，发挥法制副

校长在青少年普法和治安管理工作中的作用。在学校，组织法制副校长上好法制课，开展好各种普法活动，营造良好的校园法制宣传氛围；充分发挥兼职法制副校长所在单位如法院、公安、维稳、司法行政等职能部门的优势，为学校营造稳定、安全的校园环境，使学校、学生的权益得到优先保护。譬如，深圳市开展“警校共建”，在中小学校全面推行“一校一警”制度，为全市496所中小学校配备了645名兼职法制副校长、法制辅导员（校警），学校周边的环境大为改观，中央综治委对此给予了高度评价。

为了推动法制副校长工作的深入开展，广东省普法办联合省综治办、省依法治省办、省教育厅、团省委等单位召开了广东省法制副校长工作经验交流会，总结推广各地开展法制副校长工作的经验和广州市青少年学生法制教育基地建设经验，宣扬了广州市花都区、深圳市宝安区、肇庆市端州区等一批学生法制宣传教育工作的先进单位和个人典型。同时，广东省借机抓好青少年法制宣传教育阵地建设，使青少年法制宣传教育工作更趋规范化、阵地化。广州市青少年法制教育基地集综合性、多功能和规范化为一体，受到司法部领导的高度赞扬。司法部在广东省召开了青少年学生法制教育基地建设现场会。广东省各地还围绕校园周边环境整治和校园违法犯罪等问题组织了专题宣传教育活动，净化了学校周边环境。此外，不少地区成立了家长学校，整合社会力量加强学生的法制宣传教育。

还有不少地方在法制副校长的制度基础上进一步深化，将青少年的法律宣传教育工作进一步完善，譬如，在“四五”普法规划中，广州市海珠区坚持以青少年法制教育作为普法的重点，区维稳及综治委、普法办、公安分局、司法局、教育局、关工委等部门在“四五”普法规划期间就加强青少年法制教育发出了多个文件，建立了青少年法制教育工作制度，已基本形成机动灵活、多层次、全方位的“四一一”机制，即四支青少年法制教育队伍（关工委、学校法制副校长、青少年法制教育讲师团、学校法律顾问）、一个青少年法制教育基地、一个普法网站，基本涵盖了青少年学习生活中可能遇到的方方面面的法律问题，使青少年学生比较全面地接受法制教育，促进青少年健康成长，预防青少年违法犯罪。

（五）普法新模式：普法与维权相结合

普法并不是目的，其仅仅是一种途径或方式，是为了提高公民的法律意识，使法律的精神得到传播。而法律的精神就是权利，法律意识就是懂得如何通过法律维护自己的权益。正是深刻地认识到了这一点，广东省在开展普法宣传的同时，与维权紧密结合，大大拓展了普法工作的意义。

首先，广东省中山市个体劳动者协会、私营企业协会（以下简称“个、私协”）维权委员会率先在全国开创普法与维权相结合的普法新理念。几年来，通过普法与维权并举的手段，成功为该市个体私营企业办理了1110起维权案件，挽回或避免经济损失8.3亿元；为企业代理商标、专利诉讼案件13宗，涉案标的800多万元，有力地维护了个体私营企业的合法权益。2003年5月，中山市“个、私协”与市司法局在全国范围内率先成立中山市“个、私协”维权委员会，聘请法律顾问，组建“众人帮扶”的特色维权形式。自中山市“个、私协”维权委员会成立以来，平均每天接到4—5个民企维权案件，有时一天有8个维权案件。“五五”普法以来，中山市司法局、普法办对个体私营企业采取了普法与维权并进的做法，以普法“防火”为重点开展企业法制宣传活动。中山市“个、私协”维权委员会还组织制定了《中山市个私协维权工作暂行办法》，其中第四条明确规定了维权和普法教育的主要职责：①认真学习、宣传、贯彻党关于个体私营经济的路线、方针、政策和国家有关保护个体私营企业合法权益的法律、法规、规章。②积极开展有关政策、法规的教育、培训工作，促进广大个体工商户、私营企业主增强法制观念，增长法律知识，提高自我保护意识和自我保护能力。2007年8月16日，广东省工商局、省司法厅、省个体劳动者协会、私营企业协会联合在中山召开“广东省个协、私协系统普法与维权工作现场经验交流暨表彰大会”。大会总结了

个协私协系统普法与维权的主要经验：一是加强普法，为维权工作打好思想基础；二是健全机构，为维权工作提供组织保障；三是整合资源，使维权工作形成有效合力；四是抓好活动，使维权工作切实取得实效。据悉，广东省个协、私协自成立维权工作领导小组以来，解决了大量的侵权案件，涉案金额达9.2亿元。

中山市普法与维权相结合的普法模式是：为了切实推进民营企业法律维权保障向各镇区延伸和提供及时便捷的法律维权服务，中山市普法办依托市个协、私协基层各分会相应建立了普法维权服务机构，为企业会员提供日常的及时便利的普法维权咨询渠道；将全市24个镇区分成5个法律维权服务区域，由顾问律师分工分片联系，并落实区域内的普法和法律维权工作责任；落实各镇区司法所作为法律顾问处成员的职责，承担日常普法和法律维权责任，主动参加纠纷调解，与各镇区分会一道做好民营企业普法和法律维权工作，形成一个覆盖全市、分工协作、责任落实的法律维权服务网络，开创了以“大司法”方式全面维护中山市个体私营企业合法权益的维权理念并取得成效。①

其次，广东省普法还注重普法与培训相结合，尤其是在各个专业系统以及私营企业的普法宣传教育方面，将其与岗位培训相结合。2006年8月，在中山市召开广东省基层普法维稳工作会议，会议指出，广东正在探索一条将普法与基层维稳工作相结合的道路。当前广东省基层社会矛盾呈现多样化、复杂化趋势，多数矛盾的根源在于矛盾纠纷主体不懂法、不信法、不用法。深入开展基层普法工作，引导群众依法表达诉求成为迫切要求。

（六）找准对象、重点普法

为了使各类重点对象的普法工作达到“五五”普法的目标要求，广东省根据全国普法办和司法部关于加强各类重点对象学法用

---

① 参阅广东省司法厅网站，http://www.gdsf.gov.cn/webpub_sft/shownews.jsp? newsid=20071109041749051552_8710&css=mode.css。

法工作的要求，以“法律六进”活动为载体，采取有力措施深入做好重点对象的普法工作。

一是加大领导干部和公务员的学法力度。广东省各地以领导干部和公务员为重点对象，健全领导干部学法讲座、干部学法考试考核登记、干部任职前法律知识考试等制度，开展了多种形式的“法律进机关”活动。譬如，广州市对领导干部普法教育信息化应用系统进行了技术改进，完善了技术参数，充实了内容。肇庆市以物权法和《广东省法制宣传教育条例》为内容，在市直机关中开展了40场法制巡回讲座，组织6万多公职人员参加普法考试，创该市历年公职人员学法考试人数之最。云浮市、县两级人大常委会一年来对人大任命的干部都实行了法律考试。梅州市举办1000多名科级干部的法律知识轮训班。东莞市利用网络进行公职人员学法考试，简化了考试程序，提高了效率。

二是抓好学校、家庭、社会“三位一体”的青少年法制宣传教育。建立以学校为主阵地，以社会、家庭、社区教育为补充的普法架构；认真贯彻落实中宣部、教育部、司法部、全国普法办关于印发《中小学法制教育指导纲要》的通知。细化了中小学法制教育的总体要求、基本原则、主要任务、内容、实施途径、措施，为“五五”普法期间的中小学法制教育提供了明确的工作依据；联合省教育厅开展青少年法制宣传系列活动，包括知识竞赛和广东省中小学百场法制讲座；联合省妇联开展拒赌禁毒活动，转发反邪教办公室关于反邪教讲课的教案，提高青少年拒赌禁毒、防范邪教的能力。广东省各地积极整合社会资源，拓宽青少年普法的路子。各地普遍充实调整了法制副校长和讲师团队伍，积极开展上法制课、有奖征文、知识竞赛、图片展览、模拟法庭等学法活动，并依托德育基地、青少年文化宫等载体建立起多功能的普法阵地。

三是突出诚信建设加强企业经营管理人员的普法。为了进一步提高广东省企业经营管理人员的法律素质和依法经营、依法管理的能力，促进企业依法参与市场竞争和维护自身合法权益，根据司法部要求和广东省实际情况，广东省普法办联合省委宣传部、省国资

委、省工商局共同制定下发了《关于加强企业经营管理人员学法用法工作的实施意见》。各地在企业普法方面也采取了许多有效举措。如广州市把抓好企业普法作为营造公平竞争法治环境的关键，精心策划普法内容，先后举办了100多场高水平的经济法律讲座，组建了包括律师、教师、司法干部和外国专家在内的讲师团。佛山市广泛开展诚信法制教育和企业员工权利义务教育，着力维护企业的和谐稳定；汕头澄海区实施万名民营企业“白领”法律培训工程，至今已培训1.4万人；东莞市启动了“企业经营管理人员学法”网上咨询系统；中山市充分发挥行业协会的作用，探索出一条以普法教育和司法维权相结合的路子；惠州市利用法制电影、法制文化广场、法制文艺演出等形式，打出企业普法的“文化”牌，使企业法制教育更加生动有效。

四是围绕基层社会和谐稳定做好基层普法工作。广东省普法办认真贯彻中宣部、司法部、民政部、农业部、全国普法办《关于加强农民学法用法工作的意见》，大力加强农民普法工作。为了表彰先进，推广经验，广东省司法厅还组织各地申报第三批“全国民主法治示范村”及第三批广东省“民主法治示范村”、示范社区。广东省各地结合法治城市、平安和谐社区创建和法律进乡村活动，不断强化基层普法维稳工作，重点宣传了村（居）民自治、土地和房地产、刑事治安、民事纠纷调解、打击黄赌毒、婚姻家庭、流动人口管理等方面的法律法规，将普法和人民调解工作相结合，积极预防化解矛盾纠纷。同时不断创新基层普法的形式，如深圳市司法局与深圳图书馆针对社会热点联合举办“公民法律大讲堂”系列普法讲座，每月利用双休日免费向市民开放，反响热烈，创造出普法的品牌效应。

五是采取各种措施向外来工提供服务性法制宣传。广东省各地在外来务工人员普法工作中高度重视体现服务性，选择外来务工人员最需要的法律知识为宣传重点，选择他们最方便、最喜闻乐见的形式开展宣传，如深圳宝安区在客运站向返乡劳务工发放普法资料袋“把法律带回家”，抓住有利时机促进了劳务工学法。2007年，广东省各地积极开展了“青春暖流、共享和谐”主题活动，将外来员工普法与维权相结合，运用法律咨询、法律讲座、印发宣传资料等形式提供法律服务。为了扩大宣传的覆盖面，一些地区还加大了经费投入，丰富载体，扩展普法阵地。东莞市在全市建立了90个大型法制宣传栏，每年编印6万套挂图派发到村居、社区、企业、出租屋等场所，还通过普法网收集外来员工的建言献策1682条，加速了普法的互动交流。物权法、劳动合同法等一批重要法律出台后，广东围绕外来务工人员如何依据法律正确履行权利义务这一中心，积极开展宣传。联合省劳动和社会保障厅，举办了劳动合同法、就业促进法卫星远程讲座和电视知识大赛。[①]

普法，目前已经进入到“五五”阶段，这意味着普法工作必须通过不断地创新而达到深入深刻的程度。广东省在普法工作上，不断探索实践和总结经验，譬如开创了普法与维权相结合、重点普法、富有特色的青少年普法模式等。这些足以成为全国各地普法工作的借鉴经验。

三、律师制度与律师队伍

我国在1979年恢复律师制度以来，律师事业的发展取得了令人瞩目的成绩。特别是作为改革开放前沿的广东，律师队伍的发展走在全国的前列。1983年7月，全国第一家由法律顾问处改为律师事务所的“深圳市蛇口工业区律师事务所”正式成立；到1994年底广东全省建立各种形式的律师事务所485家，执业律师从恢复时期的80多名发展到了5589名，律师事务所和律师总数位居全国首位，而律师事务所和律师所承担的业务也居全国首位。到2000年，全省律师事务所有805家，执业律师7304名；2002年达到了律师事务所852家，2003年增加了1100家，截至2007年底，全省执业律师人数达到15136名（包括社会律师、公职律师、公司律师

① 叶普：《广东省加强对重点对象的普法》，《法制日报》2008年1月19日。

和法律援助律师等多种形式)；律师事务所1246家，初步形成了具有较高素质的律师职业群体；律师事务所在数量上稳步发展的同时，专业化、规模化程度不断增强，逐步形成了以合伙所为主体，公职所、国资所、合作所、个人所并存的多元化律师执业机构体系。广东省律师和律师事务所的数量均居全国前列。确立了“两结合”的律师管理体制，即在行政机关领导下，司法行政机关的行政管理与律师协会的行业管理相结合，充分发挥各方面的积极性，保证了律师事业的健康发展。律师法律服务渗入到社会各界各个层面，2007年，全省律师共办理各类诉讼和非诉讼法律事务超过28万件，律师业务收入也随着我省经济发展的水平而不断增长，2005年以来每年都保持在30亿元以上，2007年更是达到40亿元，占全省GDP的2‰。律师业务领域不断扩展，在推进“依法治省”、促进广东省经济快速发展、维护社会稳定等方面都发挥着积极的作用。

(一) 律师管理制度的发展完善

“双结合”的管理体制。1992年以来，随着改革的进一步深化和社会主义市场经济体制的建立，律师管理体制由司法行政机关的行政管理与律师协会的行业管理相结合，律协工作得到进一步加强。1996年《律师法》的颁布和实施确立了司法行政机关的行政管理与律师协会的行业管理相结合的律师管理体制，明确了“律师协会是社会团体法人，是律师的自律性组织”，从法律上确定了律师协会的性质和地位，赋予了它的自律职能。广东省律师协会是依照《律师法》设立、由广东省律师组成的社会团体，受广东省司法厅的指导和监督，对广东省的律师队伍实施行业自律管理。它成立于1980年，是我国律师制度1979年恢复重建后成立的第一家省级律师协会，至今已历时八届，截至2007年10月，共有团体会员（各地级市律师协会和律师事务所）1300多家，个人会员（执业律师）15000余名，均居全国前列。

为发挥行业自律的作用奠定了法律基础。地处改革开放前沿阵

地的广东省律师协会在《律师法》颁布之前就已经开始探索行业自律管理之路。从1984年起，根据广东省财政厅、省司法厅《关于将公证、律师收费留作发展司法业务的通知》，广东省各律师事务所从律师业务收费的全额收入中上缴5%给省律师协会，作为开展律师业务活动费，省律协有了自己的经费，财政上已实现了相对独立。1986年10月，律师协会又由成立初期的与省司法厅律师管理处联合办公改为正式分署办公。而2002年第七次广东律师代表大会上选举出了首位执业律师担任会长，更是标志着广东律协在司法行政机关监督下的行业自律管理体制的形成。

律师工作规范化建设。律师管理制度需要不断地完善和发展，并逐步规范化。1995年被广东省确定为律师工作管理年，该年5月，广东省人大常委会通过了《广东省律师执业条例》，另外还制定了《省直律师所管理工作若干问题的意见》、《兼职、特邀律师管理暂行规定》、《律师事务所财务会计管理暂行规定》等规章，这些都是律师管理工作规范化的体现。为了深入贯彻落实党的十六大提出的"拓展与规范法律服务"的要求和司法部在全国律师队伍集中教育整顿活动总结、暨开展合伙律师事务所规范建设年活动动员会议的精神，广东省司法厅结合实际，提出了律师工作规范化建设实施意见[①]，确立并基本实现了律师工作规范化建设的目标，即通过界定司法行政机关、律师协会的管理职责，深入探索行政管理与行业管理有机结合的机制和办法，完善了司法行政机关行政管理与律师协会行业管理相结合的管理体制；通过科学界定省、市、县（区）三级司法行政机关和两级律师协会管理职能，改进了工作作风和管理方式，规范了管理行为，提高了律师工作的管理效能；通过建立健全一套科学的制度，把集中教育整顿的成果巩固下来，使律师工作有法可依、有章可循，推进了律师工作的规范化和制度化建设；通过规范律师事务所内部管理，进一步增强了律师事

---

① 广东省司法厅：《广东律师工作规范化建设实施意见》，载广东省司法厅网站http://www.gdsf.gov.cn。

务所依法管理、科学管理的意识，健全管理机制，提高服务质量和水平；通过探索新的律师管理机制和制度，加快了律师工作创新，保障律师事业的可持续发展，开创律师业的新局面。律师管理遵循律师业的内在发展规律，按照“有限政府、行业自律、市场调节”的基本要求和市场竞争机制有效调节优先原则，科学界定了司法行政机关、律师协会和律师事务所的管理职能：凡律师事务所、市场竞争机制能够自主规范的事项，即由律师事务所、市场机制规范；凡律师事务所、市场难以规范，通过行业组织能够自主规范的，则由律师协会规范；司法行政机关严格依法行使律师工作的管理职能，同时整合现有管理资源，科学界定省、市、县（区）三级行政管理职能和省、市两级行业管理职能。构建全方位、多层次、行之有效的司法行政机关行政管理与律师协会行业管理有机结合的律师管理体制。

律师事务所的模式与管理。律师事务所是律师的执业机构，是律师履行职责、服务社会的组织者，是律师服务功能的承担者，是律师执业形象的体现者，是律师及律师法律服务最直接的管理者。律师事务所的管理是整个律师管理体系中最基础、最直接、最根本的一环。加强律师事务所管理，是培育律师良好职业习惯、端正职业态度、提升职业技能的重要保障；是防范经营风险、提高服务质量，提高律师事务所综合竞争力的关键所在；是落实行政、行业管理措施、建立完善、科学的律师管理体制的基础工作；是充分发挥律师在建设社会主义和谐社会中的积极作用，推动律师事业健康发展的必然要求。

实践也证明，改革是律师制度发展的必然之路。广东省在律师事务所的制度以及管理上也在一直不断地创新。1983 年 7 月全国第一家由法律顾问处改为律师事务所的“深圳市蛇口工业区律师事务所”正式成立。之后，全省各法律顾问处陆续改为律师事务所。1984 年全省推广区镇、街道建立司法办公室、法律服务站，采取了两块牌子，一套人马的做法；并且在省市律师事务所开始实行承包责任制，在广州、深圳、珠海、汕头组建了对外经济律师事务所，开展涉外法律服务。1986年深圳市各律师事务所实行个人承包，1987年省司法厅对全省律师进行整顿，撤销了2个律师所，其余185个所都领到了执业证书。1988年5月，成立全国第一家合作制律师事务所，即深圳段毅武伟文刘雪坛律师事务所，使律师队伍有了较大地发展。1995年广东省政府批准通过了《广东省律师改革方案》，开始了更为积极的探索，在深圳、广州和珠海等地，引导和推动合伙制，逐步建立大量标准高、实力强的律师事务所。2003年开始在广州石油化工总厂、中国银行广东分行、广州宝洁公司开展公司律师试点工作。到2005年试点单位扩大到9家，29名律师取得了执业证。

广东省对于律师事务所的管理制度进行了不断地探索和完善，推出了很多有效措施和有益经验。譬如，第一，不断完善律师事务所章程和合伙人（合作人）协议。要求律师事务所严格按照《律师法》及《合伙律师事务所管理办法》、《合作律师事务所管理办法》以及全国律协《律师事务所内部管理规则》的要求，进一步完善律师事务所章程和合伙人（合作人）协议；章程或合伙人（合作人）协议内容调整或变更的，要及时向主管部门办理报备手续。第二，完善统一收案制度。律师事务所要统一规范案件受理和收案登记制度，统一接收案件，统一编号、签订和管理委托代理合同，委派具有相应专业能力的律师办理；建立利益冲突审查制度，严格按照《广东省律师防止利益冲突规则》的要求，完善收案审批制度，避免利益冲突，对收案情况进行电脑化管理。第三，完善统一收费制度。律师事务所明确要求委托人直接向律师事务所财务部门交纳律师服务费用或通过银行转账到律师事务所账户，禁止直接交给律师个人或转入个人账户。依法统一收取服务费和办案费、统一与委托人结算，并出具合法票据和依法纳税；严格执行《律师服务收费管理实施办法》，建立律师服务成本核算制度，合理收取律师服务费，坚决杜绝律师私自收费和律师事务所违规收费；提高律师事务所财务管理水平和资金运作效率。第四，完善印章和法律服务专用文书管理制度。律师事务所要明确印章、所函、介绍信

的种类、保管、使用范围及其审批程序，建立印章及律师事务所法律文书使用的审批登记制度；严禁律师事务所内部刻制多枚公章或在空白法律服务专用文书上加盖印章随意领用；严防私刻、偷盖律师事务所印章。第五，完善人员管理制度。律师事务所要根据部颁规章及《广东省司法厅律师事务所辅助人员管理办法》、《广东省司法厅实习人员管理办法》的有关规定，建立健全律师事务所律师、实习人员、行政辅助人员的品德、能力考核制度和登记备案制度，规范完善人员的聘用、辞退、转所、晋升、奖惩，福利待遇及工作纪律、岗位职责，建立人员异常动态报告及处置制度。第六，完善档案管理制度。律师业务档案属于律师事务所所有，应由律师事务所统一管理。律师事务所要设置专门的档案室、档案柜，保管各类法律文书档案；制定完善的档案管理制度，严格档案保管的程序和要求，保证各类档案材料的完整性、真实性。

为了进一步规范律师执业，广东省司法厅出台《广东省律师和律师事务所违法违规行为投诉查处规程》，规范对律师违法违规的投诉查处行为，明确了省、市、县三级司法行政机关律师管理部门查处违法案件的职责分工和工作流程，进一步健全了查处违法违纪行为的工作机制。广东省将修订后的律师法及有关部令中对行政审批和律师事务所组织形式的所有新的要求融入律师管理平台，开展律师管理平台网上审批的程序调整工作，严格依法行政。通过平台的智能化管理，提高了行政管理的法制化水平。

律师行业自律的试点。广东省律师协会是中国内地最早成立的省级律师协会，1957 年就已获准成立。目前广东省律师协会大约拥有 1.3 万名会员律师，占全国律师总数逾一成。作为广东首批四个行业自律管理试点单位之一的广东省律师协会，目前行业自律试点工作已取得阶段性成果，走在全国前列。1994 年广东省开始推行律师行业的自律管理，大力发展“两不四自（不占国家编制、不要国家经费，自愿组合、自收自支、自我发展、自我约束）”的自律性律师事务所，对条件成熟的地方，鼓励不占国家编制和经费大胆转换，建立与市场机制相一致的制度模式。律师协会是全省律师相互交流、促进提高的平台，也是律师行业自律管理的平台，自试点工作启动以来，广东省21个市律师协会领导代表各地律师签署了《加强行业自律共建和谐广东：广东律师法律服务承诺书》，向社会作出了“加强自律、诚信执业”的庄严承诺。同时广东省近千家律师事务所的合伙人代表该所签署了法律服务承诺书，体现广东律师“执业为民，诚信为本，操守为重”的良好形象。2004年11月5日，广东省律师协会第七届理事会第五次会议通过了《广东省律师行业公约》、《广东省律师防止利益冲突的规则》。近年来，广东省律师协会已对5家律师事务所、44名律师做出了行政处分，其中对23名律师做出公开谴责处分。为了做好律师维护社会稳定工作，省律协对律师参与的敏感性、群体性案件进行了规范，建立了律师参与此类案件的受理、报告以及管理部门的指导、协调机制。其中，仅去年就化解劳资纠纷、土地纠纷、外嫁女维权等群体上访事件30多宗，受到有关部门的肯定。

律师积极参政议政。律师在社会中具有非常重要的作用，能够直接了解到社会的真实状况，具备法律精神的律师参政议政是国家治理的一个重要途径，广大律师通过积极参与诉讼和非诉讼活动、参与立法和参政议政活动、在执业活动中自觉宣传国家的方针政策、普及法律知识等，为社会稳定、经济发展和社会主义民主与法制建设，为建设社会主义和谐社会作出了重要贡献。如在一些大型项目建设方面，广东省律师为武广客运专线、第十六届亚运会、港珠澳大桥、广州大学城等建设项目提供全方位的法律服务等；在维护社会稳定方面，律师们积极参与政府涉法信访工作，为政府分忧解难，成功地参与汕尾“12·6”红海湾事件、齐齐哈尔假药事件等一大批重大敏感和群体性案件的处理工作；广大律师还积极服务民生，开展律师法律服务“三进”（进学校、进农村、进社区）等活动。截至2007年3月，广东省律师担任各级人大代表共有75人，其中全国人大代表2人，广东省人大代表8人，各地级市人大代表42人，区县人大代表23人，其中中共党员43人，占57.3%；担任政协委员144人，其中省政协委员有6人，市政协委员57人，

区县政协委员 81 人，中共党员有 26 人，占 18.1%，各级人大代表、政协委员共计 219 名，占全省执业律师总数的 1.45%。

（二）公职律师试点

为了解决困难群众打官司难的问题，广东省编办、省人事厅、省财政厅和省司法厅联合发出通知，要求广东省各市县务必在 2002 年内建立公职律师事务所，设立公职律师，专为政府和困难群众打官司。这些公职律师事务所和公职律师不参与市场竞争，不向社会提供有偿法律服务，为财政核拨事业单位编制。按地级以上市 10 至 15 名，县（市区）5 名定编，所需经费（含办案经费）参照同级政法部门的经费标准拨付，列入本级财政预算，困难地区则由广东省通过财政转移支付方式予以适当补助。2002 年 12 月，广州第一家公职律师事务所挂牌成立。广州市公职律师事务所的主要职责是承办政府交与的法律事务，指导有关政府部门的公职律师的法律业务，为涉及政府和社会公众的重大利益纠纷提供专项法律服务或组织专家论证，协助法律援助机构承担部分法律援助案件，解决困难群众打官司难的问题。该所不直接受理法律援助案件，需要法律援助的当事人，仍需向各级法律援助机构提出申请，符合条件的，由法律援助机构指派到公职律师事务所。

2002 年广东省开展公职律师岗位试点工作以来，岗位公职律师发展迅速，至今已在广州、深圳、佛山、珠海、韶关、东莞、潮州、清远、湛江等市进行了试点，共有岗位公职律师 200 多人。岗位公职律师为保障和促进政府部门依法行政发挥了积极、重要的作用。2003 年公职律师由试点改为全面推广，全省设立了 92 家公职律师事务所，在政府各职能部门建立公职律师岗，积极推进政府依法行政。2005 年公职律师覆盖了全省所有地级以上的市，针对其中存在的一些问题，10 月份，广东省司法厅下发了《关于印发广东省司法厅进一步加强和规范公职、公司律师试点工作若干意见的通知》，对各地在执行中提出的一些新的问题，提供了解决意见。广东省岗位公职律师的试点单位开始仅限于政府的各组成部门和直属机构。公职律师作为我国律师组成的一部分，其律师的特殊职业身份可能与政府部门的行政执法职能和某些具体岗位的工作性质相冲突。对公安、城市综合执法等执法部门申请公职律师岗位试点的，要予以严格甄别，确保持证人实际从事法制工作。公职律师为政府律师，因此岗位公职律师均应具有政府公务员的身份。对于党委、人大、政协、民主党派、法院、检察院等非行政序列国家机关、人民团体目前不宜作为试点单位。

（三）探索律师权益保障制度

律师制度恢复重建以来，律师在执业中受到干扰、合法权益遭到侵害的事件屡有发生，如有的被强令驱逐出法庭，有的被无端殴打，有的甚至被拘留、逮捕、审判。对律师的合法权益受到侵害的事件，通常需要律师协会在司法行政机关的支持下，进行认真调查，核清事实，提出妥善的处理意见和建议，通过政法委、人大等领导机关协调得以圆满解决，保障律师依法履行职务。广东省律师协会于1997年成立了由律师管理人员和执业律师组成的维护律师合法权益工作委员会，并于同年与广州市律师协会联合召开了维权工作研讨会，制定了《广东省律师协会维护律师执业合法权益委员会规则》，建立了对于侵害律师权益案件建档登记、专家论证、个案协调等一整套处理办法。为了保证当事人免受不必要的损失，也为了减少律师执业的风险，省律协借鉴国外专家责任保险制度，要求广东省律师购买执业责任保险，目前投保率在85%以上。目前，广东省律协正积极争取省人大等立法部门的支持，起草《广东省律师执业权益保障条例》，从立法的角度保护律师执业的合法权益，使律师维权工作重点从事后救济转为事前预防。该条例将针对广东省律师执业环境实际情况，充分保护律师在诉讼、仲裁和非诉讼业务领域里的合法执业权益，并提出“支持原则”，明确规定有关单位为律师执业提供保障，更有效地解决目前律师在执业过程中的“会见难”、“阅卷难”、“调查取证难”的“三难”问题。为配合修订后的律师法顺利实施，广东省司法厅启动了对本省制定的

原律师法配套办法的6个规范性文件的废、改、立工作，并主动协调有关公检法部门保障律师执业权利，积极与省公安厅研究如何保障律师在刑事案件侦查阶段的会见权及在查询人口信息资料、车辆信息资料时的调查取证权。这样的做法在全国也是首开先河。

另外，2002年广东省律师协会共为省直83家律师事务所1700多名执业律师购买了执业责任保险，这不仅有利于当事人利益的保障，更是对律师执业风险的有效分散，保障了律师执业的利益，大大改善了律师执业环境。

（四）粤港律师法律服务业合作①

改革开放以来，随着粤港经济的融合和社会往来的频繁，粤港两地法律服务的交流与合作日趋紧密。1997年香港回归之后，特别是2003年《内地与香港关于建立更紧密经贸关系安排》（CEPA）签署以来，广东省认真落实CEPA中关于法律服务业开放的各项措施，积极促进粤港两地律师法律服务业合作，取得了非常好的效果。

其实，早在改革开放以前，梁爱诗、何耀棣等8名香港律师就被司法部指定为办理内地居民（主要是广东居民）涉外法律事务的律师，当时的业务主要是遗产继承等。1979年，广东省律师业开始重建，粤港律师的交流合作也伴随着改革开放的深入日益密切。20世纪80年代初，广东省各地设立的律师事务所都有专门处理涉外律师业务的对外经济律师事务所，主要业务是对港法律业务。1992年7月，经国务院批准，司法部允许香港律师事务所在中国境内设立办事处的试点工作。广州和深圳成为全国5个试点城市中的2个。到1996年香港律师事务所驻粤代表机构已经达到10家。CEPA签订及实施以后，允许在内地设立代表机构的香港律师事务所与内地律师事务所联营；允许内地律师事务所聘用香港法律

① 本部分内容主要参考了广东省司法厅律师管理处发表的《粤港律师法律服务业合作情况探析》，《广东司法简报》调研专刊第8期。

执业者；允许已获得内地律师资格的香港律师在内地实习并执业，从事非诉讼法律事务；允许香港永久性居民中的中国公民参加内地统一司法考试；减少香港律师事务所驻内地代表处代表的最少居留时间限制等，港澳律师进入内地法律服务市场变得更加容易，粤港律师的交往合作方式呈现多样化：

第一，推进实施CEPA涉及法律服务的各项承诺，为粤港律师法律服务业合作提供平台。CEPA签署以后，广东省厅与香港贸发局加强交流，定期参加粤港合作联席会议，与香港特区政府律政司交流两地法律服务合作情况，不断推进CEPA各项承诺的落实。与此同时，广东省还对CEPA法律服务开放措施，如联营的条件、“允许香港大律师以公民身份担任内地民事诉讼的代理人”等进行专门调研，协助司法部对相关的内地与香港法律服务合作的管理办法进行修改。在粤港两地政府的推动下，CEPA项下粤港律师业合作总体进展顺利。2003年以来，广东省新批准设立9家香港律师事务所驻粤代表处，目前共有19家香港律师事务所驻粤代表机构，2家香港律师事务所与广东律师事务所联营。根据CEPA规定，香港永久性居民中的中国公民可以参加内地司法部组织的统一司法考试，取得内地法律职业资格，至今共举行了四次考试。2004年的考试由司法部委托广东省司法厅在深圳和珠海举办，当年共接受442名香港居民报考，有4名香港考生通过考试。从2005年开始，香港居民可以在粤港两地报名考试，2005、2006、2007年，广东省共完成300多名香港考生的报名工作。2004年2月9日，考取内地执业律师资格的香港律师林月明经深圳市司法局批准在深圳实习，成为CEPA实施后，首位进入内地从事法律事务的香港律师，目前已有14名香港居民获准成为内地执业律师。

第二，通过广东省律师协会推动粤港两地律师界的交流和合作。一是签订共同合作协议。2005年7月15日，省律师协会与香港律师会签订了《促进粤港法律服务发展合作协议书》，对双方法律信息和法律文件的交换、业务交流合作、定期友好互访、建立法律咨询平台、建立和发展律师事务所联营和保障两地律师执业权利

等方面的内容进行约定，实现了双方网站链接，两地律师通过点击某一方网站上的链接即可进入对方律师协会（会）的主页，实现了双方网站的资源共享，促进信息的及时交流。深圳律师协会积极落实深圳市政府和香港政府签订的《关于加强深港合作的备忘录》中有关法律服务的措施，推进深港律师法律服务业合作，提出筹建深港法律服务中心的设想，得到了香港律师会的积极响应。二是加强粤港两地律师交流培训工作，初步建立了年轻律师互相培养交流的制度。2003 年，省律师协会与香港律师会签订了《香港及内地律师专业发展培训计划》，定期互派律师到对方律师所实习培训，加快了两地律师业的融合发展，促进了粤港律师业合作的进一步深化。三是互相推荐业务。广东省律师协会连续推荐香港律师会参加 2006 年和 2007 年中南六省律师论坛和中国律师论坛，促进了粤港两地律师对包括律师文化建设等方面的内容的交流。同时，香港律师会也在广州等地举办“增值法律服务系列珠三角推介会”，广东省律师协会和广州市律师协会作为支持单位组织了 20 名律师参加，促进了相关律师业务的交流。四是积极参与香港贸发局举办的展览活动，为更好地向公众介绍广东省律师行业发展现状，宣传广东律师，帮助广东省律师开拓服务市场，2002—2005 年，先后三次参加香港贸发局举办的展览推广活动。五是确定了交流的基本渠道，如每两年召开粤港澳律师运动会，与香港轮流组织法学界的人士参加区际法律问题研讨会等等，增进了两地律师的友谊。

第三，粤港两地律师事务所和律师之间通过各种方式加强合作。粤港律师业开展合作以来，广东省的律师事务所和律师也通过各种方式积极主动加强与香港律师界合作，主要有五种方式：一是与香港的律师事务所联营，如广东中元律师事务所与香港冯元钺律师行联营，广东星辰律师事务所与香港罗拔臣律师事务所联营；二是直接在香港成立分支机构，自 2005 年中央放开内地律师事务所在香港设立分支机构的限制后，广东省的信扬、华法、天伦、国浩等律师事务所先后在香港设立分支机构，开拓海外法律服务市场；三是加入香港律师界民间组织，如广东华法律师事务所加入香港吴少鹏律师事务所牵头创建的“长江律师联网”；四是与香港的律师行建立松散型的协作关系，这是目前广东省律师事务所与香港律师事务所采取的最多的一种合作形式；五是内地律师与香港律师开展个人之间的个案合作，主要完成一些诸如商业登记、注册登记等很简单的法律事务。2007 年 4 月 5 日，省司法厅举行了广东首个内地与香港法律服务业联营颁证仪式。为了进一步落实《内地与香港关于建立更紧密经贸关系的安排》，根据《香港特别行政区和澳门特别行政区律师事务所与内地律师事务所联营管理办法》及其他相关规定，省司法厅批复香港冯元钺律师事务所与广东中元律师事务所联营，名称核定为“香港冯元钺律师事务所广东中元律师事务所联营”。该联营成为广东首个内地与香港法律服务业的联营同时也是 CEPA 服务业开放的第三阶段，全国首个香港律师事务所与所在地的内地律师事务所的联营。截至 2008 年，17 家香港律师事务所在广东设立了 18 家代表机构。

粤港律师业合作从民间为主的分散自发性合作向更加紧密、更加制度化推进，进一步拓展两地律师业的法律服务领域，丰富了法律服务的内容，达到了降低成本、提高效率和拓展海外市场的效果。广东省律师通过与香港律师业的联合、合作，共享信息资源、管理经验并进行人才交流，吸取借鉴同业的先进经验，加速了规模化、专业化的建设，加快提升行业的整体素质和国际竞争力。

四、仲裁、公证、司法鉴定制度

（一）公正与便捷的仲裁工作

随着经济的不断发展，仲裁已经成为大量的经济纠纷解决机制。自《仲裁法》颁布近十年来，广东省司法厅已依法办理了广州、深圳、珠海、佛山、汕头、惠州、江门、韶关、肇庆、清远 10 家仲裁委员会的设立登记，并依法对肇庆、广州、佛山、惠州、深圳、汕头、珠海、韶关仲裁委员会的换届进行了备案（登记），

并对各仲裁委员会1482名仲裁员进行备案登记。各仲裁委员会经过多年努力，在机构设置、人员配置、制度完善、业务拓展等方面都有了长足的进步。其中广州仲裁委员会于1995年设立，是广东省最早登记设立的仲裁委员会。绝大部分仲裁委员会在机构改革中都被编制为事业单位，其中广州、深圳为副厅级，其余为正处级事业单位，均不同程度地落实了人员编制；只有清远仲裁委员会被定位为中介机构，没有编制。除清远因此没有经费保障外，其他大部分仲裁委员会实行全额拨款，如广州、汕头、珠海、佛山、韶关、惠州等仲裁委员会；深圳、江门仲裁委员会实行差额拨款；肇庆仲裁委员会作为自收自支的事业单位，经费来源于自我筹措。各仲裁委员会经过几年艰辛努力，不断拓展业务领域，取得了良好的社会效益和经济效益，广州、深圳仲裁委员会的受案数量和标的总额一直在全国名列前茅。

广东省仲裁工作的业务拓展情况有五方面特点：一是各仲裁委员会的受案量呈逐年增长的趋势。如广州仲裁委员会2003年受理各类案件2645宗，同比上年增长120%，结案2411件，结案率达到91%，标的额近34.3亿元，同比上年增长121%。又如深圳仲裁委员会2003年受案1750多宗，同比上年增长36%，标的额达19亿元。再如佛山仲裁委员会2003年受案230宗，同比上年增长9%，标的额5.85亿元。广东省受案量最少的清远仲裁委员会也由2002年仅受理1宗案件增加到2003年受理5宗。二是各仲裁委员会办理案件质量普遍较高，调解率也较高。如佛山仲裁委员会至今还未出现法院撤销裁决的情况，而且当事人极少对裁决的案件提出异议。又如珠海仲裁委员会办案质量一直较高，至今只有1%左右的裁决被法院撤销。三是各仲裁委员会普遍重视加强仲裁员及仲裁工作人员队伍建设。佛山仲裁委员会始终认为仲裁案件的质量就是仲裁委员会的生命，对凡是出现问题的仲裁员一律严处，仅2003年就除名了16名仲裁员；汕头仲裁委员会注意提高仲裁员和仲裁工作人员的基本素质，采取有力措施，重点吸收各方面人才，目前专家扩大到51名；惠州仲裁委员会通过进行一系列对仲裁员的培

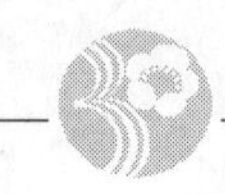

训，加强同兄弟单位的交流与联系，学习外地的成功经验。四是各仲裁委员会普遍重视加强软、硬件建设。深圳仲裁委员会通过创制、使用仲裁工作专用软件，实现了电子办公，提高了工作效率，也有效增强了当事人的信任度。广州仲裁委员会加强办公环境的专业化、现代化建设，为实现无纸化办公、网上办案打下了良好的基础。汕头仲裁委员会认真规范各方面工作制度，制定了《汕头仲裁委仲裁员管理办法》、《汕头仲裁委仲裁员手则》、《汕头仲裁委仲裁员办案规范》等规范。五是各仲裁委员会普遍重视宣传仲裁法律制度。如广州仲裁委员会借助2003年全国仲裁年会、广州市人大仲裁执法检查、房地产纠纷司法解释的实施等重大事件，通过《法制日报》、《南方都市报》、广东电视台等新闻媒体及搜狐网站，展开对《仲裁法》及仲裁知识的广泛宣传。汕头仲裁委员会通过印发《仲裁指南》给相关单位、部门，广泛宣传仲裁知识。惠州仲裁委员会在《惠州日报》上举办仲裁知识问答专栏，也取得显著效果。

推行劳动争议仲裁“十项制度”。2003年广东省劳动和社会保障厅开始逐步在广东省推行劳动争议仲裁“十项制度”，使劳动争议仲裁庭覆盖广东省，以解决仲裁庭建设滞后、办案设施不配套这一严重制约劳动争议仲裁事业发展的瓶颈。“十项制度”包括：劳动争议仲裁规范用语制度、仲裁庭达标制度、劳动争议仲裁庭审程序规范制度、仲裁员名录和选择仲裁员制度、公开审理及旁听制度、当庭裁决制度、仲裁员办案监督制度、案例分析和通报制度、检查评比和年审考核制度、错案责任追究制度。“十项制度”既是工作制度，又是管理制度，同时还是考核标准。在地级以上市和珠江三角洲等经济发达地区各级劳动争议仲裁机构都至少设置了一个专业化、现代化、信息化的仲裁庭和一个调解庭；山区和经济欠发达地区各级劳动争议仲裁机构也都设置了一个专业化的仲裁庭。[①]

---

① 《广东省正逐步在广东省推行劳动争议仲裁“十项制度”》，《南方都市报》2003年5月8日。

除了推出“十项制度”之外，广东省还不断加强统一仲裁庭审程序规范。为了彻底改变劳动争议仲裁庭不严谨、不规范的现状，广东省在调研论证、吸收各地经验，借鉴法院审判制度改革的做法，广泛听取意见的基础上，制定颁布了《劳动争议仲裁庭审程序规范》，统一了宣布和告知用语，强化了证据质证程序，突出了仲裁员在庭审中的引导地位，对规范仲裁庭的审理，依法保障当事人行使仲裁权利，有着非常重要的意义。广东省还先后出台了《劳动争议仲裁规范用语》、《当庭裁决案件办法》、《案例分析通报和重大案件报告制度》、《公开旁听制度》、《案件跟踪回访制度》、《仲裁庭达标制度》、《仲裁员名录和选择仲裁员制度》、《检查评审和年审考核制度》、《错案责任追究制度》等。

2005 年 9 月 3 日，《中共广东省委、广东省人民政府关于构建和谐广东的若干意见》发布。该意见根据近年来广东省劳动争议继续呈大量化、尖锐化、复杂化趋势，劳动争议的组织化、规模化、群体化倾向明显，案件处理难度增大，新型和疑难案件比例上升，案件大量上升与办案力量严重不足矛盾、及时快速解决争议与现行体制制约矛盾突出的实际，明确提出要建立“立足调解、仲裁为主、诉讼为辅”的劳动争议调处体制，加快推进劳动仲裁机构实体化和人员职业化、专业化，实现劳动争议案件快立、快调、快审、快结。2006 年 9 月，《广东省劳动争议仲裁条例（草案）》公开征求意见，创造性地规定，对关系劳动者生活、生存的劳动纠纷，劳动仲裁可以“一裁终局”，其他则仍使用普通程序。其实追溯到几年前，早有广东省人大代表向全国人大提出劳动争议处理程序改革方案，方案不仅作出了将能够大大降低劳动者维权成本的程序设计，并兼顾到了程序法和实体法之间及“裁”与“审”两轨之间相关操作问题的衔接。

按照发展规划，截至 2007 年，广东省劳动争议仲裁工作实现“十个率先”：① 率先突破案件处理十万大关，年处理劳动争议约占全国 1/4；② 率先颁布实施劳动仲裁“十项制度”，实现劳动仲裁各方面工作规范化；③ 率先提出劳动仲裁“三化（市场化、规范化、国际化）”建设目标，为仲裁事业发展奠定基础；④ 率先实施仲裁庭达标工程，树立劳动仲裁对外良好形象；⑤ 率先实施劳动仲裁庭审程序规范，树立劳动仲裁权威；⑥ 率先出台和规范劳动仲裁收费和减免缓办法，保障劳动者行使仲裁权利；⑦ 率先确立“四快”处理劳动争议和“四项”有利于劳动者的仲裁原则，维护劳动者合法权益；⑧ 率先进行省级劳动争议仲裁立法，积极推动劳动仲裁体制改革；⑨ 率先制订劳动仲裁“十一五”规划，推动劳动仲裁事业全面、协调、可持续发展；⑩ 率先建成全国首家省级劳动仲裁专业电子网站，信息化建设走在全国前列。

劳动争议或纠纷是现代社会发展中的一个重要现象，也是法律制度必须认真对待和解决的问题。劳动仲裁正是针对劳资关系的特点而提出了纠纷或争议的解决方式，广东省在劳动仲裁的适用中推出了很多具有模范性的模式经验，也取得了很好的社会效益。

（二）保证威信与效力的公证工作

广东省的公证业务总量较大，2001—2005年，年办证量连续五年突破100万件。公证业务领域不断拓展深化。据不完全统计，广东省开办的公证项目已从刚恢复重建时的20多项发展到现在的200多项，业务范围从传统的涉外民事公证，发展到国内、涉外、涉港澳台民事和经济公证，具体涉及金融、不动产、动产、公司事务、商品流通、企业改制等各个重要经济领域和公民身份权、财产权等方面的法律事务，深入到我国社会经济生活的各个方面，充分发挥了公证工作预防纠纷、维护稳定、保障公民合法权益的职能作用。1995年开始积极探索公证工作的改革，提出了积极稳妥、实事求是、循序渐进的思路和分“三步走”的方案，出台了《关于公证工作改革意见》，并制定了《建立公证机构的规定》和《实行公证处主任负责制试行办法》等规定，推动了公证工作改革的第一步；到2000年公证工作深入改革后，有107家公证机构由原来的行政体制转为事业体制；其中有36家建立了独立核算法人财产制度，有执业公证员689名，执业公证员数量排全国第二。2002

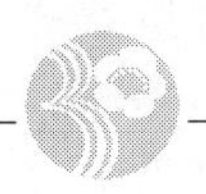

年共有公证机构 146 个，公证人员 1374 名，广东省总办证量继续超过百万件，涉外公证发往 120 多个国家、地区使用。截至 2006 年，全省公证处已发展到 145 家，公证人员 1740 人；2006 年全年办理公证 1292332 件，其中办理国内公证 792501 件，办理涉外及涉港澳台公证 499831 件，在国际上创立了良好的声誉。2006 年 11 月 4 日，全省各地的执业公证员和公证业务辅助人员在广州参加了全国公证岗位培训考试，这是公证制度建立 20 多年来的第一次全国性的公证岗位培训及统一闭卷考试。全省共 752 人参加了考试，其中 734 人及格，合格率为 98%。

1. 主要公证业务的发展。

广东省的公证业务主要集中在以下几个方面：

第一，涉外公证。广东是外经贸大省，对外联系较多。公证工作除了做好公民因私出国、探亲、定居、结婚、收养等传统涉外民事公证之外，还积极为广东省企业走向世界，如在外国设立机构、承包工程、招标投标、对外贸易、诉讼索赔等提供公证法律帮助，出具的公证文书发往 120 多个国家和地区使用。同时通过办理担保书、企业章程等公证，为引进外资提供真实、合法的证明；通过办理合资、合作等招商引资合同公证，引导、督促中外双方当事人依照我国法律从事各种经济活动，以优质高效的公证服务为外来企业和资本创造良好的投资环境。

第二，政府重点经济工作公证。广东省公证工作积极适应社会经济发展的新需求，不断完善和创新服务方式和做法，为政府重点经济工作提供法律帮助。如广东省一些公证处积极探索办理公司章程、股东会议等公司事务公证，为深化国有企业改革、完善公司法人治理结构、建立现代企业制度服务；在城市化过程中，为城市基础设施建设提供保全证据、提存、协议等公证服务，为政府重大活动提供现场监督公证，为政府支柱产业和重点经济项目提供公证法律服务等。通过公证法律服务，确保政府重点工程和建设项目顺利进行。

第三，金融房地产公证。金融、房地产是国家经济工作的重点。公证主动介入资本市场和其他要素市场的发展、金融运行机制的完善等领域，办理中小企业贷款、大中型企业融资、债券票据等公证事项。在我国土地使用制度改革过程中，公证机构积极办理国有土地使用权的招标、拍卖、挂牌公证，健全、完善有关规则，保障国有土地使用权出让、转让的顺利进行。公证机构还努力拓展房屋买卖租赁、抵押、二手楼交易等公证事项，对房地产交易活动起着重要的规范运作、保障安全的作用。

第四，高科技和知识产权公证。公证工作积极介入高新技术、信息化建设，拓展知识产权、资本产权市场等多方面的法律服务，探索新的公证服务领域。21世纪是知识经济时代，发挥职能优势对知识产权、资本产权进行有效保护，促进和保障创业活动和创新成果，无疑是公证工作保障和推动经济发展的重要内容。公证处通过为相关个人、企业办理纸质、录音、录像、网页等多种形式的保全证据公证，避免和减少各种侵权行为，维护他们的合法权益。

第五，民营企业公证。民营经济是广东经济发展的重要组成部分，公证工作积极介入民营企业抵押登记、借款等各种生产经营活动，确保它们的合法权益。有的公证处与民营厂企签订法律服务协议，定期走访、上门服务，主动为其排忧解难。

第六，农村建设公证。我国是一个农业大国，积极发展社会主义新农村，是党和国家的一项重要政策。公证机构紧紧围绕农村经济社会发展中出现的大量法律需求，为新农村建设提供全方位、立体化、多层次的公证法律服务。比如，主动介入农村土地征用、拆迁补偿安置等工作，办理房屋拆迁证据保全公证、财产清点和声明书公证、被拆迁户选择建房安置地的现场监督抽签公证等；为农村基础设施和重点项目建设、资源拍卖等招投标活动提供现场监督公证；为支持农村乡镇企业发展，促进农村市场经济成长提供法律服务。公证处积极办理农村招商引资合同、土地承包、农产品开发与加工等涉农经济公证业务，为当事人提供完善的公证法律服务，有效地促进了农村招商引资、农业发展、农民增收和农村经济繁荣；积极为农民婚姻家庭事务提供公证法律服务，主要是办理农民房屋

产权、抚养、赡养和继承等各类涉农民事公证事项，有效地保障了农民生活的正常进行和农村的和谐稳定，为农村的经济发展创造有利的法治环境。

广东省公证工作认真落实科学发展观的指导思想，积极为预防社会纠纷、化解社会矛盾、维护社会稳定、构建和谐社会服务。如积极为社会困难群体，特别是城市外来务工人员提供法律帮助。这部分群体的合法权益容易被忽视，也容易引发群体性事件，而不利于社会的稳定。公证处努力为外来务工人员用工制度和用工安全提供法律服务和保障。积极为他们办理未受刑事处分、出生、学历、经历、技术证书、劳务合同、就业、再就业、劳务输出等各类公证，也积极为他们办理亲属关系、委托书、继承权、赔偿协议、证据保全等公证事项，帮助农民工领取或追讨工资、劳动保险金、工伤或死亡赔偿金、抚恤金等，维护他们的合法权益。又如当前社会普遍存在的医患矛盾、纠纷，公证处从中立的角度积极促成医患双方达成公平合理的医疗纠纷补偿协议，出具相关的公证文书，督促当事人自觉履约，依法办事，预防纠纷，减少诉讼。公证处还对符合条件的贫、弱、困人员积极开展公证法律援助活动，实行减、免、缓收公证费，为实现社会稳定、社会公平、社会和谐尽职尽责。

2. 改革完善公证管理制度和管理方式。

广东省公证管理实行司法行政机关和公证协会“两结合”的管理模式。到2002年公证管理部门积极落实公证改革政策，稳步推进行政体制公证向事业体制转变，其中全省96个公证处完成了向事业体制的转变，占全省公证处的70%，有15个公证处实行脱财入税，占全省公证处的10%，使事业体制公证处成为全省公证机构的基本形式；同时广东省还不断完善总结主办公证员制度的试点工作；对公证队伍实行年度考核、定期培训、职业道德和执业纪律建设；每年组织公证质量检查，通过公证处自我检查、互相检查、组织抽查等形式，对广东省上一年办结的各类公证案卷进行全面检查，发现问题，及时纠正，确保公证质量；规范公证执业行为

和服务秩序；坚持开展文明公证处和优秀公证员的创建和评选活动，发挥先进典型的表率作用；推行公证行业网络化、信息化建设，引进现代化管理手段，提高工作效能；引导公证机构积极开展便民、利民活动，为当事人提供高效的法律服务，树立公证良好的社会形象。

3. “阳光公证”是广东省公证制度的重要举措。

公证是构建社会诚信的一项内容，也是维护社会公平正义的一项制度。公证工作经过恢复重建20多年来，业务稳步增长，服务领域不断拓宽，在预防纠纷，化解矛盾，维护社会稳定，构建社会主义和谐社会中的地位和作用日益重要。但是，在公证事业加快发展的过程中，也出现了一些公证“不公”的问题，影响和制约了公证事业的健康发展，影响了公证的公信力。为此，从2005年3月起，我国公证队伍2万多人集中开展了教育规范树形象活动。广东在广东省公证行业的教育规范树形象活动中始终坚持“阳光公证”。公证处不设封闭式柜台，到处可以看到公证员诚信档案簿、证后跟踪服务、“公证管理在线”、网上回复报告制度等保障公证管理公开化、透明化的网络管理系统。广州市司法局开发的“飞帆公证业务管理集成系统”，还荣获全国公证行业专用软件成果一等奖，在国内公证行业得到普遍推广。信息化手段强化了司法行政机关对公证行业的管理，拓展了公证的服务方式、透明度和诚信度，为诚信公证提供了实实在在的制度保证。2005年4月底，广州市司法局又在国内率先推出了公证诚信自律保证金制度，13家公证机构挂出了“公证诚信自律公约成员单位”牌匾，并向公证管理处交纳了18.5万元的诚信自律保证金。一旦公证处及公证员违反公约，除按有关规章处罚外，该保证金将被扣除。下一年开始再根据公证机构的诚信度来确定保证金的数额，诚信度越高，出问题越少的机构，交纳的保证金越少，对模范执行公约的成员，将给予奖励，并全额退还保证金。①

① 《见证广东阳光公证》，《人民日报》2005年7月13日。

加强公证系统的信息网络化建设，通过现代化的科技手段来规范公证管理与办证程序，提高公证法律服务水平。制定了《公证行业信息化建设试点实施方案》，对推进广东的该项建设和建立广东省公证管理提出了具体的要求；广东高度重视自动化管理建设，通过对信息网络化硬件设施建设和软件开发，在各地建立办证自动化中心。公证处办证自动化中心的建立，实现了办证模式和办证程序的科学化、规范化。

广东还通过建立公证管理平台来强化公证工作管理：一是积极使用中国公证员协会开发的全国公证行业管理软件，将广东省公证机构和公证人员纳入行业管理范围；二是在广州、深圳等市，初步建立了公证管理网络系统；三是广东公证员协会开发并使用了涉台公证书副本寄送登记软件，提高和加强了该项工作的效率与管理；部分公证处公证档案实现电子化，使公证质量检查方式得以改革。在上述基础上，广东建立了公证在线网站，将广东公证重大事项在网上公布，增加公证工作的透明度，并通过在该网站上开通网上投诉和网上公布投诉处理结果等措施，使广东的公证工作公开接受社会的监督。有部分地级市还在网上建立了公证人员诚信档案，并引入社会力量对公证人员的诚信情况进行实时、动态监督。

（三）面向社会服务的司法鉴定工作

司法鉴定制度是我国司法制度的重要组成部分，是健全司法制度、保障司法公正的基础性建设。广东省人民政府机构改革“三定”方案赋予广东省司法厅“管理、监督、指导面向社会服务的司法鉴定工作”的职能，省司法厅司法鉴定工作管理处履行司法厅管理、监督、指导面向社会服务的司法鉴定工作职能部门的职责。

2000 年广东省政府批复了省司法厅有关设立面向社会服务的司法鉴定机构、司法鉴定人员等有关事项，进而开始了《广东省司法鉴定条例》的制订工作。2001 年深圳通过了《深圳市司法鉴定条例》，这是在《立法法》通过后经济特区通过的第一部司法鉴

定法规。2002年广东省审核和批准了一批面向社会服务的司法鉴定机构和司法鉴定人，确立了广州、深圳、汕头、佛山、中山、湛江6个城市作为面向社会服务司法鉴定机构核准试点市。到2002年全省设立了51家面向社会服务司法鉴定机构，包括法医病理鉴定、法医毒物鉴定、司法会计鉴定、文书司法鉴定、痕迹司法鉴定、计算机司法鉴定等16个执业分类。至2003年底，广东省已核准设立面向社会服务司法鉴定机构92家，认证了16个司法鉴定类别司法鉴定人867名。从这些机构近几年开展业务情况看，广东省面向社会服务司法鉴定工作在维护公民合法权益、化解纠纷维护稳定、促进司法公正方面起到了积极作用，受到社会各界好评。在努力推进司法鉴定业务不断发展的同时，广东省司法厅坚持严格准入，拓展面向社会服务司法鉴定工作向民营经济倾斜。广东省已核准的面向社会服务司法鉴定机构，国有文教卫生科研部门设立的只有18家，非公有制机构设立的有73家（占80.2%），主要集中在司法会计、法医类领域。依托原有机构设立75家，如司法会计鉴定机构，新设立的14家主要集中在法医、物证鉴定领域，如汕头大学司法鉴定中心、广东南天司法鉴定所等。所认证的司法鉴定人都具有大专以上学历，本科以上学历占60%，都具有行业执业资格或中级以上技术职称，至少三年以上从事鉴定的实践经验。从实践看，以民营机构为主力的广东省面向社会服务司法鉴定工作，较顺利地实现了司法鉴定领域的社会资源重组，发展形势喜人。

通过核准面向社会服务司法鉴定机构，填补了广东省空白，方便群众，促进了社会矛盾化解。2003年，各家机构共受理鉴定案件6164件，完成6102件，初步统计采信率达91%。其中法医类鉴定案件为5205宗，文书、痕迹、声像资料、计算机、海事等鉴定案件为231宗，这些鉴定多为新设机构完成。新设立的面向社会服务司法鉴定机构，使广东省面向社会服务司法鉴定工作网络得到极大完善，扩大了影响，方便了当事人，促进了纠纷的解决。

1. 司法鉴定机构自觉加强自律性管理，以优良质量和良好信誉开拓业务。

各鉴定机构都把鉴定质量、服务质量作为机构生命，大力加强内部制度建设，及时完善广东省司法厅规定的司法鉴定统一收接案、鉴定人回避、保密、鉴定文书制作、鉴定人出庭质证、财务管理、档案管理等制度，并结合实际进一步细化，严抓管理环节的落实，严把质量关、服务关，做到了科学、客观、公正。如广东南天司法鉴定所制定了鉴定风险告知制度，广东南粤法医临床司法鉴定所制定了鉴定结论回访制度等。又如汕头大学司法鉴定中心对每一例法医病理鉴定案件，都要求各医学学科专家进行论证。再如广东明正建筑工程质量司法鉴定所对法院等委托的鉴定案件，及时组织鉴定，严格依技术规范进行，按法院审判时间的要求提交鉴定结论，受到中山市法院的好评。从2006年案件委托情况看，公检法部门委托占62%，个人委托占24.4%，律师事务所、企事业单位、仲裁委员会等主体委托占13.6%，采信率达91%，说明广东省面向社会服务司法鉴定机构经过短短几年的工作，已初步得到了社会较高的评价。从2007年始，广州、深圳、佛山、汕头、中山、东莞等地司法机关已将部分司法鉴定案件固定委托面向社会服务司法鉴定机构进行。

2. 建立司法鉴定人培训制度，大力推进司法鉴定管理工作规范化建设。

首先，把提高司法鉴定人法律素养放在管理工作的首位，在吸取外省成功做法的前提下，经过周密准备，聘请国内知名学者授课，于2003年9月25—30日分两期对广东省已经认证的首批面向社会服务司法鉴定人667名进行初任培训，理论结合实践的学习方式受到学员们的好评。2006年广东省在全国率先开展司法鉴定质量管理评估和司法鉴定人继续教育年度分类培训工作，分别举办三期年度全省法医、物证、声像资料类司法鉴定人培训班，培训329人次。其次，重点抓好司法鉴定管理工作规范化建设。在认真总结面向社会服务司法鉴定核准试点工作的基础上，通过走访鉴定机构、书面征求市局意见、召开管理人员座谈会等方式，进一步完善管理工作制度，起草、修订了《广东省面向社会服务司法鉴定机构名称管理办法》、《广东省面向社会服务司法鉴定机构管理暂行规定》、《广东省面向社会服务司法鉴定人管理暂行办法》等规范性文件，同时着手组织法医类、刑事技术类和司法会计鉴定等专业类别程序指引的起草工作。再次，明确将省政府指定的医学鉴定医院的司法鉴定管理工作纳入省司法厅统一规范管理。

3. 司法鉴定管理工作：严格准入、注重创新。①

广东省虽未出台《广东省司法鉴定条例》，省级司法鉴定委员会也暂未成立，但广东省司法厅及广州、深圳、汕头、佛山、中山、湛江等市司法局都已开展了对面向社会服务司法鉴定活动的管理工作，深圳、汕头、湛江等市还成立了司法鉴定工作委员会，广东省面向社会服务司法鉴定工作开展得有声有色。截至2003年，广东省已审批面向社会服务的司法鉴定机构50家，鉴定人490名，范围涵盖司法医学、司法精神病学、物证技术、司法会计、建筑工程、海事司法鉴定等类。特别是深圳市，出台了《深圳市司法鉴定条例》，开展了复核司法鉴定工作，成效明显。2005年建立了省司法厅、公安厅、检察院和法院司法鉴定联席会议制度。

首先，建立了严格的行业鉴定机构准入制度。为了有效地避免行业鉴定机构过多过滥以及数量比例、地域布局不合理，提高鉴定机构的鉴定质量，广东省司法厅建立了严格的行业鉴定机构准入制度。广东一直用三道“门槛”严把司法鉴定机构的准入关：一是明确准入条件。对各类司法鉴定机构的执业条件进一步细化，同时，还对设立机构所需的办公面积、必需的仪器设备和检测实验室等也作了明确规定。在法医类、物证类和声像资料类的三大类机构中，从事法医类业务的申请人，必须具有法医资格，申请人必须提交三件以上与申请执业类别相关的实证案例等。二是依托所在地实力最好的医疗机构建立司法鉴定机构。三是对一时不具备设立条件的地级市，在严格审批程序的情况下，允许珠江三角洲具备实力的

① 《关于广东、上海等省市司法鉴定管理工作的考察报告》，载http://www.sfjd.gov.cn/newsview.asp? nid=333。截至2008年5月7日。

司法鉴定机构在这些地级市设立分支机构，以方便群众。这一制度的建立，提高了行业鉴定机构的准入门槛，保证了行业鉴定机构进入司法鉴定领域的质量，也得到了行业鉴定机构和鉴定人的欢迎和肯定。广东省司法厅下放审批登记权限。广东省司法厅于 2003 年将司法鉴定机构和鉴定人的审批登记权下放给部分市级司法局，如广州、深圳，省司法厅今后对司法鉴定机构和人员实行备案制度。这种做法，既有利于提高市级司法行政机关的积极性，也有利于对司法鉴定机构和鉴定人的管理。据悉，省司法厅拟同时下放的还有律师、公证等方面的审批登记权限。同时又严格规定，司法机关的在职鉴定人不得兼职从事面向社会服务司法鉴定业务。广东省司法厅要求司法机关的在职鉴定人不得兼职从事面向社会服务司法鉴定活动，如要作为法医学会等面向社会服务司法鉴定机构的鉴定人，必须提供退休、辞职等证明。此外，广东省司法厅还积极探索新的司法鉴定类别，他们结合本地实际，批准设立了海事类司法鉴定专门机构，从事海损事故、船舶检验、海上救助打捞费用、海上污染等项目的司法鉴定工作。

其次，创造了复核司法鉴定的良好外部环境。《深圳市司法鉴定条例》于 2001 年 10 月 1 日起施行，该条例确立了司法行政机关对面向社会服务的司法鉴定活动的“指导、管理”职责；确立了深圳市司法鉴定工作委员会“指导、监督、协调”司法鉴定工作的职责，工作委员会的办公室设在司法局；确立了司法鉴定专家委员会负责复核司法鉴定的制度，专家由司法鉴定工作委员会聘任。《深圳市司法鉴定条例》的贯彻实施得到了深圳市公安、检察、法院等司法机关以及各行业部门的普遍支持和协作。特别是复核司法鉴定，凡是经过“初始鉴定”仍有争议的，公、检、法等机关都委托深圳市司法鉴定专家委员会进行复核司法鉴定，委员会的鉴定结论他们也认可。由于复核鉴定不向当事人收费，深圳市财政对委员会的复核司法鉴定给予了较大的经费保障，仅 2002 年就拨款 100 万元，这一举措既提高了委员会专家的待遇和积极性，也保证了委员会的鉴定质量，对司法公正也发挥了积极的作用。[①]

五、基层司法与基层法律服务

基层司法和法律服务是整个司法行政工作的重要内容。该制度对于预防和化解民间纠纷、加强社会治安的综合治理、维护社会基层的稳定，具有重要作用。广东省一直重视基层司法行政工作的开展。1980 年 10 月在紫金县蓝塘区建立了全国第一个乡镇法律服务所，乡镇法律服务所配备专职的司法助理员，到 1987 年全省共配备了 2777 名司法助理员，含兼职 519 人；到 1995 年全省建立了 1828 个乡镇法律服务所，工作人员达到了 6532 人，使司法行政工作得到了延伸和完善。

1980 年 3 月广东省司法厅重建，设法院处指导和管理人民调解工作，10 月后各市县设立司法局，内设调解科，管理和指导当地的调解工作，12 月省政府要求整顿基层的司法调解组织。1982 年人民调解组织写入宪法，使人民调解有了宪法基础。1983 年省政府要求厂矿企业、农场、林场都要建立调解委员会，同时还要求在城乡结合部、厂街结合部也设立调解委员会，如此组成了全省的调解网络。到 1987 年经过几次转折，形成了调解委员会、调解小组、调解员组成的三级调解网络。到 1995 年全省建立了 32325 个人民调解委员会。

从 1980 年到 1995 年的 15 年间，全省基层司法办理经济民事诉讼 54632 件，非诉讼法律事务 462569 件，协办公证 1911966 件，调处各类民间纠纷达到 2911172 件，调解成功率为 97%，[②] 这些都大大促进了法律的发展和社会的稳定。1996 年是广东省司法行政工作的基层年，先后召开了清远会议、博罗会议，开始着力建设乡

---

① 《关于广东、上海等省市司法鉴定管理工作的考察报告》，载 http://www.sfjd.gov.cn/newsview.asp? nid = 332。

② 以上数据参见《中国司法行政年鉴 1995》，第 156 ~ 157 页。

镇司法所，建立了1907个乡镇司法所，到1997年增加到了1932个，法律服务所有1915个，法律服务工作者达到6077名，这些都大大促进了乡镇司法行政工作的发展。2002年开始落实定编立户，启动司法所规范化建设，到2002年11月，全省已成建制的乡镇、街道司法所共1884个，核定专项公务员编制4867名。到2005年，全省1649个乡镇、街道全部建立了司法所，共有司法所工作人员4833名，公务员3577名，基本达到“机构独立、编制单列、管理规范”的要求。以办公用房建设为重点，突出扶持欠发达地区，采取省、市、县（市、区）三方面出资和乡镇、街道扶持的方法，加快推进司法所基础设施建设。至2005年底，全省共有524个司法所新建成办公用房，总面积106871平方米，在建办公用房的司法所296个。大力构建“党政领导，综治牵头，司法为主，多方参与，综合调处”的人民调解大格局。2006年全省共调处民间纠纷206008件，调解成功率为94.4%；防止民间纠纷引起自杀564件，涉及688人；防止民间纠纷转化为刑事案件2224件，涉及2193人；防止群体性上访1645件，制止群众械斗2189件，开展专项治理12888件。

（一）全心为民的“大调解”格局

近年来，广东省人民调解工作取得了显著成绩，在预防和减少民间纠纷、群体性突发事件的发生、维护社会稳定中发挥了“第一道防线”的重要作用。截至2005年，全省共建立各类人民调解组织近3万个。5年来，全省各级人民调解委员会共化解调处各类矛盾纠纷近50万件，受理的矛盾纠纷达30多种类型，有效地化解调处了一批群体性事件，维护了社会稳定。加大推进安置帮教工作“帮教社会化、就业市场化、管理信息化、工作职责规范化”的力度，利用社会资源创办安置实体以及监所探索刑释解教人员与企业衔接的“就业直通车”做法，是省安置帮教工作的一大特点，已取得良好的成效。全省共接收本省籍刑释解教人员94514人，其中刑满释放48361人，解除劳教46153人，通过各种形式安置刑释解教人员85046人，安置率90%，重新犯罪率2.5%。广东省人民调解工作的领域不断拓展，调解模式有所创新，县（区）、镇、村（居）委和村民小组四级调解网络以及“大调解”的格局初步形成。

1. 构建“大调解”格局，建立长效工作机制。

人民调解是构建和谐社会的一项重要工作，也是社会治安综合治理的一项系统工程，各级党委、政府以及党政部门领导要高度重视人民调解工作，把它作为促进社会和谐稳定的重要工作来抓。近年来，许多市、县（市、区）在人民调解工作中创造了好经验好做法，如惠州市综合治理适应调解范围不断拓展的需要，探索建立“党政领导，综治牵头”的县（区）、镇（乡、街道）、村（居）委、村民小组四级调解网络；广州市、区、街道（乡镇）分别成立内部矛盾纠纷调处领导小组，市司法局设立调处办公室；高州市建立民事纠纷调解中心；梅州市建立首席调解员制度；东莞市在民营企业和外资企业中建立调委会等。这些好经验、好典型值得加以总结推广。

由于人民调解涉及面广，单靠一个部门难于奏效，因此广东省提出了各级党委、政府充分发挥指挥协调的作用，建立“党政领导，综治牵头，司法主办，部门参与，联合调处”的长效工作机制并加以坚持、完善。其一是制定规章性文件，按照《中共广东省委办公厅、广东省人民政府办公厅转发省委政法委关于进一步加强我省人民调解工作的意见》的要求和各部门的职责细化，明确在“联合调处”中各自的职责，并列入综治考评内容。其二是广东省成立调解工作联席会议制度，有关职能部门参与，定期交流经验，分析调处民事纠纷出现的新情况、新问题，解决协调配合中的具体问题。联席会议由分管政法工作的领导召集，具体工作由省司法厅负责。其三是广东省总工会、省劳动和社会保障厅、省司法厅、省工商联联合制订在民营企业和外资企业中建立调委组织的指导性意见，把“大调解”的格局覆盖到各个地区、各个部门、各个行业。其四是组织有关院校、科研机构开展人民调解工作研究，

发挥专家学者的作用，设立专门的研究机构，定期或不定期分析人民调解工作的疑难问题，为人民调解工作提供专业上的咨询指导。

2. 加强基层调解组织建设，建立专兼结合的调解队伍。

民间纠纷、人民内部矛盾绝大多数发生在基层，加强基层调解组织建设十分必要和紧迫。在多层次的调解组织体系和调解员队伍中，镇（乡、街道）一级调解组织是纽带和桥梁，在调解工作中起着承上启下的作用，承担着繁重的调解任务。目前广东省 21.5 万名调解员对于民间纠纷的解决起到了良好而不可替代的作用。另外就是，认真贯彻省委办公厅、省政府办公厅转发的省委政法委关于进一步加强广东省人民调解工作的意见精神，落实基层司法所人员编制，并为镇（乡）、街道的调解办公室配备一名专职工作人员，做到有人做调解工作，经费由县或镇解决；要充分发挥社区志愿者队伍在调解工作中的作用；也可以推行聘任制，聘请人大代表、政协委员或当地德高望重、有凝聚力的热心人士担任调解员，发挥他们的积极作用。一是加大企业调解组织工作力度，加快民营、外资企业和经济开发区建立调解组织的步伐，争取到 2008 年，广东省较大型企业人民调解组织组建率达到 90% 。二是加快发展专业性调解组织，建立对应经济纠纷、消费纠纷、房地产与建筑纠纷、环境纠纷、海事纠纷等专业性调委会，增强针对性，不断适应矛盾纠纷构成复杂化、领域扩大化、表现形式多样化的新情况。

2002 年 8 月，全国首家村级法律服务室在中山市正式成立，中国农村法律服务第一次由镇一级单位延伸到村一级单位。村级法律服务室集普法教育、法律服务、民间调解等功能于一体。其主要职能是：担任村委法律顾问，为村委和村民提供法律服务。依法处理各种矛盾纠纷，引导基层干部和村民依法办事；通过各种形式和途径进行普法宣传教育；做好法律咨询登记，排查村民中存在的矛盾，做好跟踪教育；坚持对“两劳”人员进行帮教，解决困难；协助村民在各类诉讼案件中起草法律文书，在村民经济活动中帮助草拟、审查、修改各类合同；代办各类非诉讼业务，如房产过户、婚前财产登记、离婚及财产分割和子女抚养等公证；为困难群体提

供法律援助。之后，中山市司法部门还根据实际需要，在全市建立更多的村级（社区）法律服务室，这些村级（社区）法律服务室成立以后，也已成功化解了包括行政村合并、征地遗留、社保医疗等近百件基层矛盾和纠纷。

3. 适当解决调解办案培训经费，增强人民调解工作保障能力。

人民调解的大量工作在基层，调解员的素质是调解工作是否成功的关键。因此，各地应加大对人民调解员的培训。人民调解是我国的一项法律制度，也是政法工作的一项内容，人民调解工作经费属于政法经费的范畴。按照中央司法体制改革方案确保政法部门所需经费一律由县级以上财政列入预算的要求，应将人民调解工作必需的两项经费列入财政预算：一是调解办案费，主要是用于解决调解协议书的制作、交通费、调解场所水电费等；二是人民调解员培训经费。基层调解员变动大，目前乡镇及“两委”（居民委员会、村民委员会）三年一次换届，调解员变动率达60%～70%，根据广东省委办公厅、省政府办公厅转发的省委政法委关于进一步加强广东省人民调解工作的意见文件对调解员“每年轮训一次”的要求，各地应予以重视，认真落实上级文件精神，确保培训经费列入财政预算，同时适当解决表彰奖励调解防激化先进单位个人的经费。根据《2006—2010年司法行政系统干部教育培训规划》，实行分级培训，省司法厅对各地级以及市司法局领导班子成员和县（市、区）司法局长进行培训，地级以上市司法局负责对县（市、区）司法局副局长与司法所所长的培训，县（市、区）司法局负责对司法所工作人员的培训，每两年对司法所工作人员进行轮训一次，提高维护社会和谐稳定、预防和化解矛盾纠纷的能力。

4. 建立人民调解工作保障机制。

一是继续争取人民调解办案、培训、表彰等经费列入各级财政预算；二是继续争取设立人民调解工作专职人员；三是加快人民调解地方立法进程，促进调解工作的法制化、规范化。研究解决法律法规遇到的新问题，制订广东省调解法规。目前我国现有的调解法律法规尚不够完善，一些调解工作还难以把握。广东省是改革开放

先行一步和市场经济迅速发展的地方，各种利益冲突、社会矛盾纠纷凸显。但各地在调解人民内部矛盾工作中创造了很多好经验和好做法，为地方立法从理论研究和实际工作方面提供了可行性。广东省应从实际出发，加强地方立法的研究工作。建议省人大常委会、省政府将人民调解列入立法项目，如近年立法有困难，也可以先搞行政法规，以促进调解工作法制化、规范化。

5. 建立人民调解、行政调解和司法调解三个调解衔接的工作机制。

调解是化解社会矛盾，防止矛盾激化和群体性事件的好方法。现有相对独立的人民调解、行政调解和诉讼调解，难以适应新时期解决社会矛盾的需要，应当在建立和完善人民调解、行政调解和诉讼调解等内部大调解，充分发挥各种调解作用的基础上，构建由党委政府统一领导和协调的，积极主动的，三大调解联动的大范围、多层次、综合性的“大调解”新格局，建立纠纷排查预警、调解联动、诉讼调解减半收费、总结考评表彰、责任追究、经费保障等机制。

6. 推广“专职为主，以专带兼”的人民调解“六约模式”。

深圳市在总结“六约模式”（深圳六约社区）经验时，提出加大对人民调解工作的投入，构建政府主导、社会力量参与、“专兼结合、以专带兼、网络化”的人民调解工作新格局。这成了广东各地学习的“深圳经验”。龙岗区横岗街道六约社区从20世纪90年代开始就由集体股份公司出资聘请了专职调解员，落实人民调解工作场地、队伍、经费和各项工作，整合社区调解、治安、信访、劳动、工青妇等各方面力量，每年调解处理各类纠纷500多宗，把大量矛盾纠纷化解在基层，做到“小事不出组，大事不出社区、矛盾不上交”，近年来没有发生一起因民事纠纷引发的刑事案件、自杀、上访或群体性事件。国家司法部对六约社区人民调解工作给予了高度的评价，认为“六约模式”是人民调解工作“枫桥经验”在新时期的创新和发展。“六约模式”的精髓：一是把人民调解作为基层解决矛盾纠纷的首选方式，落实人民调解组织和制度，经费

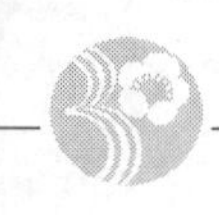

和基础设施得到有力保障；二是坚持高标准选聘调解员，强化业务培训，建设了一支群众信赖的高素质的专职人民调解员队伍；三是工作机制落实，矛盾纠纷排查调处机制完善，预防工作与普法工作相结合，提高居民的法制观念、法律素质和遵纪守法的自觉性，增加公民自控、自防能力，从源头上减少各种矛盾纠纷和社会不安定因素。

7. 广泛合作，建立化解省际社会矛盾纠纷工作机制。

2006年6月27日在广州召开首届泛珠三角九省（区）司法行政合作联席会议，并签署《泛珠三角九省（区）司法行政合作框架协议》。九省（区）将在法律服务、法律援助、人民调解、安置帮教及社区矫治、法制工作、监狱劳教所工作和队伍建设八个方面展开合作和交流，具体内容包括便民性的跨省区法律服务、法律援助、安置帮教等事项，探索“异地托办”、“异地托管”的新途径等。

2007年在第二届泛珠三角九省（区）司法行政合作会议上，为确保省际边界人民调解协作顺利进行，由广东省司法厅牵头组成的维护基层社会稳定合作小组进行了广泛深入调研，草拟了《泛珠三角九省（区）省际边界人民调解协作联调协议》，并在会上顺利审议通过。建立以“矛盾共管、信息互通、先谋共识、联合调处”为主要内容的人民调解协作联调机制，不仅有利于人民调解资源的整合互补，有利于“大调解”格局的建立，而且有利于各方司法行政部门掌握矛盾纠纷排查调处的主动权和主导权，把矛盾纠纷的解决纳入依法、规范、理智的轨道，必将极大地促进区域融合和稳定。泛珠三角各省（区）人民调解工作一直有着紧密的联系，人民调解工作作为化解矛盾纠纷的重要手段，扎根基层、贴近群众，在预防、排查、调处社会矛盾方面具有独特优势，是维护基层社会稳定、构建和谐社会的“第一道防线”。进一步加强新形势下人民调解工作，尤其是加强人民调解合作，是顺应构建和谐社会新形势的需要，是加快协调发展的迫切要求，是优势互补、互利共赢的必然选择。部分省区还就建立跨区域矛盾纠纷联防联调工作机

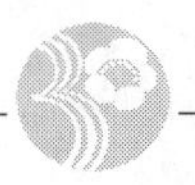

制进行了有益的探讨和尝试，此次泛珠三角人民调解合作的正式启动，为九省（区）人民调解工作发展创造了条件，带来了机遇。

（二）思路开阔的“大安置帮教”工作

安置帮教工作是在各级党委、政府的统一领导下，各有关部门和社会力量对国家规定期间内（刑满释放五年内、解除劳动教养三年内）的刑释解教人员进行的一种非强制性的引导、扶助、教育和管理的活动。安置帮教工作在广东省起步较晚，根据中央有关精神，广东省刑释解教人员安置帮教工作领导小组及其办公室2003年底才成立，而各地级市在20世纪90年代成立的刑释解教人员安帮工作协调小组由于体制上的原因，大多处于瘫痪状态，因此需要整合原有资源，重新组建刑释解教人员安置帮教工作领导小组及其办公室，工作开展也十分有限。现在，广东省地级以上的帮教组织机构已基本完善，帮教机构的各项制度和各成员单位的职责、工作任务也已基本明确，为做好刑释解教人员安置帮教工作提供了组织保障。广东省各级安置帮教机构从维护社会稳定、经济发展的大局出发，坚定信心、开拓进取，工作取得了一定的成效和突破，一些市（区）的工作还走在了全国前列，如广州市创建了全国首个刑释解教人员安置帮教工作信息管理平台，为广东省安置帮教工作信息化程度的提高积累了有益的经验。为进一步解决刑释解教人员的安置和就业问题，各地还创办了一批集过渡性安置、就业技能培训于一体的安置基地和安置实体，安置渠道得到了拓宽。2007年广东省利用社会资源创办安置实体，推行刑释解教人员与企业衔接的“就业直通车”。据统计，全省共建立过渡性安置实体302个。2007年省司法厅、省劳教局与省劳动和社会保障厅联合在广东省劳教人员中启动以“融入社会、守法创业、迈向成功”为主题的SYB创业培训项目（SYB项目，即Start Your Business，是国家劳动保障部引进国际劳工组织开发的创业培训模式，对具有创业愿望和条件的人员进行培训，帮助学员掌握创业的一些基本知识和运作规程，实现自主创办），在劳教所内对劳教人员开展创业培训，帮助劳教人员学习一技之长，激发劳教学员的创业愿望，提高其自主创业能力，变“解教出所待业”为“自主创业”，为劳教人员自谋生计、自主创业开辟了新思路和新途径。这在广东省和全国劳教系统尚属首次。

广东省确立了按照“帮教社会化、就业市场化、管理信息化、工作职责规范化”的工作思路，全面深入地推进安置帮教工作，确立了突出重点，加强管理，努力创建安置帮教工作新格局。刑释解教人员安置帮教工作要突出重点，加强管理，完善机制，确立“大安置帮教”工作思路，把刑释解教人员安置帮教作为司法行政机关切入和改进社会管理的一项工作，切实加强和改进安置帮教工作，最大限度地预防和减少重新违法犯罪。一是突出重点，在安置上下功夫。加强就业指导和就业社会化，拓宽就业渠道，各地安帮部门要积极协助监所联系用人企业，在监所举办就业招聘会，探索刑释解教人员与企业衔接的“就业直通车”做法；利用社会资源，不断改进和加强刑释解教人员过渡性安置实体的建设；大力促进刑释解教人员自谋职业、自主创业和社会化安置，动员全社会各类企业支持、参与对刑释解教人员的就业安置，推动社会化安置格局的形成。2004年下半年，佛山监狱和江门监狱分别成功举办了首次刑释人员就业推荐会，各有几十名即将回归社会的刑释人员与用人单位签订了聘用合同，这成为广东省安置帮教工作的又一创新。二是按照全国和广东省刑释解教人员调查摸底专项活动的要求，各地安帮部门要全面了解和掌握2004—2006年刑释解教人员的情况，对下落不明的刑释解教人员进行查找登记，掌握去向；对表现不好、有违法犯罪倾向的，落实帮教管控措施。积极探索将流动刑释解教人员纳入暂住地安置帮教的新路子，加强对流动刑释解教人员的帮教管理，落实“两头管”的“流入地管理”，最大限度地消除潜在的隐患。三是积极争取党委政府支持，加大安置帮教工作的保障力度。财政部已将安置帮教工作经费列入2007年政府收支科目范围，各地要抓紧落实，将安置帮教工作经费列入财政预算。同时，加强与有关部门的沟通和协调，积极联系成员单位，争取对刑

释解教人员过渡性安置实体和刑释解教人员自主创业方面的优惠政策进行改进，确保各项优惠政策能真正操作落实。四是加强对刑释解教人员的信息化管理，通过今年开展的刑释解教人员调查摸底专项活动，加快安置帮教工作基础建设和信息化建设，全面启用统一的刑释解教人员安置帮教工作管理软件，及时掌握刑释解教人员的基本情况、在监所内的表现情况和对其回归社会的危险性评估等内容，建立刑释解教人员信息库、安置帮教工作管理库、重点人员管控库，加强刑释解教人员的衔接管控工作，落实各项防范管控措施，有效预防和减少重新违法犯罪。五是加强安置帮教工作队伍建设，不断提高工作质量。各级安置帮教组织和部门要不断加强学习，开展有针对性地培训工作，努力研究和把握新形势下安置帮教工作的特点和规律，进一步提高安帮工作队伍适应新时期安置帮教工作的素质和能力。六是加大对安置帮教工作的宣传力度，动员社会各方面力量参与安置帮教工作。各级安帮组织和部门要充分运用报刊、电视、广播、网络等大众传媒，大力宣传做好安置帮教工作对构建和谐社会的重要意义，形成全社会共同关注、理解和支持安置帮教工作的良好氛围。

（三）扎扎实实的社区矫正工作

社区矫正是与监禁矫正相对的教育方式，是指将符合社区矫正条件的罪犯置于社区内，由专门的国家机关在相关社会团体和民间组织以及社会志愿者的协助下，在判决、裁定的期限内，矫正其犯罪心理和行为恶习，并促进其顺利回归社会的非监禁刑罚执行活动。

1. 创造推广深圳“盐田模式”。

深圳市创造了“盐田模式”，将政府职能从社区居委会中完全剥离出来。社区居委会成为社区的议事机构，属于居民权益保护性机构，对于社区的公益事业和公共事务进行调研、决策的监督，成为真正意义上的群众自治组织。社区工作站从社区居委会中分离出来，作为街道办事处设在社区的办事机构，其主要职责是承办政府职能部门在社区开展的治安、卫生、人口、计生、文化、环境、维稳综治和离退休人员管理等工作，以及其他由各区政府确定需要进入社区的工作事项。形成了社区建设工作委员会办公室（区民政局）—街道社区建设工作委员会办公室—社区工作站的垂直管理体制，使政府的职责、任务、资金、人员等通过一个口子下达到社区工作站。社区居委会成员与社区工作站人员不交叉任职，相应引入政府雇员制，社区工作站的工作人员都是由政府部门组织专门考试录用的政府雇员。通过总结试点工作经验，2005 年 2 月 22 日，深圳市委、市政府正式出台了《深圳市社区建设工作试行办法》，制定了社区管理体制、基础设施建设、社区工作人员管理、经费投入等方面的规范。

2. 2006 年 3 月广东社区矫正试点正式启动。

社区矫正已在北京、上海、山东等六省市开始试点。广东目前试点的指导部署则采取联席会议的方式，即由省委政法委召集省高级人民法院、省人民检察院、省公安厅、省司法厅等成员单位定期开会，讨论广东有关社区矫正工作的重大问题、部署广东省新的工作、审议有关事项。广东省社区矫正工作进一步扩大试点范围，健全制度，强化管理，提高矫正质量。一是加强对社区矫正试点工作的指导，掌握试点工作进展情况，及时研究解决工作中所遇到的困难和问题，探索和创新社区矫正工作管理办法和手段，推进社区矫正试点工作的深入发展。二是建立和完善保障机制。积极争取编制、人事、财政等部门的支持，力争社区矫正在机构、人员、经费问题上有所突破，为广东省铺开社区矫正工作提供有力的保障。三是制定和完善社区矫正工作制度。从完善框架、细化程序、规范操作，增强可操作性的角度，梳理现行的各类工作制度，对不符合实际的规章制度完成修改，力争使各项制度既符合实际，又具有一定的超前性。为确保试点工作在现行法律和政策框架内进行，广东省从社区矫正组织制度、社区矫正工作制度和社区矫正工作行为制度三个层面上制定了《广东省社区矫正试点工作流程》、《关于规范社区矫正工作台账和矫正档案的规定》、《广东省社区矫正服刑人

员考核奖惩暂行办法》、《广东省社区矫正试点工作突发事件处置预案》、《广东省社区矫正试点工作联席会议成员单位工作职责》等规范性文件。各试点地区也在完善和规范接收、登记、建档、建立矫正个案、考核、奖惩、解矫等各项社区矫正工作基本程序上下功夫，制定了各项规章制度，为社区矫正的规范开展建立了制度平台。四是全面建设社区矫正执法管理队伍、社区矫正工作者队伍、社区矫正志愿者队伍。开展对三支队伍的业务培训工作，切实提高社区矫正工作人员的综合素质，为顺利开展社区矫正工作打下良好的基础。五是加强与成员单位的沟通协调。制定和完善成员单位之间的合作、协调和监督机制，明确各单位的工作职责，共同研究解决社区矫正工作中遇到的问题，形成良性的部门联动工作机制。目前，广东省已经初步形成省、市、县（市、区）、乡镇（街道）四级社区矫正工作组织网络。各试点地区的法、检、公等有关部门根据《广东省社区矫正试点工作联席会议成员单位工作职责》，纷纷出台本部门参与社区矫正工作的规定和意见，从加强社区矫正衔接工作、协同司法行政部门监督考察社区服刑人员、充分运用非监禁刑罚执行措施、配合社区矫正机构对社区服刑人员进行教育转化、加强法律监督、保证社区矫正工作依法公正进行等方面，配合做好社区矫正试点工作。财政部门对社区矫正工作经费给予支持，民政、劳动和社会保障等部门在政策范围内对矫正对象在生活、就业等方面适时给予帮助。成员单位和社会团体、群众组织的积极参与，促进了社区矫正工作依法、公正、有效开展。六是组建了专群结合的三支工作队伍。各试点地区因地制宜组建了专群结合的三支工作队伍，即以司法行政部门为主体、有社区民警参加的执法工作者队伍；有社团组织、热心人士、专业人士、义工和大学生组成的志愿者队伍；有政府向社会招聘组成的社区矫正工作者队伍。深圳、湛江等地还从监狱和劳教所借调或抽调干警，协助基层开展社区矫正工作。七是实施了行之有效的监管和教育方法。广东省社区矫正试点工作以提高社区服刑人员矫正质量为目标，根据社区服刑人员的类型、性质，实行分类管理、分级处理的工作方法。组织社区服刑人员参加灵活多样的公益劳动，将未成年犯列为社区矫正重点对象，抓好矫正和挽救工作。通过个别教育与分类教育相结合、专职教育与兼职教育相结合、思想教育与心理健康教育相结合、课堂教育与情景教育相结合等形式，对他们进行法律常识、公民道德、时事政治、职业技能等日常教育。从关心和帮扶入手，着重解决社区矫正对象在低保、工作和求学等方面遇到的问题。通过规范到位的监管、耐心细致的思想教育、适度的公益劳动和必要的帮困解难，让社区服刑人员在相对宽松和人性关怀的环境下进行改造，使他们尽快融入社会，最大限度地化消极因素为积极因素，预防和减少重新违法犯罪，维护社会稳定。截至2007年10月30日，广东省在广州、深圳、江门和湛江4个市12个县（区、市）94条街道（乡镇）开展社区矫正试点工作，累计接收管理社区服刑人员821人，无一人重新违法犯罪，取得了良好的效果。[①] 共青团广东省委在《广东省预防未成年人犯罪条例》颁布实施以来，在广州、深圳进行社区青少年事务社会工作者试点，探索"社工+义工"模式，[②] 建立专兼职相结合，志愿者、社会热心人士共同参与的社区青少年保护工作队伍，探索未成年犯社区矫正新路子。

（四）全方位的法律援助服务工作

法律援助是指县级以上人民政府设立的法律援助机构组织法律援助人员，为经济困难或者人民法院指定辩护案件的当事人免费提供的法律服务。广东省是全国开展法律援助工作较早的省份。1999

---

① 参见《稳妥推进我省社区矫正工作的对策与思考》，《广东司法简报》调研专刊第17期，2007年12月26日。

② 在这方面充分发挥社工在组建团队、规范服务、拓展项目、培训策划等方面的专业优势，形成"社工引领义工服务、义工协助社工服务"的模式，建立社工、义工联动发展的机制。通过向义工组织申请义工和招募新义工等方式，使每一名社工固定联系一定数量的义工，有针对性地开展工作。社工所在机构应为义工开展工作提供必要的条件。建立"社工、义工"联动工作联席会议制度，由市、区两级社会工作行政主管部门和共青团组织牵头，有关的社会工作服务机构和义工组织等参加，定期召开联席会议，统筹协调"社工、义工"联动工作，研究解决工作中遇到的问题。

年全省推广“148”法律服务专用电话。韶关、深圳等地率先开通“148”法律服务专线。全年全省法律援助接受咨询4万多人，接待群众来访1万多人，受托办理法律事务5935件，为群众提供上门服务793次，提供法律援助899件，解决各类纠纷4296件，分流案件移送有关部门处理2981件，收到了良好的社会效益。到2000年广东省在地级以上市和122个区县设立了法律援助机构，基本建成了覆盖全省的三级法律援助机构网络。2000年全省共办理法律援助案件达到7318件，接待来访和咨询4万多人（次），其中参与办理了一些特大案件如汕尾伪造货币案、揭阳冰毒案等，而且这一年首次在电视台设立法律援助公益广告，这是全国首例。2003年至今，在广东省办理的法律援助案件中，有不少是省内乃至全国均有重大影响的法律援助案件。如辽宁籍的侯日新的女儿侯彤因使用劣质热水器导致中毒死亡人身损害赔偿一案、广东惠州市某宝石厂矽肺病群体工伤案，再如在具有重大社会影响的“齐二药”事件，省法律援助处和广州市法律援助处积极参与处理理赔协调工作，包括了解65名患者及其家属的处理要求和意见，做好法律论证工作，制定、修改和完善理赔方案等，并通过多次协调，最终促成43名患者及其家属与中山三院达成和解协议，使大部分患者及家属在诉讼前就获得了相应的赔偿款项，减少了诉累，较好地维护了社会的稳定。2001年在佛山监狱成立了第一个监狱法律援助部，使法律援助工作走出了新路子。截至2005年，全省已建立的政府法律援助机构143个，依托司法所成立664个工作站或联络站，设立209个法律援助服务组织和112个涉军法律事务援助机构，基本形成以省、市、县（市、区）三级政府法律援助机构为主体，镇（街）法律援助工作站为补充，与社会组织相联系的法律援助机构网络。21个地级市、59个县（市、区）的法律援助经费纳入了财政预算，80个山区县（市、区）的法律援助通过省财政转移支付得到解决，法律援助经费基本得到保障。全省法律援助机构的专职人员从2000年的452人增加到2005年的555人，其中专职律师285人；组建志愿者队伍共2952人。进一步降低法律援助的“门槛”，更多困难群众“无钱也能打得起官司”。5年来共办理法律援助88274件，以年均19.3%的比例增加，惠及113860人，接待、解答来访来信咨询共908799人（次）。

2003年以来，广东法律援助工作在机构建设、经费保障、便民措施等方面取得长足进展。全省各级政府加大了财政支持力度，截至2008年上半年，全省有21个地级市和107个县（区）共128个法律援助机构的业务经费已纳入当地财政预算，基本形成了省、市、县三级经费保障制度。此外，广东省率先在全国建立了省财政转移支付法律援助经费的制度，从2003开始到2007年，该笔专项资金已拨付了5年，共计4925万元，而且拨付的地区范围从最开始的59个县区扩大到2007年的89个县区，极大地促进了贫困地区法律援助工作的健康发展。广东省的法律援助双重经费保障制度的建立，为广东省法律援助工作成为全国排头兵奠定了坚实的物质基础。2006年全省法律援助经费为4149.464万元，比2005年增长28.27%；2007年全省法律援助经费为5697.35万元，比2006年增长37.3%；2008年上半年全省法律援助经费为3737.08万元，比2007年上半年增长33.9%。

据统计，广东法律援助的办案数量多年位居全国首位，从2003年到2008年上半年，广东省各级法律援助机构共组织免费办理了法律援助案件131126宗，其中民事法律援助案件64805宗，刑事法律援助案件65755宗，行政法律援助案件566宗；接待法律咨询1463716人（次）；受援人总数为182067人，主要是经济条件困难的妇女、残疾人、老年人、未成年人和农民工，其中受援妇女74092人，受援残疾人19188人，受援老年人19335人，受援未成年人44004人，受援农民工96723人。

在“十五”计划期间，广东省已初步建立起与经济和社会发展水平相适应的法律援助工作体系。

第一，颁布第一部法律援助地方性法规。在广东省，法律援助工作从无到有，从小到大，在维护社会和谐稳定和建设社会主义新农村中发挥了越来越重要的作用。广东省从1993年起就开始探索

法律援助工作，率先成立全国第一家法律援助中心。1999年广东省人大颁布了《广东省法律援助条例》，这是我国第一部由省一级人大颁布的法律援助地方性法规。它的颁布实施有力地推动了广东省法律援助工作的全面发展，促进政府法律援助机构网络的建立和健全，促使法律援助经费保障得到初步解决。更为重要的是，它的颁布实施促使困难群众“打官司难”问题的有效缓解。据不完全统计，1995年至1999年上半年，广东省法律援助机构共组织办理法律援助案件12096件，而1999年条例颁布实施至今，广东省法律援助机构共接待来访群众约75.236万人（次），组织办理法律援助案件87646件，其中刑事案件43630件，民事案件43437件，行政案件579件。受援人总数达11.7721万人。1999年的条例出台于广东省法律援助工作刚起步的时候，时至今日，有些条款已不适应法律援助事业发展的客观要求，而且与2003年国务院颁布的《法律援助条例》有冲突。为了保证法制统一性，适应形势发展要求，进一步完善广东省法律援助制度，省人大对1999年条例进行了修改。2007年1月1日，新修订的《广东省法律援助条例》正式开始实施。新条例实施后，老百姓将更充分地享受法律援助权利，能获得更方便、高效、优质的法律援助服务，主要体现在以下几个方面：一是新条例降低了门槛，扩大了法律援助对象和范围，更多的老百姓可以运用法律援助来维护自身的合法权益。二是新条例规定了受援人在接受法律援助的过程中享有的多项权利，有权向人民法院、仲裁机构申请缓收、减收或者免收案件受理费、诉讼费、仲裁费，受援人不会因交不起这些费用而立不了案；在案件办理过程中，受援人申请司法鉴定、勘验、评估、审计时，有权获得相关费用的减免缓收等。三是享受民政部门社会救济的人员申请法律援助无须提供经济困难证明，凭相关证件可以便捷高效地获得法律援助。四是放宽了农民工申请法律援助的条件，使在广东省工作的外省农民工可以在广东省直接申请法律援助。五是通过规范法律援助人员的行为，提高法律援助案件的办理质量。新条例规定，法律援助人员在办理法律援助过程中，不得拖延办理法律援助事务；不得擅自终止或者转交他人办理法律援助事务；不得泄露当事人的隐私；不得向受援人收取财物或者牟取其他不正当利益。受援人也可以监督为其办案件的法律援助人员的行为。

第二，加强农民工法律援助。广东省是全国农民工最多的省份，广东省流动就业人口达2480万人，其中有1800万人来自外省。他们大部分文化水平较低，在合法权益受到侵害时往往不知道如何运用法律武器保护自己。广东省近年来将农民工作为法律援助的重点对象，并放宽了对农民工的法律援助标准。据统计，2006年广东省法律援助机构组织办理农民工民事（行政）案件4505宗，占广东省民事（行政）法律援助案件总数的47%；受援农民工9278人，约占广东省受援总人数的23%。2007年4月26日，来自10个省、自治区①的政府法律援助机构负责人在广东东莞共同签署了中国首个《省际农民工法律援助合作协议》。协议就建立农民工输入地和输出地法律援助信息交流制度、交流学习培训制度和异地办理法律援助事项协作制度作出了明确规定。协议各方对法律援助案件的转委托程序、费用支付、档案管理等方面的协作达成了基本共识。

六、监狱与劳动教养制度

广东省在监狱与劳动矫正制度方面，积极探索，勇于实践，推进劳教办特色工作，进一步提高罪犯、劳教人员教育改造质量，同时又根据广东省的社会特点认真抓好禁毒工程，创新对涉毒罪犯、劳教人员的改造和管理方法。

（一）促进监狱工作的法制化、科学化和社会化

广东省在监狱管理方面以提高教育改造质量为中心，不断全面

① 这10个省、自治区是江西、湖南、广东、广西、海南、四川、贵州、云南、安徽和河南。

推进监狱工作的法制化、科学化、社会化建设。2005 年全年共建成部级现代化文明监狱 1 个、现代化文明劳教所 3 个，省级现代化文明监狱 6 个、现代化文明劳教所 9 个。至 2005 年底，全省已建成部级现代化文明监所 8 个，省级现代化文明监所 17 个。全省监狱坚持把安全稳定放在首位，推进安全稳定机制建设，落实排查防控措施，整治高危生产项目，防止监管和生产事故的发生，确保了监狱安全稳定。监狱体制改革不断有新的进展，监狱工作运行不断规范。截至 2006 年，全省监狱连续 6 年实现无脱逃、无重大安全生产事故。2006 年 7 月中旬，受强热带风暴“碧利斯”影响，广东省粤北、粤东地区的 8 所监狱相继遭受超百年一遇特大洪水袭击，其中坪石、武江监狱受灾最为严重。面对灾情，省司法厅、省监狱局启动抗洪抢险应急预案，安全转移服刑人 1 万多名，确保无一名干警、职工和罪犯伤亡，无一名罪犯逃脱，保证了全省监狱的安全稳定。

广东省在监狱管理方面的经验和创新包括探索监狱分类关押改造模式，深化监狱财政管理体制改革，重点抓好收支两条线和监企分开的改革等等。

1. 确立具体工作的三个观念。

广东省司法部门在监狱工作上提出了牢固树立全面安全观、公正执法观、科学改造观的要求。随着时势转移，监狱安全不再仅仅是监管和生产两个安全，还应当包括队伍管理、公共卫生、经营投资、行政执法、社区稳定等方面在内的整体安全。实现全面安全，是监狱服务于构建和谐社会的基础。公正执法是监狱作为刑罚执行机关的本质要求所决定的。“离开公正讲执法，就失去了执法的意义。监狱执法公正既是社会公平正义的重要组成部分，也是社会公平的重要保障。”科学改造就是坚持以人为本，从人性的角度和层面科学认识罪犯，科学改造罪犯，充分借鉴和运用现代科学成果来教育罪犯。这才是改造罪犯的普遍规律和科学方法。实践证明，三个观念是符合发展实际的，也是符合发展需要的，已经成为了广东监狱的发展指南。

2. 坚持四大战略。

在“十一五”规划期间广东监狱提出了四大战略，即规范运行、布局调整、人才发展、信息化建设。四大战略勾勒出广东监狱新一轮发展蓝图。这四大战略不断得到了有力推进：制度建设一改以往订废随意、质量不高的局面，从立项、起草、审议、发布等各个环节都有了明确规定，并正式启动了制度的废、改、立工作，促进了监狱规范运行；监狱布局调整工作进展顺利，工程建设程序进一步规范，尤其是多年定不下的坪石监狱已经确定迁建选址；人才发展战略稳步推进，理顺了权责关系，加大了培训力度，强化了人员交流，优化了队伍结构，警察的综合素养、履行职责能力和办事效率有了进一步提高；各监狱局域网建设进展明显，管理信息逐步走向微机化、网络化。

3. 实施二级管理。

经过多年的不断发展，广东监狱已经实现了罪犯全封闭关押和管理，监狱硬件建设趋向合理，监区建设相对科学，罪犯改造、教育及生活、娱乐设施比较规范，因此实施三级管理失去其必要性，“三级”变“二级”顺理成章。实行二级管理体制，有利于促进监区工作效率的提高，减少中间环节；有利于监区警察工作职责落实到位，避免相互推诿；有利于缓解基层警力不足，把更多的警力下沉到一线。它是对三级管理体制的扬弃，是一种更科学、更高效的管理体制和工作机制。2006年首次提出监狱二级管理并得到了全面推广和施行，取得了良好的成效。

4. “软”“硬”两手抓。

广东省监狱系统通过大力改善影响监狱安全稳定的“硬”环境和“软”环境，不断强化危机管理意识和措施，取得了连续多年没有发生服刑人员脱逃，没有发生重大、特大狱内案件和安全生产事故的好成绩。

在改善安全稳定“硬”环境方面，广东省监狱系统积极推进封闭管理，提出“两个战略转移”：服刑人员劳动从围墙外向围墙内转移；监狱从边远山区向中心城市、交通沿线转移。通过“两

个战略转移”，广东监狱系统转变观念，摒弃监狱自种自养方式，实行服刑人员生活物资供应市场化，全面实现了服刑人员封闭管理。广东监狱系统在监狱安全的“软”环境上狠下功夫，始终坚持对安全工作的坚强领导，强化安全责任，坚持实行重点管理，坚持落实直接管理，坚持抓好教育改造，坚持推进公正执法。广东省监狱系统突出了“一把手”安全稳定工作责任制和责任追究制的落实，建立起全面安全工作目标责任机制，同时将监狱根据划分标准确定重点部位、重点服刑人员、重点时段、重点物品，把过去仅重视对具有现实危险的服刑人员实施监控转化，扩展到对具有现实和潜在危险的部位、时段、服刑人员、物品，按危险程度分类进行监控、整改、转化。譬如，1999 年初，广东省监狱、劳教系统全面推行了“安全责任状”制度，即广东省司法厅和监狱、劳教系统层层签订安全责任状，分解落实安全责任，使安全工作得到了切实保障。2002 年广州监狱建立了广东省服刑人员心理矫治工作指导中心，该中心的成立大力促进了监狱工作的科学化、现代化。

5. 全面推行狱务公开。

1999 年，广东省监狱系统率先在全国推行狱务公开。2000 年 8 月，省委提出广东省监狱要全面推行狱务公开。广东省司法厅也明确要求，狱务公开工作经两次检查和抽查不合格者，监狱长立即免职。省监狱管理局在推行狱务公开的初期，先后制定和完善了《广东省监狱管理局狱务公开暂行规定》和局长接访日、监狱长接访日、巡视日、监区（分监区）长接谈夜五个配套制度，为服刑人员投诉、申辩和罪犯亲属咨询提供了方便。狱务公开在一些监狱还被制作成电脑查询系统的内容，广东省监狱设置狱务触屏电脑 25 台，有的监狱将狱务查询程序制作成 IC 卡发给罪犯亲属，罪犯亲属凭卡便可以查阅到亲人在狱中的改造表现、考核奖励和刑期变动等详细情况。

广东省狱务公开突出两个重点：一是公开社会公众特别是服刑人员关注的、与其切身利益密切相关的热点问题，也就是他们“想知道”的东西。如罪犯的权利义务、考核奖惩、生活保障、教育改造等，使罪犯知道在改造过程中该做什么，不该做什么，怎样争取改造成绩。二是公开执法过程中容易发生腐败问题的敏感环节，也就是以前“怕人知道”的东西。如罪犯的减刑、假释、保外就医等，将其规定、条件、办理程序和结果公开，使这些执法工作公开化、透明化，变成看得见的“阳光工程”。实行狱务公开后，罪犯减刑、假释的名单必须张榜公示，有的监狱要经过六榜公示。符合减刑条件的罪犯从上第一榜到最后一榜，其改造成绩、考核都是透明的。每放一榜，都有3天时间收集罪犯意见，一有不符合条件的便会被刷下来，无人情可讲。

在广东省监狱系统狱务公开的试点推行中，不少地方监狱作出了创新和发展。譬如广东省北江监狱作为广东省监狱系统狱务公开的试点监狱之一，许多工作都走在广东省前列。一是率先设立狱务公开电子触摸屏。共投资3.9万元，采用多媒体网络技术，开发了公众触摸咨询系统，通过此套系统可以及时了解到全监所有罪犯的现实改造情况，储存了4万多字的法律法规内容，内置大量图片真实反映罪犯的生活、学习、劳动、医疗等场景以及罪犯改造中好坏典型事例。二是率先制作狱务公开专题录像片。考虑到部分罪犯亲属文化程度较低的实际，专门制作了专题录像片，直观地反映监狱的执法情况和罪犯的改造情况，消除罪犯亲属对监狱的陌生感和恐惧感。三是率先实行监狱长接访制度。在候见室设立监狱长接访席，每周二由一名监狱领导负责接待服刑人员亲属，宣传狱务公开，受理投诉。四是率先实行提请减刑、假释听证会制度。去年10月16日，北江监狱首次召开了提请假释听证会，驻监检察院、监狱刑务办案委员会、监区、分监区主管改造的领导和管教干事等共70多名干警参加听证。

通过狱务公开促进广东省监狱执法工作朝着法制、文明、规范、进步的方向发展。东莞监狱为方便港澳和外国籍罪犯亲属了解、查询狱务公开内容，制作了狱务公开电脑查询英文版。揭阳监狱将在半年内符合减刑条件的罪犯分月计划列出名单进行公示，较长时间接受罪犯监督。狱务公开以公开促进执法公正，以公正保护

罪犯的人权，促使犯人安心改造，稳定监狱教育改造环境。

广东省狱务公开的内容包括：① 罪犯收监的规定；② 罪犯的权利和义务；③ 对罪犯的申诉、控告、检举和对行政奖惩提出复议的处理；④ 提请罪犯减刑、假释的法定条件和程序；⑤ 罪犯保外就医的法定条件和审批程序；⑥ 关于罪犯计分考核的有关规定；⑦ 罪犯分级处遇的条件和审批程序；⑧ 罪犯离监探亲的条件和审批程序；⑨ 对罪犯行政奖励的法定条件和审批程序；⑩ 对罪犯行政处罚的法定条件和审批程序；⑪ 对罪犯的教育改造；⑫ 罪犯的生活卫生管理；⑬ 会见须知；⑭ 监狱人民警察的行为准则，全面推行狱务公开。

（二）走在全国前列的科学化劳动教养工作

1980 年全省开始大规模收容劳动教养人员，恢复劳教场所，同年 8 月，广东省成立了劳动教养管理委员会，进行劳教管理。到 1982 年全省劳教场所共有 21 个，1987 年演变为 19 个。另外，广州市还建立了卖淫妇女收容教养所和少年教养学校。劳教管理工作在 1983 年全部移交省司法厅管理。广东省劳教工作整体水平不断有新的提高，教育挽救工作初步实现课堂教育常态化、矫治队伍专业化、工作机制规范化、评估标准科学化、教育基础工作信息化的“五化”目标；积极推进“禁毒 03 工程”和禁毒人民战争，保持了所内戒断率 100%；同时还不断深化管理模式改革、推行心理矫治、习艺劳动等都取得新的成效。截至 2006 年实现了全省劳教所连续 4 年无劳教人员逃跑。

劳动教养制度在我国已经存在了相当长的时间，而该制度的确立是所针对的情势早已发生了巨大的变化，因此该制度正面临着彻底改革的需要。广东省在劳动教养工作的实践中不断推进劳教管理模式的改革，并取得了良好的成绩。管理模式改革是一项综合性、全局性很强的系统工程，广东省劳动教养管理方面不断推进三种劳动教养管理模式，即封闭式、半开放式、开放式管理模式，并确立了深圳市第二劳教所管理模式、省三水劳教所模式、广州市潭岗劳教所模式等改革试点。

1. 劳教管理模式的探索。

1996年深圳市第一劳教所达到部级现代化文明劳教所的标准，成为全国首批部级现代化文明劳教所。之后，该劳教所不断创新实践，于2006年提出了“3+X”模式，指在贯彻落实三种管理模式的基础上，以管理、教育、生活卫生3项为百分考核标准，以安全防控、安全排查、应急处置、警戒护卫、伙房管理、封闭式管理教育等多种考核机制为内容的管理工作化考核目标体系。用公式表示为：“3+X”=管理、教育、生活卫生+安全防控、安全排查、应急处置、警戒护卫、伙房管理、封闭式管理教育等多种考核机制。①

随着“3+X”模式向纵深层次开展，它在劳教工作中的地位愈显重要，作用愈益明显，它对于推动管教工作转型、推进执法工作规范化、提高教育改造工作质量、巩固提升创建成果产生了巨大的效能。一是“3+X”模式是基层场所在推进三种管理模式改革背景下创办劳教特色的重要举措，是基层场所为管教工作转型提供经验和动力的有益尝试；二是“3+X”模式立足于通过建立量化考核的主流意识去创新劳动教养执行方式，从而推进了执法工作的规范化，约束了民警的执法行为，提升了民警的执法素质；三是“3+X”模式以其深刻的严肃性和人文性对劳教人员产生了巨大的综合效应，从而提高了教育矫治工作的质量，促进了场所矫治秩序的安全稳定；四是“3+X”模式依托其创新管教手段、建设和谐场所的内涵和促进法制建设、维护社会稳定的外延，有效地巩固和提升了现代化文明劳教所的创建成果。

“3+X”模式的地位和作用集中体现在以上四方面，这四方面归结起来可以总结为一句话，这就是，“3+X”模式是新的工作形势下提升劳动教养工作特别是管教主要工作的一个重要的引擎。

---

① 参见郑光强：《论“3+X”模式在劳教工作中的地位和作用》，《广东矫治研究》2006年第4期。

“3+X”模式的建立和不断完善，必将为管教工作实现质的飞跃提供巨大的动力，也将对劳动教养的整体工作产生巨大的综合效应。随着“3+X”模式的不断推进，其在劳教工作中的地位和作用还将进一步得到体现和加强，同时，我们也应看到，当前的“3+X”模式也有一定的局限性，主要集中在两方面：一是“3+X”模式的执行是以分值来评判工作成效的，而这种分值评判结果在准确地反映大队全面的工作成绩方面容易出现误差倾向，特别是在全面评判民警开展管教工作的软实力方面仍有待细化；二是“3+X”模式目前尚不能涵盖管教工作中一些无法量化的工作项目。这些问题的存在，警示我们在下一步的工作中要常怀谨慎之心、深具公正之念、勇行创新之举，要脚踏实地，胸怀新思维，永不停步地去论证、优化、提升、完善这种模式。只有这样，“3+X”模式才能在较长时期内立于管教工作新模式之高处，才能在较长时间内立于提升劳教工作质量新手段之高处。

2. 劳教戒毒工作的开展。

2005年中国劳动教养学会在广东成立戒毒研究专业委员会，这是中国劳动教养学会成立的第一个专业委员会。戒毒专业委员会各项工作包括：一是认清当前严峻的毒品形势，增强提高劳教戒毒成效的责任感和紧迫感；二是发挥戒毒研究专业委员会的作用，努力搭建促进交流合作的平台。戒毒研究专业委员会的研究方向和性质应该体现理论性、实践性、专业性、学术性和群众性等特点，以开放式的姿态广纳人才，不断吸收和扩大研究队伍；三是针对劳教戒毒工作存在的突出问题，加强相关的调查研究工作。

广东省加快推进戒毒康复中心的试点工作。以“着眼当前，立足长远”的思路来规划戒毒康复中心的建设。1999年4月，全国劳教戒毒工作理论研讨会和司法部预防犯罪研究所三水科研基地揭牌仪式在三水市举行，这实际上也确认了三水市在劳教戒毒、预防犯罪等方面的工作成绩。广东省在认真办好省三水戒毒康复中心试点的同时，结合本省实际，在经济条件较好的地区，确定省增城劳教所、广州市戒毒劳教所和深圳市第二劳教所作为广东省劳教系统的试点。2006年10月，广东省禁毒委初步确定三水劳教所的戒毒康复中心为广东省三个省级戒毒康复基地之一。2006年11月，司法部将省三水劳教所的戒毒康复中心列为全国的试点之一。广东开展戒毒研究，具有收容劳教人员多、毗邻港澳和具有一定的戒毒理论研究基础、经济物质基础等条件。因此，广东充分利用这些条件，不断加大对戒毒研究工作的人力、物力、智力上的投入，积极做好开展戒毒研究的组织推动工作，真正把戒毒研究工作作为各省市劳教工作的大事来抓，努力实现我们既定的各项目标和任务，为构建和谐社会实现国家的富裕安康作出应有的贡献。

3. 劳教教育工作的开展。

将劳动教养制度改革为违法行为教育矫治制度，是劳教制度改革的方向。广东省劳教工作中十分重视劳教教育，大力发展劳动教养学校，教育改造自1981年开始逐步改封闭型为开放型，借助社会力量进行教育改造；自1985年开始就在全省劳改劳教单位推行管教、生产双承包责任制，创办特殊学校；到1996年全省劳教系统的办校率已经达到了90%，共设立职业技术培训班16个，文化教育班50个，就学人员4622人。据统计广东劳教场所收容的人员80%以上是戒毒劳教人员，广东在册吸毒人员近20万，这些人牵涉许多家庭，把这部分人教育挽救过来，是对社会稳定的一大贡献。2004年，广东的18493名刑释解教人员中有15200人得到了安置，安置率达82.1%。在劳教工作的具体开展中，广东省各地也摸索了很多有益经验，譬如，广东省增城劳教所围绕以提高教育挽救质量为中心，集专职教师教育、大队教育、劳教人员学习于一体，扎扎实实地开展教育挽救工作。以专职教师课堂化教育为主，发挥好课堂化教育主阵地作用；以大队教育为基础，发挥好日常教育的合力作用。抓好大队的日常行为教育管理。注意把对劳教人员的教育渗透到劳教人员日常劳动、生活的各个环节，坚持课堂化教育和大队教育相结合，使课堂化教育横向贯通，与各大队的教育管理形成合力；加大对大队教育的检查督促力度。以劳教人员自学为依托，发挥好自主学习的辅助作用。一方面为劳教人员自主学习创

造条件和环境，同时为劳教人员创造良好的课外学习氛围。另一方面，省三水劳教所与佛山市三水区劳动部门共同为劳教人员的职业技术教育、中介服务搭建平台，签订了对劳教人员职业技术教育及解教后再就业提供服务的一揽子协议，为进一步降低解教人员的重新犯罪率作出积极探索，受到了劳教人员、劳教人员家属和社会的普遍欢迎。这些服务包括：① 签订职业技术培训协议，为劳教人员的再就业搭建技术上的平台。② 签订技术教育认证协议，为劳教人员技术教育上档次、上水平搭建平台。③ 提供社会就业市场动态信息，为劳教人员回归社会定位目标搭建平台。④ 上人才市场网，为劳教人员和企业提供双向选择的平台。

4. 建立劳教报酬制度。

自2004年开始，广东省劳教所全面铺开了劳动报酬制度。进一步扩大劳动报酬覆盖率，适当提高报酬标准，特别是与习艺性劳动结合起来，使劳教人员掌握一技之长，为回归社会打下良好的基础。广东省劳教系统把落实劳教人员劳动报酬制度作为深化创办劳教特色工作的“九大举措”之一，并取得了明显成效。据统计，截至2004年底，广东省已有23个劳教所实行了劳教人员劳动报酬制度，占广东省劳教所总数的79.3%，累计发放劳动报酬786.26万元，共有14万余人（次）获得劳动报酬，月平均报酬52.94元，个人最高月劳动报酬达556.3元。广东省劳教场所推行的劳动报酬不包括财政发放的劳教人员伙食费和劳教所从生产中提取的对劳教人员的伙食补贴，完全由劳教人员自主支配。劳动报酬以劳教人员劳动贡献为主要依据，实行计时和计件制，同时与所内表现、处遇等级（分宽管、普管、严管三级）挂钩，按劳动收益的15%～20%予以兑现。广东省劳教局劳动报酬制度推行以来，在劳教人员中引起了积极反响。一方面，激发了他们主动参加劳动的积极性，有利于通过劳动对他们的一些不良习气进行矫治；另一方面，切实解决了部分劳教人员的经济困难。此前，财政给予的每月5元杂费在购置日常用品时往往捉襟见肘，劳教人员改造情绪受到很大影响。而实行劳动报酬制度后，相当多的劳教人员可以通过获得的劳动报酬，自主购买生活用品和改善生活，有的还预留一定存储，为解教后回归社会打下基础，甚至有的贫困家庭的劳教人员还将劳动报酬寄回家庭，减轻家庭负担，起到了很好的社会效果。

七、广东省法学教育与法学研究

法学教育与法学研究是法治建设的必要组成和重要基础。法学教育和法学研究的发展水平在一定程度上也直接影响甚至决定着整个法治的水平。广东省在法学教育和法学研究方面有着悠久的历史传统，而改革开放30年来，在新的形势与条件下，广东省的法学教育和法学研究也得到了长足的进步和发展，目前广东法学教育和法学研究正在向深度和精炼方面不断发展。

（一）富有历史传统和开创精神的法学教育

从历史上看，广东省法学教育在全国来说是走在前列的，最早可以溯及1905年成立的广东法政学堂。其与北洋法政学堂等第一批官办法政学堂一起揭开了中国法政教育近代化的序幕。作为全国建立最早的法政教育机构之一，广东法政学堂开办了学制为四年的大学本科，并聘请日本教员和采用日本教科书，后来又相继更名为广东公立法政学校、广东公立法科大学和国立广东大学法科学院（即后来的中山大学法学院），在当时为我国培养了一批活跃在社会各界的提倡自由、平等、科学，追求公平、正义和民主的法治人才。[①] 1924年，广东大学创建伊始，首次招生的结果，法科学生居全校之冠，但总人数也不过139人，据当年下学期统计，法科学院本科、专门部和预科学生加在一起为575人，其中本科仅23人。1931年发展为国立中山大学法学院。1949年，新中国成立，中山大学法学院随全国其他法学教育机构一起进入一个新的发展阶段。

---

① 虹斌：《广东法政学堂：广东现代法制的起步》，《南方都市报》2005年11月15日。

1953 年，院系调整中，中山大学法学院各系被分别调往了在武汉的中南各校。1979 年，中山大学复办法律学系，我国著名的法学家、历史学家端木正出任系主任。2001 年，中山大学撤销法政学院，并在原法律学系的基础上复建中山大学法学院。法学院从 1950 年到 1953 年 10 月，共有毕业生 490 人。其中本科生 426 人，专科生 64 人。但从 1980 年到 2005 年，仅法学本科就已招生约 3775 人，从 1981 年到 2005 年的法学研究生招生则达 1300 多人，而从 1998 年到 2005 年，法律硕士专业学位研究生班和在职攻读法律硕士专业学位班招生共达 1338 人。之后，国家的改革开放政策给中山大学法学院的发展提供了良好的条件，法学院在教学、科研和学科建设方面都取得了突出的成果。进入 21 世纪以来，国家的“211 工程”和“985 工程”为法学院的再次起飞提供了强有力的支持。

2005 年，中山大学举行了中山大学法政学科百年庆典，引起国内法学界和政法系统的广泛关注。学院在百年传承中积淀了深厚的学术传统，史尚宽、周鲠生、杨兆龙、曾昭琼、王造时、王世杰、陈独秀、李达、朱执信、何思源等著名学者曾执教于此，给学院留下了深远的影响。

2004 年，中山大学法学专业被评为广东省名牌专业；同年，诉讼法学学科被评为广东省重点学科；2005 年，依托法学院成立的“中山大学法学理论与法律实践研究中心”被评为广东省普通高校人文社会科学重点研究基地；2007 年，法理学学科被评为广东省重点学科。截至 2008 年，中大法学院拥有法学理论博士点、法律与行政和中外法律史两个相关博士点，法学硕士学位授予权一级学科，以及法律硕士专业学位授予权。刑法学课程于 2002 年被评为广东省精品课程，现已形成由老、中、青教师组成的、专注于本科生刑法学课程教学的教学团队。近几年，该教学团队发表了《本科刑法学课程教学改革设想》、《法律方法论与刑法学教学》、《法学本科教育随想》以及《21 世纪的法学教育改革与法科学生的素质教育》等教学研究论文，充分利用现代网络科技与学生开展互动，通过博客对学生进行课外辅导，回复学生问题逾10万字。2005—2007年，中大法学院教师共出版学术专著48部，发表论文499篇，获得省部级以上科研项目32项，获得各类科研经费共350多万元；获得省部级以上科研成果奖励21项，其中一等奖6项，二等奖7项，三等奖8项。法学院教师主编国家规划教材3部，包括《刑事诉讼法学》（高等教育出版社，2002年）、《中国法制史（第2版）》（中国人民大学出版社，2004年）、《经济法概论》（中国人民大学出版社，2008年）。

除中山大学法学院外，历史较长的应该是暨南大学法学院，该院于1930年创立于上海，当时设有法律系、经济系、外交专科和行政法学科组。20世纪40年代，著名法学家周枏担任院长。1949年暨大法学院随校与复旦大学合并，2001年在广州重建。截至2008年，该学院有教师51人，其中教授8人，副教授27人，有博士后人员、博士及在职攻读博士学位者23人，硕士学位者19人。现有学生1547人，其中全日制本科生648人，函授本科生460多人，全日制博士硕士研究生223人，研究生课程班学员116多人。学生来自世界十多个国家、地区以及内地各省市区。该学院已建有经济法学硕士点、民商法硕士点、宪法与行政法硕士点、国际法硕士点。该学院以教学科研为中心，以提高教学质量为根本，十分重视学术研究，加强学术交流。在学术研究方面，不断跟踪学科前沿，开拓研究新领域，科研成果突出。在学术交流方面，与国内外大学及科研机构建立了广泛的交流与合作关系，一批教师先后赴欧美著名高校访问进修，攻读博士学位，在国内外聘请了一批著名专家学者担任兼职教授、客座教授。学院积极推进教学改革与创新，在课程设置、教学方法、教材建设等方面向国际教学规范靠拢，为适应国内外发展的需要，实行“宽口径、厚基础、强能力”的人才培养模式，努力培养综合素质好，创新能力强的复合型人才。

与此同时，广东其他高校也积极发展法学教育。譬如，1983年，深圳大学建立法律系。1997年法学院正式成立。截至2008年，该法学院由法律系、国际法系、社会学系、香港法研究所、社

会学研究所、国际与比较法研究所、民商法研究中心、法律援助中心、法律信息中心和法律培训部（WTO 高级法律人才培训中心）组成。有专职教学人员 70 余人。其中教授、副教授 43 人（到 2007 年 1 月），专职教师 70% 以上具有国内外一流法学院博士学位或正在攻读博士学位。有近 20 人曾分别在美国耶鲁大学、俄国莫斯科大学等世界知名学府留学获得博士学位、进修或讲学。有 3 位博士后或博士后在站人员。学院聘请新西兰前总理、世界贸易组织（WTO）前总干事长穆尔和世界著名国际法学家马兰祖克等为客座教授，聘请李广镇、高铭暄和韩德培为名誉教授，同时还聘请梁定邦、冯华健、饶戈平和肖志明等法律界知名人士作兼职教授。该法学院的国际法学科点于 1997 年被评为广东省重点扶持学科，是当时广东省唯一的一个法学重点学科。1998 年该专业获准设立硕士学位点，在国际私法、国际经济法和民商法三个专业方向招收研究生。目前，经济法、刑法、宪法、行政法四个专业也正在申请设立硕士学位点。

1983 年汕头大学法学院成立。开始招收法学专业本科生。现有专职教师 50 名，其中，教授 16 人、副教授 28 人，具有博士学位 28 人。学院聘请多位国际知名学者为顾问，并大力引进国际经验的师资团队，60% 以上教师开设全英、双语课程。

1988 年，华南师范大学创办法学专业，并于同年开始招收法学专业本科生，1996 年开始招收研究生，1999 年起全面招收非师范生。2004 年 12 月 15 日正式成立华南师范大学法学院。截至 2008 年，有一个法学（包括国际经济法方向）本科专业和民商法、国际法、法律史三个硕士点。有教职员工 43 人，教授、副教授 18 人，具有博士及在职攻读博士学位者 19 人。该学院聘请了一批国内知名学者、司法界人士为学院兼职教授、客座教授。

1993 年，华南理工大学创建法学专业，1995 年开始招收法学专业本科学生，1999 年起招收双学位学生，2002 年起招收硕士研究生，2005 年经批准设立法学一级学科硕士学位授权点。2004 年 7 月 16 日正式成立华南理工大学法学院。截至 2008 年，该学院有教授12人，客座教授3人，兼职教授15人，副教授16人，讲师、助教16人，专职教师中有博士学位者28人。

1993年广东商学院法律系成立，下辖经济法、法学、国际经济法三个专业。1999年7月学校院系调整，法律系改为法学院。截至2008年，拥有在编教职工67人，已毕业学生2100余名，在校学生1859名，是广东省各高校中招生规模和在校生规模最大的法学院。该院在职教师争取各级各类课题17项，其中省部级以上课题12项，司法部重点课题1项，厅局级课题7项，横向课题5项，科研经费80多万元。如，吴家清教授主持：《我国加入〈公民权利与政治权利公约〉的法律实施（宪法）机制》，司法部2001年重点课题；张晋红教授主持：《民事审判基本制度的完善研究》，司法部2001年课题等。

就广东省法学本科教育来看，招生学校和招生规模都在不断扩大。1990年前，广东省内招收法学专业普通本科生的本科院校只有中山大学、暨南大学、华南师范大学、汕头大学和深圳大学5所，1991年到2000年间又增加了华南理工大学、广东外语外贸大学和广东商学院3所，2000年和2001无新增院校，而2002年至2005年3年间就新增了23所院校。2006年又增加了4所院校，2008年又增加1所，广东省共有36所本科院校招收法学专业普通本科生。不仅高校数额在迅速激增，各个高校的招生规模也在迅速增加，据统计，2005年广东省内共招收5540名法学专业普通本科生，其中每年招生规模在200人以上的法学专业本科院校就有12所，占所有招生院校的38.71%。有1所高校每年招收1121名法学专业本科生（461名为非公安类，660名为公安类），2所高校每年招收320名法学专业本科生。

另外，本科教育的专业模式也在不断发展变化，以中山大学法学院为例，在本科教育方面，中山大学法学院自1998年教育改革后由原来的三个专业（法学、经济法、国际经济法）改为法学专业统一招生。法学专业入选广东省名牌专业。学院开设含广东省精品课程刑法在内的14门必修专业课程、近20门选修专业课程。

司法行政部门恢复初期，针对干部队伍人员新、专业知识缺乏的情况，广东省司法厅一方面积极寻求法律人才的归队，另一方面积极开展法律短期培训和着手恢复重建法学教育。除了各正规高等院校的法学教育，广东省着重抓好干部队伍的正规化和系统培训，采取边筹建、边培训的办法加快干部培训和成人法学教育的发展。到 1994 年全省共设立了 5 所市司法干校和 8 个市级法律培训中心，还有 20 个县（区）司法局也先后建立了法律人才培训中心，形成了省、市、县三级培训网络。之后，广东省还先后开办了中山大学经济法硕士研究生班（函授）、电大班、中南政法学院经济法大专函授班、自学考试法律中专和大专、律师函授大专、自学考试法律大专起点本科等教学辅导班。据统计，在“九五”期间，广东省通过多种培训方式共培养了 5000 多法律人才。

目前广东省不同层次的法学高等教育院校总数有 54 个以上（排除一些法律职业教育院校），已形成了由本科院校（包括普通本科法学教育、成人本科法学教育、高职法学教育）、高职院校（高职、成高法律教育）、独立设置成人高校（普通高职法律专业、成高法律专业）以及司法警察学院、法官学院、检察官学院、司法干部学校等多种形式的法律教育机构组成的，既有普通教育和成人教育、又有职业教育，既有学历教育、又有非学历教育的，从中专、专科、本科、第二学士学位到法律硕士、法学硕士、法学博士的各种教育层次皆备，从夜大、电大、自学考试、函授、半脱产到全日制等各种形式俱全的教育培训相对全面的法学教育体系。①

根据广东省教育厅 2005 年 8 月公布的数字进行统计，本科院校招收成人法学本科的有华南农业大学等 16 所，招收高职法律专业的有茂名学院等 19 所，高职院校招收高职（成高）法律专业的有私立华联学院等 14 所，独立设置成人高校招收普通高职法律专

① 符启林、宋敏：《广东高校法学教育存在的问题与对策》，http://www.eduzhai.net/lunwen/64/89/lunwen_179441.html；《广东法学教育的回顾与前瞻》，《太平洋学报》2007 年第 6 期。该两篇论文首次全面而深刻的对广东法学教育进行了检讨与分析，值得重视。其中有些数据，笔者根据有关部门的统计资料进行了更新。

业的有广东省广播电视大学等4所，招收成高法律专业的有广东新华教育学院等6所。另外，2006年又增加7所招收高职法律专业的院校。

（二）广东省高等法学教育的发展

1. 注重基础理论教育。

法学教育中，理论知识的掌握是最为基本的，各学校基本都以法律理论基础的教育为核心和重点。譬如，中山大学法学院坚持为基础理论课安排充足的学时和师资。历来沿袭教授为本科生上课的优良传统，所有的教授包括博导都积极投身于本科教学工作。该院14门专业核心课程中，有13门课程由教授主讲或参与授课。除了授课外，还采取多种形式的基础拓展教育，如组织读书会，通过课外阅读训练学生对理论的领悟能力和思辨能力；学生在教师指导下承担科研项目的研究工作；教师指导本科生申报本科生科研项目，由学生自主开展研究；创办法径学术论坛，定期邀请学者和专家讲授其最新的学术研究心得，或根据社会现实需要解析热点法律问题；拓展理论学习平台，创办《中山大学法学院院报》。

2. 立足本土的国际化视野教育。

广东省的法学教育一直重视国际化视野的培养。在学生交流层面，中山大学法学院每年皆派出一定数量的本科生前往新加坡国立大学、韩国高丽大学、香港大学、香港城市大学等高校进行半年或一年的交换学习。在联合培养层面，与法国里昂三大、澳洲昆士兰大学、英国伦敦大学、香港中文大学、香港城市大学等签订了本科生“2+2”联合培养协议。2007年，中大法学院首次派出1名本科生赴法国里昂三大进行为期2年的学习，2008年初，又选拔了5名优秀本科生赴该校学习。中山大学法学院本科生一直保持着较高的留学率，2007年共有20名本科毕业生到英美和香港留学，占当年毕业生总人数的10%。

又如，深圳大学法学院与国（境）外法律界建立了广泛的学术联系，与美国孟菲斯大学和芝加哥—肯特法学院（法律与金融

市场中心）、德国明斯特大学、英国兰开夏大学、澳大利亚格里菲斯大学以及香港各大学府等多所高校有着密切的合作关系，每年都有大批毕业生进入美、英、法、德、澳、日等国的知名学府如纽约大学、加州伯克利大学、罗杰斯特大学、剑桥大学、伦敦大学、曼彻斯特大学和悉尼大学等继续深造。再如，汕头大学法学院一直注重国际化教育，其与境外多所大学建立合作关系，学生毕业后推荐到英国、澳大利亚、香港、日本攻读研究生，2007届法学专业有11%的毕业生被香港、澳大利亚、日本等地的大学录取攻读法学硕士学位。

3. 积极锻炼和培养法律实践精神。

所谓“实践出真知”，理论知识须经亲身实践才能被真正地理解和消化，对于具有应用性的法学专业而言，更是如此。各法学院在本科教学中安排了教学实习、法律诊所、模拟法庭和模拟仲裁等丰富多样的法律实践形式。这不但强化了学生的理论运用能力，而且强化了他们的正义理想与社会关怀意识。

一是开展法律业务实习。如，中山大学法学院法律业务实习安排在三年级暑期及四年级上半学期，为期三个月。该院与省内数十家法律实务机构建立了长期的合作关系，可很好地满足学生的实习要求。汕头大学法学院也注重学生实际应用能力的培训及实践锻炼。选派学生前往香港律师事务所和北京法律机构实习。与龙湖区法院合作，由法院授权学生担任司法调查员进行未成年人犯罪背景调查，调查结果运用于法院判决。此外，法学院还设有金平区政府等十余处实习基地。推荐学生到华南地区外资企业工作，近三年，法学院毕业生的就业率在98%以上；强化司法考试培训，2007年本科生32人参加司法考试，通过14人，通过率为43.7%。

华南师范大学法学院提出了“四个注重”的培养目标，即注重思想道德品质的培养，注重人文社会科学素养的培养，注重法学思维方式的培养，注重法律实施能力的培养。基于这一培养目标，在法学教学方式和手段的改革上，提出了“五位一体”的实践性教学法（该成果获得广东省教学成果二等奖），建立了模拟法庭、法律诊所，成立了华南师范大学法律援助中心、高校法制研究中心，与地方法院、检察院和律师事务所签订共建协议，建立了15个法学实践教学基地，有力地推动了应用型法律人才的培养，形成了一套有利于培养理论素养和实践能力兼备的法律人才的法学实践教学体系。同时，法学院积极寻求社会力量捐资助学，设立了"广大律师所华师奖助学金"、"科德投资助学金"和"安道永华律师事务所华师法学实践基金"，奖励富有创新精神的优秀学生，关爱帮助家庭经济困难的学生。还有广东商学院也十分注重实践教学，其拥有一定规模的司法技术实验中心，司法技术实验中心下设：模拟法庭、物证技术实验室、专业实验示范教室。

二是积极探索诊所式教育。诊所法律教育，是自上世纪70年代初期美国法学院借鉴医学院诊所教育模式而兴起的一种法学教育模式。该模式现已成为影响当今世界法学教育模式改革的一种趋势。中山大学法学院于2002年2月成立法律诊所①，其后与美国纽约大学（New York University）建立了交流合作关系，并得到了雅礼协会（The Yale - China Association）、福特基金会（The Ford Foundation）和岭南基金会（The Lingnan Foundation）的支持和资助，曾获第五届广东省高等教育教学成果一等奖。2002年4月，中山大学法学院还承办了中美法律诊所教育国际研讨会暨中国诊所教育研究会成立大会。法律诊所既是法律教学基地，也是法学院学生接触社会、服务社会的机构。诊所课程设置包括"课程讲授"和"实践演练"两大部分，通过"在实践中学习"的教学方法，培养学生良好的职业道德、全面的法律素养、高度的社会责任感、熟练的法律实践操作技巧和灵活的应变能力。据不完全统计，2005年至2007年，法律诊所处理法律援助案件64宗，在社会上产生了积极影响。

---

① 之后，相继建立诊所教育的有华南理工大学法学院、华南师范大学法学院、深圳大学法学院、广东嘉应学院政法系、五邑大学政法系、广东商学院法学院6所法学院系。

三是举办模拟法庭（仲裁）。譬如，中山大学法学院一直保持着举办模拟法庭的传统，除学生社团组织以外，更以刑事诉讼法课程为代表。该课程每年都由相关专业的教授牵头指导，学生广泛参与，精心组织和演练，取得了很好的效果。2005 年，法学院斥资 30 多万元，在中山大学东校区法学院大楼建设了面积为 150 平方米的标准化模拟法庭，所有服装、用具以及审判台、审判椅等，全部参照人民法院的标准制作和布局。2005 年 12 月，法学院组队参加第三届全国“理律杯”模拟法庭辩论赛，获最佳答辩状奖和最佳申请书奖，李博雅同学获“优秀辩手”荣誉称号；2006 年 12 月，参加第四届全国“理律杯”模拟法庭辩论赛，获初赛第四名，贾晓华同学获“优良辩手”称号。2006 年 4 月，中山大学代表队首次参加维也纳国际商事仲裁比赛（第 13 届）。维也纳国际商事仲裁比赛由联合国国际贸易法委员会主办，是国际法领域最重要的国际模拟庭赛之一，也是联合国在全球范围唯一举办的学生比赛。本届参赛队伍包括来自世界各国的 156 所大学（包括几乎所有世界著名法学院如哈佛大学法学院、耶鲁大学法学院等）。中山大学代表队最终位居第 67 名，作为首次参加此次国际盛事的代表队，取得这样的成绩非常难得。2007 年，基于对中山大学代表队的深刻印象，维也纳商事仲裁比赛组委会盛情邀请指导老师陈东副教授担任第十五届比赛的仲裁员。2007 年，中山大学法学院组队参加了首届中国国际刑事法院模拟竞赛，获亚军，并获最佳检察官方辩手和书状总分第三名。

汕头大学法学院鼓励并大力支持学生参加国内外竞赛活动，如巴黎国际商业调解比赛（是国内唯一参加的高校）、JESSUP 国际法模拟赛（获得二等奖）等，取得优异的成绩。学生作品在全国“挑战杯”大学生课外科技学术竞赛中获得过二、三等奖的好成绩。

法学研究生是高等法学教育中的重点，广东省的法学教育在这方面取得了长足的发展。在法学研究生的培养方面，截至 2008 年，广东省 7 所院校的 17 个法学或法律专业有硕士学位授予权，占所有专业硕士点总数的2.28%。除中山大学法学院于2005年11月获得法学硕士学位一级学科授权资格外，其他六所高校只有一个或至多两个法学硕士点，尚无一所高校取得法学硕士一级学科点资格。从硕士研究生培养规模来看，中山大学法学院招生规模最大，每年招收200名以上的研究生。招生人数比较多的还有暨南大学和广东商学院。2006年广东省法学、法律硕士生招生规模为458人。中山大学法学院同时还通过国际合作开展“2+2模式”本科教育、“2+1模式”法律硕士教育，并与校内管理学院、政治与公共事务管理学院合作开展3M（即工商管理硕士MBA、公共管理硕士MPA、法律硕士JM）专业硕士学位教育项目，共同培养社会急需的且优秀的高层次、复合型、应用型法律人才。广东省司法实践系统与法学研究机构，尤其是高等学校进行合作开展法律人才的培养。1998年全省有50多名司法行政系统的在职人员参加了中山大学、武汉大学开办法律专业法律硕士学位的入学考试。

博士点的设立是一个学科学术水平的重要标志，2005年11月，中山大学法学院获得法学理论博士学位授权资格，这是广东省法学教育研究生培养的突破，也是广东省第一个法学博士点。

（三）多种形式的法律教育

除了正规的法学本科教育外，法律专业教育在大专院校、成人教育、高职高专院校普遍展开。

1982年创办了广东省劳改工作警察学校，1984年改为广东司法警察学校并开始招生，该学校是专门培养和训练监狱警察的中等专业学校，开设了法律、狱政管理、公安保卫等专业。1989年成立广东司法学校，其为一所普通中等法律专业学校，开始时设置了法律、经济法和劳动教养三个专业，采取了多规格的办学形式，培养了大量的普通中专、电大中专毕业生，还对大量的乡镇法律干部进行了培训。到2002年两校合并成立了广东司法职业警官学院，秋季开始招生首批2324名，进一步促进了广东省司法行政法学教育事业的发展。

1949 年 11 月成立广东省公安干部学校，1983 年 3 月，经省人民政府批准将省政法干校改为省政法干部学院，成为全省第一所管理干部学院，1992 年 12 月，省政府批准在广东省公安司法管理干部学院的基础上增设广东公安高等专科学校，为了深化高校体制改革，合理利用教育资源，1998 年省政府批准撤销省人民警察学校建制，并入广东公安高等专科学校，后来该校改建为目前的广东警官学院，50 多年来，该学院经历了政法干部培训，政法中专、大专，公安专科、本科教育的历程，目前是华南地区第一所也是唯一的公安本科院校。

1995 年广东省全力实施成人法学教育“万千百工程”，律师函授大专开考了律师专业，并开始在香港和澳门分设律师函授辅导站、点；举办了第二期面向基层法律服务工作者的业务法律专业证书班，共招收 1300 人。1995 年全省成人法学教育人数达到了 10332 人。到 1997 年成人教育不断发展，律师函授也取得了很大的进步，法律专业大专学员达到了 1702 名，由于在招生宣传、助学辅导以及管理服务等方面成绩突出，从 1991 年起连续四年被司法部授予先进律函辅导总站一等奖，到 1999 年夺得了该荣誉的八连冠。

法律自学考试工作也得到了很大的发展。其中法律中专自学考试创办于 1986 年，由省司法厅、法院和检察院共同举办，主要招收全省基层司法机关在职干部。1997 年自考法律大专达到了 7500 人，比上年增加了 50%，法律本科达到了 4844 人，到 2001 年报名人数达到了 21355 名。“九五”期间，广东省的普及类法学教育形成了多形式多层次的办学体系，既有自考法律本科，又有函授法律本科；既有法律自考大专班，又有全日制律师大专脱产班；既有成人法律大专，又有普通法律大专；既有普通法律中专，又有成人法律中专等。

另外，电大法律大专成人班、普通班的人数也不断增加。1958 年成立的广东省公安司法管理干部学院于 1983 年改为广东省政法管理干部学院，后又改为广东省公安司法管理干部学院，该校为成

人高等法律职业学校，设有公安和法律两个专业，举办两年制的大专班。1985年又成立了广东电大法律分校，设有法律、经济法和劳改法三个专业，该学校是一个成人高等法律教育学校，也是两年制的大专。

除了学校式的教育外，法律教育还有一种形式就是司法干部培训，包括省级和市地级司法干部培训。据统计，从1950年到1987年，省司法厅行政机关共举办司法干部培训班46期7313人，包括法院、检察院等部门的法律工作者。省级司法干部培训主要在广东省公安司法管理干部学院进行。而在地市一级，自1981年到1987年共举办学习班277期，受训13164人（次）。

（四）富有特色的法学研究

1. 充分发挥法学会的作用，建立法学研究平台。

广东省法学会是由广东省委政法委领导，广东省司法厅代管的全省法学界、法律界的社会团体和学术团体，成立于1980年6月。30年来，省法学会积极组织全省法学、法律工作者开展法学理论研究，参与立法活动和法律实践，进行内外法学交流，编辑出版法律书刊，开展法制宣传教育以及为社会提供法律咨询服务等，为推进我省的民主法制建设和依法治省进程作出了重要贡献。

30年来，广东省法学会不断发展，注重专业研究的深入，建立多个专业研究会，譬如宪法学研究会、法理学研究会、民商法研究会、刑法学研究会、经济法学研究会、行政法学研究会、诉讼法学研究会、国际法学研究会、港澳法学研究会、婚姻法学研究会、财税法学研究会、医药卫生法律研究会、西南法律人才研究会、企业法律研究会、广东涉外投资法律学会，在此基础上还进一步细化，建立了更多的专业化更强的研究会，如知识产权法学研究会自2004年11月成立以来，积极推动广东省知识产权的法治进程。发改委价格认证中心在广州市召开了“涉案假冒伪劣商品价格鉴定适用法律问题研讨会”，主要就涉案假冒伪劣商品价格鉴定过程中存在的具体解决方案进行了研讨。12月7日，中国法学会民法学

研究会、广东省律师协会、中国人民大学法学院共同举办的“中国物权法疑难问题研讨会”在广州市召开。与会的专家学者、律师、法官一致认为，现有的物权法草案在指导思想与政治方向上基本上是正确的，有必要加紧制定并出台物权法。由于广东省劳动关系日趋复杂，因此研究劳动关系的法律问题也就具有紧迫性和重要性，成立劳动关系研究会正是现实所需，2006 年成立了广东省法学会劳动关系研究会；针对广东毒情形势的严峻性，毒品危害的严重性，以及禁毒斗争的长期性、复杂性和艰巨性，切实加强禁毒法律政策研究，为广东禁毒斗争和禁毒工作提供强有力的法学理论支持，建立禁毒联合研究机制，扩大禁毒区际学术交流与合作，2006 年成立了广东省法学会禁毒法律政策研究会；为了从理论和实践的结合上积极探索和及时总结广东省房地产行业科学发展的规律、特征和经验，积极参与房地产地方立法活动，为促进广东省房地产行业的科学发展提供理论支持和法律保护，2007 年成立了广东省法学会房地产法学研究会；为促进广东省检察事业发展，2007 年广东省检察学研究会成立。

2. 注重粤港澳合作与发展，积极开展区域法律研究。

目前，内地与港澳法学界、法律界的相互了解、沟通尚处于起步阶段，这在很大程度上影响了双方的互相信任和相互理解。把深化粤港澳合作的构想变成现实，一是做好全面、充分和科学的可行性调研论证，作出详尽的、操作性强的规划。二是进一步解放思想，开拓创新，切实从体制、机制和制度上消除阻碍三地合作的各种障碍，打破妨碍三地人流、物流、资金流、技术流自由流动的各种壁垒。三是从完善地方立法、严格行政执法、促进公正司法和提高法律服务质量等方面下功夫，为深化粤港澳合作营造良好的法治环境。四是粤港澳三地的法学工作者和法律工作者要加强联系和交流，共同关注、认真研究、积极探讨和及时解决深化粤港澳合作中出现的各种法学理论和法律实践问题，不断推动法学理论和法律制度的创新，为粤港澳合作与发展提供强有力的理论支持和法治保障。特别是要重点加强知识产权保护、就业保障、促进民生、改善投资环境、优化产业结构、打击与防范跨境犯罪等方面的法律合作。进一步强化司法协助机制。要强化内地与港澳之间司法协助机制，促进司法公正，为三地经济社会发展营造良好的司法环境，从而以完善的司法协助机制促进公正的司法裁判，以公正的司法裁判来保障三地经济合作的健康发展。

在此方面广东省已经建立了良好的基础，譬如中山大学法学院在已有的教育基础上，不断巩固和加强同港澳地区及国外多所知名大学的合作关系，法学院与中山大学政务学院、中山大学港澳研究中心合作共建“985工程”二期哲学社会科学创新研究基地港澳研究基地，对港澳地区的法律、政治、经济、社会等方面开展深入研究。

2008年3月8日，在珠海举办了由广东省法学会、香港城市大学法学院、澳门大学法学院共同主办，珠海市法学会承办的首届“粤港澳法学论坛”。研讨围绕“粤港澳合作与发展有关法律问题研究”、“内地与港澳法律协调与司法协助研究”、“内地与港澳法律借鉴与比较研究”三个专题展开。

为了促进中国大陆、香港、澳门、台湾的法学学术交流和法律发展，中山大学与北京大学、清华大学、吉林大学、武汉大学、华东政法学院、香港大学、澳门大学、台湾“中央研究院”等共同发起了“两岸四地法律发展研讨会”。2006年6月2—3日，“2006两岸四地法律发展学术研讨会”在台湾“中央研究院”举行，来自两岸四地法律界100多名专家参加了这次盛会，共同对两岸四地的法律发展进行学术研讨。中山大学法学院9名教授参加了会议，并做学术发言。2007年，由中山大学法学院主办的“海峡两岸暨港澳地区法律发展学术研讨会”于12月15—16日在广州举行。此次会议的主题是FTA法律制度暨其与中国对外贸易发展、知识产权的法律保护以及环境法前沿问题研究。2005年5月21日，由中国国际司法学会和广东省法官协会主办、佛山市法官协会协办的“内地、香港、澳门区际法律问题研讨会”在佛山召开。来自内地、香港、澳门司法界和法学理论界的法官、专家学者就如何突破

内地与香港相互承认与执行法院裁决这一区际法律冲突瓶颈进行探讨交流，提出了一些新思路和有益建议。2008 年 3 月 8 日，在珠海举办了由广东省法学会、香港城市大学法学院、澳门大学法学院共同主办，珠海市法学会承办的首届“粤港澳法学论坛”。研讨围绕“粤港澳合作与发展有关法律问题研究”、“内地与港澳法律协调与司法协助研究”、“内地与港澳法律借鉴与比较研究”三个专题作展开。

广东还积极倡导组织和参加了“泛珠三角合作与发展法治论坛”。为了构建合作法律机制，优化泛珠三角合作与发展的法治环境，为泛珠三角合作与发展提供法学理论支持，广东省法学会和广州市法学会共同主办的“泛珠三角合作与发展法治论坛”暨中南、西南十省区市法学会联席会议和广东省法学会民法经济法学研究会年会于 2005 年 11 月 8 日在广州隆重召开。自 2003 年广东提出建立泛珠三角区域合作机制以来，从法学理论和法治建设的角度来研讨泛珠三角区域合作，还是第一次。省内外专家学者从法学理论和法律实践等方面出发，从立法、司法、行政执法等多层面来构建法律合作机制，从而优化泛珠三角区域合作法治环境。并深入探讨了在“一国两制”前提下，解决内地与澳门之间的法律冲突等迫切需要研究的法律问题。与会代表认为，当前急需在泛珠三角区域内营造公平竞争的市场环境和建立高效运行统一协调的政府机构，为泛珠三角区域经济合作和可持续发展，提供强有力的理论支持和法治保障。2006 年 12 月 1—3 日，第二届“泛珠三角合作与发展法治论坛”在广西南宁召开。中国法学会副会长罗锋、广西壮族自治区领导和自治区有关单位负责人，中南、西南地区法学会负责人，泛珠三角区域合作成员省份的专家学者共 100 多人出席了论坛。论坛期间，还举行了中南、西南地区法学会联席会议。中南、西南地区法学会负责人就今后如何办好区域法治论坛，以及贯彻落实中国法学会沈阳会议精神等作了交流。2007 年 10 月 16 日，第三届“泛珠三角合作与发展法治论坛”在成都开幕。广东、广西、福建、海南、湖南、江西、四川、贵州、云南等省区的法学、法律

界专家学者，论坛组委会特邀的“长三角”、东北和环渤海等区域合作省市的嘉宾，将就区域合作中的法律冲突与协调、区域生态建设与旅游开发中的法制问题、社会保障与劳务合作法律问题、新农村建设中的法制问题、内地与港澳地区的司法合作等内容进行探讨。

3. 进行国际学术交流，促进法学研究。

法学研究应该具有国际化的视野，注重学术研究的国际交流是非常重要的。广东省在法学研究中非常重视这一点。譬如，中山大学法学院重视与国内外著名大学法学院和法律研究机构的学术交流与教育合作，法学院的教师多次应邀赴国内外著名大学的法学院和法律研究机构讲学和访问。许多国内外的知名教授、法官、检察官、行政官员、律师也都曾应邀前来法学院讲学和访问。法学院不仅与国内多所大学的法律院系、国内各级立法、司法、行政机关及著名学术团体建立了广泛的学术交流和教育合作关系，而且与美国、英国、德国、瑞典等国著名大学的法学院或法律研究机构建立了稳定的交流和合作关系。特别是与香港、澳门的司法机关和法律院系建立了深入的交流和合作关系，自2000年以来，先后与香港律政司及香港警署合作举办了“中国法律讲习班”、“香港警署法律培训班”、“香港律师中文陈词应用培训班”等。此外，中山大学法学院还先后成功主办了多次国际、国内学术研讨会和交流活动，法学院教师的科研活动多次获得国家、教育部及其他省部级科研项目和国外基金项目的资助，经费已达数百万元。其中，由美国纽约大学、美国雅礼协会（The Yale - China Association）、福特基金会（The Ford Foundation）和岭南基金会（The Lingnan Foundation）支持和资助的中山大学法学院法律诊所项目，是该院国际合作与交流的一个重要成果。2005年12月5—6日，由中山大学法学院、中山大学法律经济学研究中心、中山大学法学理论与法律实践研究中心、美国伊利诺伊大学法学院、费曼基金会主办的“法律在经济发展中的作用——对中国和世界的启示”国际研讨会在中山大学岭南堂三楼讲学厅举行。大会的六个议题为“法律在经济

发展中作用的理论：已知与未知问题”、“国家、公法与经济发展”、“国际贸易、投资与经济发展”、“财产、权利、法律与经济发展”、“公司法、公司治理、管制与经济发展”及“知识产权与经济发展”。六个议题分别从不同的侧面阐述了在经济全球化的大背景下，各个国家尤其是发展中国家的法治进程状况及其对经济发展所起的积极作用，并在此基础上提出了如何构建法治政府、如何借鉴外国的先进经验如以美国宪政模式来指导我们的公法实现形式、发展中国家如何有效地运用 WTO 规则及 CEPA 协议等国际规则来解决国际经济贸易纠纷、公司法及知识产权法与经济发展的密切关系等一些经典问题，并有学者介绍了“财产权利假设理论”及“经济发展权”等一些较为新鲜的理论学说。该次国际研讨会邀请了来自美国伊利诺伊大学法学院、国内名牌大学法学院和中山大学法学院的一批知名教授学者参与。此次研讨会持续了两天时间，各方与会代表对会议主题进行了广泛而深入的探讨，并取得了良好的效果。

2006 年 10 月 24 日，由广东省知识产权局与美国全国商会联合主办的“中美（广东）知识产权圆桌会议”在广州举行。双方商定共同举办中美（广东）知识产权司法保护专题研讨会，并就在广东高校进行知识产权人才培养、推进广东软件正版化等多个方面的工作拟定了合作意向。12 月 9 日，由中国最高人民检察院与丹麦、韩国等国家检察机关共同发起，中国最高人民检察院主办的亚欧会议总检察长会议在深圳举行。会议的主题是“合作打击跨国有组织犯罪，建设和谐稳定繁荣社会”，吴邦国、张德江、贾春旺，联合国秘书长代表金伯莉·普洛斯特和国际检察官联合会主席亨宁·福德出席开幕式并发表讲话。2005 年 12 月 19 日，国家税务总局政策法规司在深圳召开《税收基本法》问题国际研讨会，与会代表包括国际货币基金组织法律部专家、世界税法协会（ITLA）主席及国内高校的财税法专家学者及实务界的领导和专家。这次会议是国家税务总局政策法规司主持的“联合国计划开发署促进减贫的财税能力建设项目”的活动之一。

4. 以各高等院校为依托发展法学研究。

广东省的法学研究主要是以各高等院校的法学院为依托向纵深发展。广东法学界、司法界围绕司法实践中的重点、热点问题开展学术研究，在多个研究领域取得成果。2005年，中山大学法学院的“商事信托财产制度研究”和深圳大学法学院的“我国知识产权发展战略与实施的法律问题研究”2个课题获本年度国家社会科学基金资助。广东商学院的“诉讼的合并制度及其相关制度的完善研究——为修改《民事诉讼法》提出建议”，华南农业大学的“工业化与城市化进程中的农村土地制度及农民权益保护问题研究”，华南师范大学的“中国区际侵权行为法律问题研究”，中山大学的“社会公平保障体系建设问题研究——听证制度中农民工利益的保护”4个课题获得本年度广东省哲学社会科学“十五”规划2005年度一般项目立项资助。广东省总工会委托课题“建立健全调处企业群众性事件有效机制的研究”由广东省社会科学院法学所完成。2006年，中山大学法学院的“传统中国民间法律意识的文化解释”和“侵权法上的作为义务研究”，广东商学院的“秘密侦查法治化与刑事诉讼法的再修改”获本年度国家社会科学基金项目立项资助。暨南大学的“地方立法中的制度创新”，广东商学院的“特许经营的反垄断法律问题研究”，广东海洋大学的“刑事诉讼权利保障体系研究”，汕头大学的“中国传统司法的思维方式及其现代转化”获广东省哲学社会科学2006年度项目立项资助。广东优秀哲学社会科学著作出版基金资助项目《自治与官治——南京国民政府的县自治法研究》，由广东省社会科学院法学所完成。

广东各高校积极利用各自的科研优势，设立专门性的研究机构，开展具有地方特色的法学研究，譬如，中山大学法学院目前设立的专门性法律研究机构有法学研究所、行政法研究所、经济法研究所、诉讼法研究所、法律经济学研究中心、妇女与性别研究中心、刑事法律科学研究中心、法学理论与法律实践研究中心、WTO与CEPA研究中心等。其中法学研究所现设有香港法研究室、涉外经济法研究室、法治系统工程研究室等，这充分表明了该院法学研

究的重点和特色。该法学院图书馆是被联合国出版署指定的中国内地四所联合国资料托存图书馆之一，每年收到联合国的托存文件资料，这为法学研究的展开提供了良好的基础。华南农业大学依托地方开展具有地域特色的法律研究，该大学设立了地方法制研究中心、“三农”法制研究中心、（农业）知识产权研究中心等科研及实践机构，致力于组织开展地方法制、“三农”法制、农业知识产权等特色领域的系统性研究，承担或参与了国家级、省部级及其他专项委托课题30余项。特别是，立足于广东地方经济社会发展及我国“三农”问题的实际，积极推动地方法制建设中的重大理论与实践课题的研究，同时面向广大农村、小城镇及社会基层，着力于广东尤其是珠三角区域经济社会发展中遇到的复杂疑难问题及城市化、新农村建设过程中的法律新问题的系统研究，填补了全省乃至全国高校法学教育在地方与“三农”法制研究领域的空白，成为广东省及全国高等院校中独特且有一定影响力的法学研究重要基地。

再如深圳大学法学院，其前身法律系始建于1983年，与深圳大学同步发展。1997年法学院正式成立。目前的法学院由法律系、国际法系、社会学系、香港法研究所、社会学研究所、国际与比较法研究所、民商法研究中心、法律援助中心、法律信息中心和法律培训部（WTO高级法律人才培训中心）组成。该法学院形成了以国际法和香港法为特色的教学科研优势。

附　录

附录一　30年来广东省重要地方立法

1979年

1.《广东省关于处理偷渡外逃的规定》

1980年

1.《广东省计划生育条例》

2.《广东省经济特区条例》

3.《广东省各级人民代表大会选举实施细则》

4.《广东省人民代表大会常务委员会关于实施〈刑法〉、〈刑事诉讼法〉问题的决议》

1981年

1.《广东省经济特区入境出境人员暂行规定》

2.《广东省经济特区企业登记管理暂行规定》

3.《广东省经济特区劳动工资管理暂行规定》

4.《深圳经济特区土地管理暂行规定》

5.《广东省人民代表大会常务委员会关于延长刑事案件办案期限的决定》

6.《广东省人民代表大会常务委员会批准广东省人民政府〈关于禁止贩毒、吸毒的暂行规定〉和〈关于取缔嫖娼、卖淫活动的暂行规定〉的决议》

7.《广东省人民代表大会常务委员会关于批准〈广东省城市公共卫生管理暂行条例〉的决议》

1982 年

1.《广东省人民代表大会常务委员会修改〈关于延长刑事案件办案期限的决定〉》

2.《广东省人民代表大会常务委员会批准广东省人民政府〈关于禁止赌博的处罚条例〉》

3.《广东省人民代表大会常务委员会关于批准〈广东省物价管理暂行条例〉的决议》

4.《广东省人民代表大会常务委员会关于批准〈广东省城市建设管理暂行条例〉的决议》

5.《广东省人民代表大会常务委员会批准〈省人民政府关于委托海南行政区公署、各地区行政公署依法办理所辖县、市人民政府组成人员任免工作的建议〉的决定》

6.《广东省人民代表大会常务委员会关于加强控告和检举犯罪问题的决定》

1983 年

1.《广东省人民代表大会常务委员会关于海南行政区和汕头、佛山、韶关地区的中级人民法院、省人民检察院分院继续行使职权的决定》

2.《广东省人民代表大会常务委员会关于市人民代表大会换届和选举问题的决议》

3.《广东省人民代表大会常务委员会关于批准〈深圳经济特区商品房产管理规定〉的决议》

4.《广东省人民代表大会常务委员会关于批准〈广东省国家建设征用土地的实施办法〉的决议》

5.《广东省人民代表大会常务委员会关于修改〈广东省各级人民代表大会选举实施细则〉的决议》

6.《广东省人民代表大会常务委员会关于授权省人民政府批准深圳经济特区调整土地使用费收费标准的决定》

1984 年

1.《广东省人民代表大会常委会关于批准〈深圳经济特区涉

外经济合同规定〉和〈深圳经济特区技术引进暂行规定〉的决定》

2.《广东省人民代表大会常务委员会关于批准〈广东省河道堤防管理条例〉的决定》

3.《广东省人民代表大会常务委员会关于通过〈广州市国家建设征用土地和拆迁房屋实施办法〉的决定》

4.《广东省人民代表大会常务委员会关于授权省人民政府批准深圳经济特区人民政府自行决定调整深圳经济特区土地使用费收费标准的决定》

5.《广州市国家建设征用土地和拆迁房屋实施办法》

1985年

1.《广东省保护妇女儿童合法权益的若干规定》

2.《广东省经济特区企业工会规定》

3.《广东省人民代表大会常务委员会关于制定地方性法规程序的暂行规定》

4.《广东省人民代表大会常务委员会关于批准〈广东省机关、团体、企业、事业单位安全保卫责任条例〉的决议》

5.《广东省人民代表大会常务委员会关于执行〈广东省物价管理暂行条例〉第二十五条有关罚款问题的决定》

6.《广东省人民代表大会常务委员会关于批准〈广东省矿产资源开发管理暂行条例〉的决议》

7.《广东省人民代表大会常务委员会关于批准〈深圳经济特区抵押贷款管理规定〉的决议》

8.《广东省人民代表大会常务委员会关于批准〈广东省经济特区涉外企业会计管理规定〉的决议》

1986年

1.《广东省人民代表大会常务委员会关于批准〈广东省水土保持工作管理规定〉的决议》

2.《广东省人民代表大会常务委员会关于批准〈深圳经济特区与内地人员往来管理规定〉的决议》

3.《广东省人民代表大会常务委员会关于加强对罚款、收费

的监督管理的决议》

4.《广东省第六届人民代表大会常务委员会关于修改〈广东省计划生育条例〉的若干规定的决议》

5.《广东省技术市场管理规定》

6.《广东省普及九年义务教育实施办法》

7.《广东省经济特区涉外公司条例》

8.《深圳经济特区涉外公司破产条例》

9.《广东省土地管理实施办法》

10.《广东省人民代表大会常务委员会关于县、乡（镇）两级人民代表大会换届选举时间和设立乡（镇）选举委员会的决定》

1987 年

1.《广东省森林管理实施办法》

2.《广东省国家建设征用土地拆除城镇华侨房屋的规定》

3.《广东省关于收容处理城市流浪乞讨人员的规定》

4.《广东省关于取缔卖淫、嫖宿暗娼的规定》

5.《广东省关于律师执行职务的若干规定》

6.《深圳经济特区土地管理条例》

7.《广东省社会团体登记管理规定》

8.《广东省人民代表大会常务委员会关于批准〈广州市经济技术开发区条例〉的决定》

9.《广东省人民代表大会常务委员会关于批准〈广州市饮用水源污染防治条例〉的决定》

10.《广东省人民代表大会常委会关于按照国家现行法律规定执行〈广东省各级人民代表大会选举实施细则〉的通知》

11.《广东省人民代表大会常务委员会关于批准〈广东省连南瑶族自治县自治条例〉的决议》

12.《广州市经济技术开发区条例》（1986 年 10 月 7 日广东省广州市第八届人民代表大会常务委员会第二十二次会议通过）

13.《广州市饮用水源污染防治条例》

14.《广东省连南瑶族自治县自治条例》

1988年

1.《广东省劳动安全卫生条例》

2.《广东省人民代表大会常务委员会会议议事规则（试行）》

3.《广东省查禁淫秽物品条例》

4.《广东省集会游行示威规定》

5.《广东省经济特区劳动条例》

6.《广东省人民代表大会常务委员会关于修改〈广东省河道地方管理条例〉第十四条的决议》

7.《广东省人民代表大会常务委员会关于批准〈广州市食品商贩和城乡集市食品经营者卫生管理规定〉的决议》

8.《广东省人民代表大会常务委员会关于批准〈广东省连山壮族瑶族自治县自治条例〉的决议》

9.《广东省人民代表大会常务委员会关于批准〈广东省乳源瑶族自治县自治条例〉的决议》

10.《广东省人民代表大会常务委员会关于广东省实施调整部分行政区划有关选举事项的决定》

11.《广东省人民代表大会常务委员会关于我省调整部分行政区划期间有关市、县的人民法院和人民检察院行使职权的决定》

12.《广州市食品商贩和城乡集市食品经营者卫生管理规定》

13.《广东省连山壮族瑶族自治县自治条例》

14.《广东省乳源瑶族自治县自治条例》

1989年

1.《广东省青少年保护条例》

2.《广东省人民代表大会议事规则（试行）》

3.《广东省各级人民代表大会常务委员会法律监督工作条例》

4.《广东省保护公民举报条例》

5.《广东省保护消费者合法权益条例》

6.《广东省人民代表大会常务委员会关于批准〈广州市职工教育管理条例〉的决定》

7.《广东省人民代表大会常务委员会关于不设区的市、市辖

区、县、自治县、乡、民族乡、镇人民代表大会代表名额的决定》

1990 年

1.《广东省征兵工作规定》

2.《广东省经济特区抵押贷款管理规定》

3.《广东省渔业管理实施办法》

4.《广东省实施〈中华人民共和国集会游行示威法〉办法》

5.《广东省人民代表大会常务委员会关于批准〈广州市集会游行示威若干规定〉的决定》

6.《广东省人民代表大会常务委员会关于批准〈广州市农村集体经济承包合同管理规定〉的决议》

7.《广东省人民代表大会常务委员会关于县、乡两级人民代表大会换届选举若干问题的规定》

8.《广州市集会游行示威若干规定》

9.《广州市农村集体经济承包合同管理规定》

1991 年

1.《广东省维护老年人合法权益条例》

2.《广东省东江水系水质保护条例》

3.《广东省经济特区土地管理条例》

4.《广东省土地管理实施办法》(修正)

5.《广东省实施〈中华人民共和国水法〉办法》

6.《广东省行政事业性收费管理条例》

1992 年

1.《广东省实施〈中华人民共和国城市规划法〉办法》

2.《广东省各级人民代表大会选举实施细则》

3.《广东省归侨侨眷权益保护实施办法》

4.《广东省统计管理条例》

1993 年

1.《广东省高等教育管理条例》

2.《广东省惩处黑社会组织活动规定》

3.《广东省邮电通信管理条例》

4.《广东省质量监督条例》

5.《广东省珠海经济特区职工社会保险条例》

6.《广东省经纪人管理条例》

7.《广东省房地产开发经营条例》

8.《广东省营业性电子游戏机室管理规定》

9.《广东省基本农田保护区管理条例》

1994 年

1.《广东省财产拍卖条例》

2.《广东省城镇房地产转让条例》

3.《广东省安置刑满释放和解除劳动教养人员的规定》

4.《广东省企业职工劳动权益保障规定》

5.《广东省营业性歌舞娱乐场所管理条例》

6.《广东省民营科技企业管理条例》

1995 年

1.《广东省道路运输管理条例》

2.《广东省人民代表大会常务委员会关于批准〈广东省基本农田保护区规划〉的决议》

3.《广东省人民代表大会关于批准〈广州市土地管理规定〉的决议》

4.《广东省人民代表大会关于批准〈广州市制止义务教育阶段学生非正常辍学的规定〉的决议》

5.《广东省典当条例》

6.《广东省合伙经营条例》

7.《广东省实施〈中华人民共和国农业技术推广法〉办法》

8.《广东省拆迁城镇华侨房屋规定》

9.《广东省律师执业条例》

10.《广东省人民代表大会常务委员会关于加强维护妇女合法权益工作的决议》

11.《广东省人民代表大会常务委员会关于批准〈广州市实施中华人民共和国工会法若干规定〉的决议》

12.《广东省人民代表大会常务委员会关于批准〈广州市防治珠江广州河段饮食业污染管理规定〉的决议》

13.《广东省森林防火管理规定》

14.《广东省航道管理条例》

15.《广东省乡镇人民代表大会主席和主席团工作条例》

16.《广东省人民代表大会常务委员会关于批准〈广州市白云山风景名胜区保护条例〉的决议》

17.《广东省人民代表大会常务委员会关于批准〈广州市人民代表大会常务委员会关于修改广州市禁止生产和经销假冒伪劣商品条例的决定〉的决议》

18.《广东省人民代表大会常务委员会关于批准〈广州市农村集体经济审核规定〉的决议》

19.《广东省人民代表大会常务委员会关于废止1995年10月以前我省颁布的部分地方性法规的决定》

20.《广东省人民代表大会常务委员会关于进一步发展粮食生产、完善粮食购销政策的决议》

21.《广东省人民代表大会常务委员会关于加强检察院执法工作的决议》

22.《广州市白云山风景名胜区保护条例》

23.《广州市人民代表大会常务委员会关于修改〈广州市禁止生产和经销假冒伪劣商品条例〉的决定》

24.《广州市农村集体经济审核规定》

25.《广州市土地管理规定》

26.《广州市制止义务教育阶段学生非正常辍学的规定》

27.《广州市实施〈中华人民共和国工会法〉若干规定》

28.《广州市防治珠江广州河段饮食业污染管理规定》

1996年

1.《广东省农村集体资产管理条例》

2.《广东省营业演出管理条例》

3.《广东省人民代表大会常务委员会关于批准〈广州市妇女

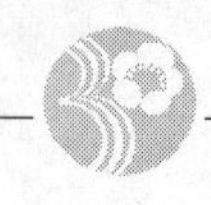

权益保障若干规定〉的决议》

4.《广东省人民代表大会常务委员会关于强化人才宏观管理、加大人才资源开发力度的决议》

5.《广东省人民代表大会常务委员会关于加快农村小水电建设的决议》

6.《广东省经济合同管理条例》

7.《广东省实施〈中华人民共和国反不正当竞争法〉办法》

8.《广东省珠海市饮用水源水质保护条例》

9.《广东省实施〈中华人民共和国城市居民委员会组织法〉办法》

10.《广东省人民代表大会常务委员会关于批准〈广州市电信管理条例〉的决议》

11.《广东省人民代表大会常务委员会关于批准〈广州市蔬菜基地管理规定〉的决议》

12.《广东省人民代表大会常务委员会关于批准〈广州市水路货物运输管理规定〉的决议》

13.《广东省人民代表大会常务委员会关于批准〈广州市城市市容和环境卫生管理规定〉的决议》

14.《广东省人民代表大会常务委员会关于批准〈广州市养犬管理规定〉的决议》

15.《广东省企业集体合同条例》

16.《广东省人民代表大会常务委员会关于批准〈广州市公民义务献血和血液管理条例（修改稿）〉的决议》

17.《广东省人民代表大会常务委员会关于批准〈广州市社会急救医疗管理条例〉的决议》

18.《广东省人民代表大会常务委员会关于批准〈广州市人民代表大会常务委员会关于修改广州职工教育管理条例的决议〉》

19.《广东省人民代表大会常务委员会关于批准〈广州市牲畜检疫规定〉的决议》

20.《广东省劳动监察条例》

21.《广东省建设工程质量管理条例》

22.《广东省农民负担管理条例》

23.《广东省农作物种子管理条例》

24.《广东省专利保护条例》

25.《广东省规章设定罚款限额的规定》

26.《广东省人民代表大会常务委员会关于修改〈广东省书报刊市场管理条例〉第七条的决定》

27.《广东省人民代表大会常务委员会关于批准〈广州市人民代表大会常务委员会关于修改广州市销售燃放烟花爆竹管理规定的决定〉的决议》

28.《广东省人民代表大会常务委员会关于修改〈广东省河道地方管理条例〉的决定》

29.《广东省人民代表大会常务委员会关于修改〈广东省禁止赌博条例〉的决定》

30.《广东省各级人民代表大会常务委员会执法工作检查规定》

31.《广东省人民代表大会常务委员会关于批准〈广州市商业网点条例〉的决议》

32.《广东省人民代表大会常务委员会关于批准〈广州市城市规划条例〉的决议》

33.《广东省人民代表大会常务委员会关于批准〈广州市城市绿化管理条例〉的决议》

34.《广东省人民代表大会常务委员会关于批准〈广州市幼儿园教育管理规定〉的决议》

35.《广东省人民代表大会常务委员会关于批准〈广州市农业环境保护管理规定〉的决议》

36.《广州市妇女权益保障若干规定》

37.《广州市电信管理条例》

38.《广州市蔬菜基地管理规定》

39.《广州市水路货物运输管理规定》

40.《广州市城市市容和环境卫生管理规定》

41.《广州市养犬管理规定》

42.《广州市公民义务献血和血液管理条例》

43.《广州市社会急救医疗管理条例》

44.《广州市人民代表大会常务委员会关于修改〈广州职工教育管理条例〉的决议》

45.《广州市牲畜检疫规定》

46.《广州市人民代表大会常务委员会关于修改〈广州市销售燃放烟花爆竹管理规定〉的决定》

47.《广州市商业网点条例》

48.《广州市城市规划条例》

49.《广州市城市绿化管理条例》

50、《广州市幼儿园管理规定》

51.《广州市农业环境保护管理规定》

1997年

1.《广东省气象管理规定》

2.《广东省人民代表大会常务委员会关于废止〈广东省抵押贷款管理条例〉、〈广东省公司条例〉、〈广东省财产拍卖条例〉的决议》

3.《广东省华侨捐赠兴办公益事业管理条例》

4.《广东省各级人民代表大会常务委员会实施个案监督工作规定》

5.《广东省人民代表大会常务委员会关于修改〈广东省城镇房地产转让条例〉的决定》

6.《广东省人民代表大会关于批准〈广州市人民代表大会常务委员会关于修改广州市环境噪音污染防治规定的决定〉的决议》

7.《广东省人民代表大会关于批准〈广州市人民代表大会常务委员会关于修改广州市防治珠江广州河段水域污染管理规定的决定〉的决议》

8.《广东省人民代表大会关于批准〈广州市人民代表大会常

务委员会关于修改广州市大气污染防治规定的决定〉的决议》

9.《广东省人民代表大会关于批准〈广州市人民代表大会常务委员会关于修改广州市饮用水污染防治条例的决定〉的决议》

10.《广东省人民代表大会关于修改〈广东省经纪人管理条例〉的决议》

11.《广东省人民代表大会关于修改〈广东省典当条例〉的决议》

12.《广东省人民代表大会关于修改〈广东省基金会管理条例〉的决议》

13.《广东省人民代表大会关于批准〈广州市制止义务教育阶段学生非正常辍学的规定〉的决议》

14.《广东省人民代表大会关于批准〈广州市人民代表大会常务委员会关于修改广州市社会力量办学管理条例的决定〉的决议》

15.《广东省人民代表大会常务委员会关于修改〈广东省实施中华人民共和国妇女权益保障法的规定〉的决议》

16.《广东省人民代表大会常务委员会关于批准〈广州市市政设施管理条例〉的决议》

17.《广东省人民代表大会常务委员会关于批准〈广州市统计管理条例〉的决议》

18.《广东省人民代表大会常务委员会关于批准〈广州市城市房屋拆迁管理条例〉的决议》

19.《广东省人民代表大会常务委员会关于批准〈广州市环境保护条例〉的决议》

20.《广东省人民代表大会常务委员会关于批准〈广州市渔业管理规定〉的决议》

21.《广东省燃气管理条例》

22.《广东省测绘管理条例》

23.《广东省人民代表大会常务委员会关于废止〈广东省关于取缔卖淫、嫖宿暗娼的规定〉、〈广东省查禁淫秽物品条例〉的决定》

24.《广东省实施〈中华人民共和国台湾同胞投资保护法〉办法》

25.《广东省人民代表大会常务委员会关于修改〈广东省青少年保护条例〉的决定》

26.《广东省人民代表大会常务委员会关于批准〈广州市流溪河流域管理规定〉的决议》

27.《广东省人民代表大会常务委员会关于批准〈广州市建筑条例〉的决议》

28.《广东省人民代表大会常务委员会关于修改〈深圳经济特区与内地之间人员往来管理规定〉第十三条的决定》

29.《广东省人民代表大会常务委员会关于批准〈广州市社会医疗机构管理规定〉的决议》

30.《广东省人民代表大会常务委员会关于修改〈广东省经济特区土地管理条例〉第四十七条、第四十八条的决议》

31.《广东省人民代表大会常务委员会关于批准〈广州市人民代表大会常务委员会关于修改广州市经济合同管理规定〉的决议》

32.《广东省人民代表大会常务委员会关于批准〈广州市私营企业权益保护条例〉的决议》

33.《广东省人民代表大会常务委员会关于修改〈广东省森林防火管理规定〉第十八条的决定》

34.《广东省人民代表大会常务委员会关于修改〈广东省实施中华人民共和国水土保持法办法〉第十四条第一款的决定》

35.《广东省人民代表大会常务委员会关于修改〈广东省野生动物保护管理规定〉的决议》

36.《广东省人民代表大会常务委员会关于修改〈广东省土地管理实施办法〉第二十四条的决定》

37.《广东省人民代表大会常务委员会关于修改〈广东省征用农村集体所有土地各项补偿费管理办法〉第十一条的决定》

38.《广东省人民代表大会常务委员会关于批准〈广州市人民代表大会常务委员会关于修正广州市实施《中华人民共和国水法》

的决定〉的决议》

39.《广东省人民代表大会常务委员会关于批准〈广州市人民代表大会常务委员会关于修改广州市野生动物保护管理若干规定〉的决定》

40.《广东省人民代表大会常务委员会关于修改〈广东省邮电通信管理条例〉的决定》

41.《广东省行政执法队伍管理条例》

42.《广东省人民代表大会常务委员会关于修改〈广东省公路路政管理条例〉的决定》

43.《广东省人民代表大会常务委员会关于修改〈广东省房地产开发经营条例〉》

44.《广东省人民代表大会常务委员会关于修改〈广东省实施中华人民共和国城市规划法办法〉的决定》

45.《广东省人民代表大会常务委员会关于修改〈广东省建设项目环境保护管理条例〉的决定》

46.《广东省人民代表大会常务委员会关于修改〈广东省东江水系水质保护条例〉的决定》

47.《广东省人民代表大会常务委员会关于修改〈广东省营业性电子游戏机室管理规定〉》

48.《广东省人民代表大会常务委员会关于修改〈广东省营业性歌舞娱乐场所管理条例〉有关条款的决定》

49.《广东省人民代表大会常务委员会关于修改〈广东省企业职工劳动权益保障规定〉的决定》

50.《广东省人民代表大会常务委员会关于修改〈广东省惩处为赌博放贷非法索债的规定〉的决定》

51.《广东省人民代表大会常务委员会关于批准〈广州市牲畜屠宰和肉品销售管理条例〉的决议》

52.《广东省人民代表大会常务委员会关于修改〈广州市住房公积金条例〉的决议》

53.《广东省人民代表大会关于批准〈广州市人民代表大会常

务委员会关于修改广州市禁止生产和销售假冒伪劣商品条例的决定〉的决议》

54.《广东省人民代表大会常务委员会关于批准废止〈广州市食品商贩和城乡集市食品经营者食品卫生管理规定〉的决定》

55.《广东省人民代表大会常务委员会关于批准〈广州市人民代表大会关于修改广州市企业治安保卫条例的决定〉的决议》

56.《广东省各级人民政府行政执法监督条例》

57.《广东省实施〈中华人民共和国环境噪音污染防治法〉办法》

58.《广东省民用核设施事故预防和应急管理条例》

59.《广东省人民代表大会常务委员会关于批准〈广州市人民代表大会常务委员会关于修改广州市外商投资企业管理条例的决定〉的决议》

60.《广东省人民代表大会常务委员会关于批准〈广州市科学技术经费投入与管理条例〉的决议》

61.《广东省人民代表大会常务委员会关于批准〈广州市科学技术协会条例〉的决议》

62.《广东省资产评估管理条例》

63.《广东省散居少数民族权益保障条例》

64.《广东省人民代表大会常务委员会关于修改〈广东省劳动安全卫生条例〉有关条文的决定》

65.《广州市人民代表大会常务委员会关于修改〈广州市环境噪音污染防治规定〉的决定》

66.《广州市人民代表大会常务委员会关于修改〈广州市防治珠江广州河段水域污染管理规定〉的决定》

67.《广州市人民代表大会常务委员会关于修改〈广州市大气污染防治规定〉的决定》

68.《广州市人民代表大会常务委员会关于修改〈广州市饮用水污染防治条例〉的决定》

69.《广州市人民代表大会常务委员会关于修改〈广州市制止

义务教育阶段学生非正常辍学的规定〉的决议》

70.《广州市人民代表大会常务委员会关于修改〈广州市社会力量办学管理条例〉的决定》

71.《广州市市政设施管理条例》

72.《广州市城市房屋拆迁管理条例》

73.《广州市统计管理条例》

74.《广州市环境保护条例》

75.《广州市渔业管理规定》

76.《广州市流溪河流域管理规定》

77.《广州市建筑条例》

78.《广州市社会医疗机构管理规定》

79.《广州市人民代表大会常务委员会关于修改〈广州市经济合同管理规定〉的决定》

80.《广州市私营企业权益保护条例》

81.《广州市人民代表大会常务委员会关于修正〈广州市实施中华人民共和国水法》的决定》

82.《广州市人民代表大会常务委员会关于修改〈广州市野生动物保护管理若干规定〉的决定》

83.《广州市牲畜屠宰和肉品销售管理条例》

84.《广州市住房公积金条例》

85.《广州市人民代表大会常务委员会关于修改〈广州市禁止生产和销售假冒伪劣商品条例〉的决定》

86.《广州市人民代表大会常务委员会关于废止〈广州市食品商贩和城乡集市食品经营者食品卫生管理规定〉》

87.《广州市人民代表大会关于修改〈广州市企业治安保卫条例〉的决议》

88.《广州市人民代表大会常务委员会关于修改〈广州市外商投资企业管理条例〉的决定》

89.《广州市科学技术经费投入与管理条例》

90.《广州市科学技术协会条例》

1998年

1.《广东省劳动安全卫生条例》

2.《广东省人民代表大会常务委员会关于修改〈广东省经济管理合同条例〉有关条文的决定》

3.《广东省人民代表大会常务委员会关于修改〈广东省物价管理暂行条例〉有关条文的决定》

4.《广东省人民代表大会常务委员会关于修改〈广东省统计管理条例〉有关条文的决定》

5.《广东省人民代表大会常务委员会关于修改〈广东省道路运输管理条例〉有关条文的决定》

6.《广东省人民代表大会常务委员会关于修改〈广东省实施中华人民共和国矿山安全法办法〉有关条文的决定》

7.《广东省人民代表大会常务委员会关于修改〈广东省森林保护管理条例〉第二十五条的决定》

8.《广东省人民代表大会常务委员会关于修改〈广东省基本农田保护区管理条例〉第二十条的决定》

9.《广东省人民代表大会常务委员会关于修改〈广东省乳源瑶族自治县水资源管理条例〉第十六条的决定》

10.《广东省人民代表大会常务委员会关于修改〈广东省计划生育条例〉有关条文的决定》

11.《广东省人民代表大会常务委员会关于修改〈广东省书报刊市场管理条例〉有关条文的决定》

12.《广东省人民代表大会常务委员会关于修改〈惩处黑社会组织活动规定〉的决定》

13.《广东省人民代表大会常务委员会关于废止〈广东省经济特区劳动条例〉的决定》

14.《广东省人民代表大会常务委员会关于废止〈广东省营业性演出管理条例〉的决定》

15.《广东省人民代表大会常务委员会关于废止〈广东省律师执业条例〉的决定》

16.《广东省人民代表大会常务委员会关于批准〈广州市劳动合同管理规定〉的决议》

17.《广东省人民代表大会常务委员会关于批准〈广州市机动车排气污染防治规定〉的决议》

18.《广东省人民代表大会常务委员会关于批准〈广州市公园管理条例〉的决议》

19.《广东省人民代表大会常务委员会关于批准〈广州市流溪河水源涵养林保护管理规定〉的决议》

20.《广东省人民代表大会常务委员会关于批准〈广州市水利工程设施保护规定〉的决议》

21.《广东省人民代表大会常务委员会关于批准〈广州市宗教事务管理条例〉的决议》

22.《广东省人民代表大会常务委员会关于批准〈广州市城市建设管理监察条例〉的决议》

23.《广东省人民代表大会常务委员会关于批准〈广州市人民代表大会常务委员会关于修订广州市市容和环境卫生管理规定〉的决定》

24.《广东省人民代表大会常务委员会关于批准〈广州市人民代表大会常务委员会关于修改广州市传染病防治规定〉的决定》

25.《广东省人民代表大会常务委员会关于修改〈广东省产品质量监督条例〉有关条文的决定》

26.《广东省人民代表大会常务委员会关于修改〈广东省实施中华人民共和国反不正当竞争法〉办法第二十一条的决定》

27.《广东省人民代表大会常务委员会制定地方性法规规定》

28.《广东省农业环境保护条例》

29.《广东省酒类专卖管理条例》

30.《广东省档案管理规定》

31.《广东省人民代表大会常务委员会关于批准〈广州市殡葬管理规定〉的决议》

32.《广东省物业管理条例》

33.《广东省风景名胜区条例》

34.《广东省商品房预售管理条例》

35.《广东省实施〈中华人民共和国人民防空法〉办法》

36.《广东省高速公路管理条例》

37.《广东省体育设施建设和管理条例》

38.《广东省母婴保健管理条例》

39.《广东省林地保护管理条例》

40.《广东省人民代表大会常务委员议事规则》

41.《广东省社会工伤保险条例》

42.《广东省人民代表大会常务委员会制定地方性法规规定》

43.《广东省社会养老保险条例》

44.《广东省珠江三角洲水质保护条例》

45.《广东省实施〈中华人民共和国村民委员会组织法〉办法》

46.《广东省村民委员会选举办法》

47.《广东省采石取土管理规定》

48.《广东省人民代表大会常务委员会关于批准〈广州市历史文化名城保护条例〉的决议》

49.《广东省人民代表大会常务委员会关于批准〈广州市举办展销会管理条例〉的决议》

50.《广东省股份合作企业条例》

51.《广东省流动人员管理条例》

52.《广东省社会救济条例》

53.《广东省技术秘密保护条例》

54.《广东省医疗器械管理条例》

55.《广州市劳动合同管理规定》

56.《广州市机动车排气污染防治规定》

57.《广州市公园管理条例》

58.《广州市流溪河水源涵养林保护管理规定》

59.《广州市水利工程设施保护规定》

60.《广州市宗教事务管理条例》

61.《广州市城市建设管理监察条例》

62.《广州市殡葬管理规定》

63.《广州市举办展销会管理条例》

64.《广州市历史文化名城保护条例》

65.《汕头市人民代表大会常务委员议事规则》

66.《汕头经济特区惩治生产、销售伪劣产品违法行为条例》

67.《汕头经济特区实施〈中华人民共和国未成年人保护法〉办法》

68.《汕头经济特区道路交通管理处罚条例》

1999年

1.《广东省人民代表大会议事规则》

2.《广东省流动人员劳动就业管理条例》

3.《广东省保安服务管理条例》

4.《广东省实施〈中华人民共和国价格法〉办法》

5.《广东省个体工商户和私营企业权益保护条例》

6.《广东省人民代表大会常务委员会关于修改〈广东省计划生育条例〉第十条的决定》

7.《广东省农村集体经济审计条例》

8.《广东省实施〈中华人民共和国消费者权益保护法〉办法》

9.《广东省青年志愿者服务条例》

10.《广东省矿产资源条例》

11.《广东省法律援助条例》

12.《广东省查处生产销售假冒伪劣商品违法行为条例》

13.《广东省建设工程招标投标管理条例》

14.《广州市地下铁道管理条例》

15.《广州市森林公园管理条例》

16.《广州市水上治安管理条例》

17.《广州市安全生产条例》

18.《广州市劳动力市场管理条例》

19.《广州市科学技术普及条例》

20.《深圳经济特区信息化建设条例》

21.《深圳经济特区商品市场条例》

22.《深圳经济特区促进全民健身若干规定》

23.《深圳市人民代表大会常务委员会关于坚决查处违法建筑的决定》

24.《深圳市土地征用与收回条例》

25.《深圳经济特区国有独资有限公司条例》

26.《深圳经济特区公证条例》

27.《深圳经济特区商事条例》

28.《深圳经济特区市容和环境卫生管理条例》

29.《深圳经济特区消防条例》

30.《深圳经济特区海域污染防治条例》

31.《深圳经济特区行业协会条例》

32.《汕头经济特区华侨房地产权益保护办法》

33.《汕头经济特区企业职工社会保险条例》

34.《汕头经济特区旅游资源保护和开发管理规定》

35.《汕头经济特区文化市场管理条例》

2000年

1.《广东省职业介绍管理条例》

2.《广东省发展中医条例》

3.《广东省宗教事务管理条例》

4.《广东省机动车排气污染防治条例》

5.《广东省技术市场条例》

6.《广东省分散按比例安排残疾人就业办法》

7.《广东省行政机构设置和编制管理条例》

8.《广东省流动人员租赁房屋治安管理规定》

9.《广东省各级人民代表大会常务委员会讨论决定重大事项规定》

10.《广东省商品房预售管理条例》

11.《广东省人民代表大会常务委员会议事规则》

12.《广东省统计管理条例》

13.《广东省工会劳动法律监督条例》

14.《广东省建设工程监理条例》

15.《广州市旅游管理条例》

16.《广州市公共汽车电车客运管理条例》

17.《广州市促进科技成果转化条例》

18.《广州市房地产抵押登记管理条例》

19.《广州市教育经费投入和管理条例》

20.《广州市人民代表大会常务委员会关于废止〈广州市土地管理规定〉的规定》

21.《广州市旅游市场管理规定》

22.《广州市公共汽（电）车管理条例》

23.《深圳经济特区授予荣誉市民称号规定》

24.《深圳市政府投资项目管理条例》

25.《深圳经济特区殡葬管理条例》

26.《珠海市社会保险基金监督条例》

27.《珠海市法制宣传教育条例》

28.《连山壮族瑶族自治县实施〈广东省计划生育条例〉第十条的规定》

29.《连南瑶族自治县实施〈广东省计划生育条例〉第十条的规定》

30.《乳源瑶族自治县实施〈广东省计划生育条例〉第十条的规定》

2001 年

1.《广东省河口涂滩管理条例》

2.《广东省韩江流域水质保护条例》

3.《广东省预算审批监督条例》

4.《广东省野生动物保护管理条例》

5.《广东省村务公开条例》

6.《广东省村民委员会选举办法》

7.《连山壮族瑶族自治县乡道建设和管理条例》

8.《广东省城市垃圾管理条例》

9.《广东省动物防疫条例》

10.《广东省征用农村集体所有土地各项补偿费管理办法》

11.《广州市固体废物污染环境防治规定》

12.《广州市地方性法规制定办法》

13.《广州市涉案物价格鉴定管理条例》

14.《广州市产品维修质量监督条例》

15.《广州市专利管理条例》

16.《广州市违法建设查处条例》

17.《深圳市制定法规规定条例》

18.《深圳市司法鉴定条例》

19.《深圳市人民代表大会审查和批准国民经济和社会发展计划及预算规定》

20.《深圳市人民代表大会任免国家机关工作人员条例》

21.《深圳市人民代表大会常务委员会听证条例》

22.《珠海市人民代表大会及其常务委员会制定法规规定》

23.《珠海市人民代表大会常务委员会议事规则》

24.《珠海市防治船舶污染水域条例》

25.《珠海市企业工资支付条例》

26.《汕头市惩治生产销售伪劣商品违法行为条例》

27.《汕头市荣誉市民称号授予办法》

28.《汕头市促进农业技术推广若干规定》

29.《汕头市立法条例》

30.《乳源瑶族自治县森林资源保护管理条例》

31.《乳源瑶族自治县水污染防治条例》

2002 年

1.《广东省收容遣送管理规定》

2.《广东省易制毒化学品管理条例》

3.《广东省旅游管理条例》

4.《广东省商品交易市场管理条例》

5.《广东省基本农田保护区管理条例》

6.《广东省归侨侨眷权益保护条例》(修订)

7.《广东省东江水系水质保护条例》(修订)

8.《广东省实施〈中华人民共和国村民委员会组织法〉办法》(修订)

9.《广东省安全技术防范管理条例》

10.《广东省厂务公开条例》

11.《广东省保税区管理条例》

12.《广东省失业保险条例》

13.《广东省人口和计划生育条例》(修订)

14.《广东省各级人民代表大会常务委员会信访条例》

15.《广东省安全生产条例》

16.《广东省道路运输管理条例》(修订)

17.《广东省酒类专卖管理条例》(修订)

18.《广东省人民代表大会常务委员会关于修改〈广东省盐业管理条例〉的决定》

19.《广东省人民代表大会常务委员会关于废止〈广东省典当条例〉的决定》

20.《广东省人民代表大会常务委员会关于废止〈广东省城市建设管理暂行条例〉等六项地方性法规的规定》

21.《广东省人才市场管理条例》

22.《广东省各级人民代表大会建议、批评和意见办理规定》

23.《广东省电子交易条例》

24.《广东省查处无照经营行为条例》

25.《广东省水资源管理条例》

26.《广州市人民代表大会常务委员会关于废止〈广州市中医管理条例〉的决定》

27.《广州市人民代表大会常务委员会关于废止〈广州市社会文化市场管理暂行条例〉的决定》

28.《广州市内部审计条例》

29.《广州市房地产中介服务管理条例》

30.《广州市人民代表大会常务委员会关于废止〈广州市外商投资企业管理条例〉的决定》

31.《广州市人民代表大会常务委员会关于废止〈广州市社会保险条例〉的决定》

32.《深圳市人民代表大会常务委员会联系代表和保障代表执行职务的规定》

33.《深圳市涉案物品价格鉴定条例》

34.《深圳市生态公益林条例》

35.《深圳经济特区人才市场条例》

36.《深圳市职业训练条例》

37.《深圳经济特区档案与文件收集利用条例》

38.《珠海市港口管理条例》

39.《珠海市见义勇为人员奖励和保障条例》

40.《汕头市人民代表大会常务委员会讨论决定重大事项规定》

41.《乳源瑶族自治县城镇规划条例》

2003年

1.《广东省公路条例》

2.《广东省实施〈中华人民共和国招标投标法〉办法》

3.《广东省节约能源条例》

4.《广东省特种设备安全监察规定》

5.《广东省爱国卫生工作条例》

6.《广东省地质环境管理条例》

7.《广东省行政复议工作规定》

8.《广东省渔业管理条例》

9.《广东省人民代表大会常务委员会关于废止〈广东省收容遣送管理规定〉的决定》

10.《广东省人民代表大会常务委员会关于修改〈广东省流动人员管理条例〉的决定》

11.《广东省人民代表大会常务委员会关于修改〈广东省森林防火管理规定〉的决定》

12.《广东省人民代表大会常务委员会关于废止〈广东省珠海经济特区职工社会保险条例〉的决定》

13.《广东省人民代表大会常务委员会关于修改〈广东省技术市场条例〉有关条款的决定》

14.《广东省人民代表大会常务委员会关于修改〈广东省流动人员劳动就业管理条例〉的决定》

15.《广东省人民代表大会常务委员会关于修改〈广东省职业介绍管理条例〉的决定》

16. 广东省人民代表大会常务委员会关于修改《广东省实施〈中华人民共和国土地管理法〉有关条款的决定》

17.《广东省人民代表大会常务委员会关于修改〈广东省实施《中华人民共和国台湾同胞投资保护法》办法〉有关条款的决定》

18.《广东省突发公共卫生事件应急办法》

19.《广东省全民义务植树条例》

20.《广东省防震减灾条例》

21.《广州市生态公益林条例》

22.《广州市人民代表大会常务委员会关于修改〈广州经济技术开发区条例〉的决定》

23.《广州市人民代表大会常务委员会关于废止〈广州市矿产资源开发管理条例〉的决定》

24.《广州市房地产开发办法》

25.《广州市城市房屋拆迁管理办法》

26.《广州市人民代表大会常务委员会关于废止〈广州市经济

合同管理规定〉的决定》

27.《广州市人民代表大会常务委员会关于废止〈广州市劳动合同管理规定〉的决定》

28.《深圳市职业训练条例》

29.《深圳市建设工程质量管理条例》

30.《深圳市资源综合利用条例》

31.《深圳市实施〈中华人民共和国工会法〉办法》

32.《深圳市停车场规划建设和机动车停放管理条例》

33.《珠海市政府投资项目管理条例》

34.《珠海市档案条例》

35.《珠海市律师执业保障条例》

36.《汕头市人民代表大会常务委员会立法听证条例》

2004年

1.《广东省工伤保险条例》

2.《广东省固体废物污染环境防治条例》

3.《广东省社会保险基金监督条例》

4.《广东省人民代表大会常务委员会关于废止〈广东省劳动安全卫生条例〉的决定》

5.《广东省人民代表大会常务委员会关于修改〈广东省对外加工装配业务条例〉等十项法规中有关行政许可条款的决定》

6.《广东省建设项目环境保护管理条例》

7.《广东省实施〈中华人民共和国矿山安全法〉办法》

8.《广东省促进科学技术进步条例》

9.《广东省实施〈中华人民共和国环境噪音污染防治法〉办法》

10.《广东省母婴保健管理条例》

11.《广东省城市绿化条例》

12.《广东省技术市场条例》

13.《广东省机动车排气污染防治条例》

14.《广东省野生动物保护管理条例》

15.《广东省实施〈中华人民共和国工会法〉办法》

16.《广东省环境保护条例》

17.《广东省城市控制性详细规划管理条例》

18.《广东省国土资源监督检查条例》

19.《广东省农作物种子条例》

20.《广东省拆迁城镇华侨房屋规定》

21.《广州市统计管理条例》

22.《广州市人民代表大会常务委员会关于取消广州市地方性法规中的部分行政许可事项的决定》

23.《广州市大气污染防治规定》

24.《广州市人民代表大会常务委员会关于废止〈广州市住房公积金条例〉的决定》

25.《深圳市畜禽屠宰与检疫检验管理条例》

26.《深圳市人民代表大会常务委员会关于代表议案办理规定》

27.《深圳市人民代表大会常务委员会关于修改〈深圳市停车场规划建设和机动车停放管理条例〉的决定》

28.《深圳市会计条例》

29.《深圳市员工工资支付条例》

30.《珠海市旅游业管理条例》

31.《珠海市商品交易市场管理条例》

32.《汕头市人民代表大会常务委员会关于停止执行部分行政许可事项的决定》

33.《汕头市电力设施建设与保护条例》

34.《乳源瑶族自治县人民代表大会关于废止乳源瑶族自治县实施〈广东省计划生育条例〉第十条的规定的决定》

35.《连山壮族瑶族自治县人民代表大会关于废止连山瑶族自治县实施〈广东省计划生育条例〉第十条的规定的决定》

36.《连南瑶族自治县人民代表大会关于废止连南瑶族自治县实施〈广东省计划生育条例〉补充规定的决定》

2005年

1.《广东省工资支付条例》

2.《广东省河道采砂管理条例》

3.《广东省文化设施条例》

4.《广东省老年人权益保障条例》

5.《广东省征兵工作规定》

6.《广东省政务公开条例》

7.《广东省外商投资企业与来料加工企业直通港澳自货自运厂车行政许可规定》

8.《广东省建设工程项目使用袋装水泥和现场搅拌混凝土行政许可规定》

9.《广东省农业机械管理条例》

10.《广东省人民代表大会常务委员会关于废止《广东省经济特区城市市容和环境卫生管理规定》的决定》

11.《广东省行业协会条例》

12.《广东省红十字会条例》

13.《广东省企业和企业经营者权益保护条例》

14.《广东省沿海挖砂采石出口作业点和港澳籍小型船舶进出广东沿海挖砂采石作业点作业的行政许可规定》

15.《广州市人民代表大会常务委员会关于废止〈广州市电信管理条例〉的决定》

16.《广州市人民代表大会代表议案条例》

17.《广州市人民代表大会常务委员会关于取消广州市地方性法规中的部分行政许可事项（第二批）的决定》

18.《广州市人民代表大会常务委员会关于废止〈广州市社会医疗机构管理规定〉的决定》

19.《深圳市节约用水条例》

20.《深圳市学校安全管理条例》

21.《深圳市预防职务犯罪条例》

22.《深圳市义工服务条例》

23.《深圳市海上交通安全条例》

24.《深圳市公用事业特许经营条例》

25.《珠海市户外广告设施设置管理条例》

26.《珠海市相对集中行政处罚权条例》

27.《珠海市人民代表大会常务委员会关于修改〈珠海市法制宣传教育条例〉的决定》

28.《珠海市出租小汽车管理条例》

29.《珠海市社会养老保险条例》

30.《汕头市文化市场管理条例》

31.《汕头市防御雷电灾害条例》

32.《汕头市城市市容环境卫生管理条例》

2006 年

1.《广东省道路交通安全条例》

2.《广东省人民代表大会常务委员会关于修改〈广东省地方立法条例〉》

3.《广东省湿地保护条例》

4.《广东省人民代表大会常务委员会关于废止〈广东省建设工程招标投标管理条例〉的决定》

5.《广东省跨行政区域河流交接断面水质保护管理条例》

6.《广东省各级人民代表大会选举实施细则》

7.《广东省珠江三角洲城镇群协调发展规划实施条例》

8.《广东省人民代表大会常务委员会关于修改〈广东省珠海市饮用水源水质保护条例〉的决定》

9.《广东省人民代表大会常务委员会关于修改〈广东省安全生产条例〉的决定》

10.《广东省安全生产条例》

11.《广东省法律援助条例》

12.《广东省法制宣传教育条例》

13.《广东省高危性体育项目经营活动管理规定》

14.《广东省预防未成年人犯罪条例》

15.《广州市人民代表大会常务委员会关于修改〈广州市销售燃放烟花爆竹管理规定〉的决定》

16.《广州市白云山风景名胜区保护条例》

17.《广州市生猪屠宰和生猪产品流通管理条例》

18.《广州市市容环境卫生管理规定》

19.《深圳市养犬管理条例》

20.《深圳市食用农产品安全条例》

21.《深圳市燃气条例》

22.《珠海市服务业环境管理条例》

23.《珠海市政府非税收收入管理条例》

24.《珠海市消防条例》

25.《珠海市城市规划条例》

26.《珠海市房地产登记条例》

27.《珠海市供水用水管理条例》

28.《汕头市生活饮用水源保护条例》

29.《汕头市城镇中小学校规划建设和保护条例》

30.《汕头市市政设施管理条例》

31.《汕头市预防和查处窃电行为条例》

32.《乳源瑶族自治县旅游管理条例》

2007年

1.《广东省海域使用管理条例》

2.《广东省港口管理条例》

3.《广东省饮用水源水质保护条例》

4.《广东省医疗废物管理条例》

5.《广东省实施〈中华人民共和国妇女权益保障法〉办法》

6.《广东省建设工程勘察设计管理条例》

7.《广东省各级人民代表大会常务委员会规范性文件备案审查工作程序规定》

8.《广东省档案条例》

9.《广东省封山育林条例》

10.《广东省地名管理条例》

11.《广东省促进中小企业发展条例》

12.《广东省企业信用信息公开条例》

13.《广东省人民代表大会常务委员会立法技术与工作程序规范（试行）》

14.《广东省实施〈中华人民共和国民族区域自治法〉办法》

15.《广东省食品安全条例》

16.《广东省计算机信息系统安全保护条例》

17.《深圳经济特区物业管理条例》

18.《深圳市查处无证无照经营行为条例》

19.《深圳市人民代表大会常务委员会关于加强人民法院民事执行工作若干问题的决定》

20.《深圳市建筑市场严重违法行为特别处理规定》

21.《深圳市排水条例》

22.《珠海市城市规划条例》

23.《珠海市人民代表大会常务委员会主任会议议事规则》

24.《珠海市供水用水管理条例》

25.《汕头市消防条例》

26.《汕头市人民代表大会常务委员会议事规则》

27.《汕头市专利保护和促进条例》

2008年（截至2008年3月）

1.《深圳经济特区金融发展促进条例》

2.《珠海市旅游条例》

3.《珠海市大型群众性活动安全管理条例》

4.《珠海市物业管理条例》

5.《珠海市土地管理条例》

6.《珠海市安全生产条例》

7.《珠海市供水用水管理条例》

附录二 30年来广东省行政立法大事记

一、30年来广东行政立法大事记

1983年1月8日，《广东省公有房产管理办法》公布，自即日起实施。

1986年12月31日，《广东省房地产税实行细则》公布，1987年1月1日起实施。

1986年12月31日，《广东省车船使用税实行细则》公布，1987年1月1日起实施。

1988年2月12日，《广东省实施民族区域自治法若干规定》公布，1988年4月1日起实施。

1988年2月12日，《广东省医疗事故处理办法实施细则》公布，1988年4月1日起实施。

1988年5月7日，《广州地区建筑工程质量和安全监督管理办法》公布，自即日起实施。

1989年1月29日，《广东省女职工劳动保护实施办法》公布，1989年3月1日起实施。

1989年2月10日，《广东省能源利用监测管理办法》公布，自即日起实施。

1989年3月25日，《广东省城镇土地使用税实施细则》公布，1989年1月1日起实施。

1990年4月20日，《广州市境外企业管理办法》公布，自即日起实施。

1990年9月3日，《广东省征收超标准排污费实施办法》公布，自即日起实施。

1990年10月24日，《广东省公证工作暂行规定》公布，1990年11月1日起实施。

1991年2月6日，《广东省环境保护目标任期责任制试行办

法》公布，自即日起实施。

1991 年 10 月 24 日，《广州天河高新技术产业开发区若干规定》公布，自即日起实施。

1991 年 10 月 24 日，《广州天河高新技术产业开发区高新技术企业认定办法》公布，自即日起实施。

1991 年 10 月 24 日，《广州天河高新技术产业开发区若干规定》公布，自即日起实施。

1991 年 10 月 24 日，《关于加快广州天河高新技术产业开发区建设实施办法》公布，自即日起实施。

1992 年 3 月 20 日，《广东省罚没财物管理条例》公布，1992 年 4 月 1 日起实施。

1992 年 6 月 6 日，《广东省规范性文件备案规定》公布，自即日起实施。

1992 年 8 月 8 日，《广东省城镇私有房屋管理规定》公布，1992 年 10 月 1 日起实施。

1992 年 8 月 25 日，《广州经济技术开发区土地使用权有偿出让和转让办法》公布，自即日起实施。

1992 年 10 月 12 日，《广东省罚没许可证管理办法》公布，1992 年 11 月 1 日起实施。

1992 年 12 月 3 日，《广东省城镇国有土地使用权出让和转让实施办法》，自即日起实施。

1992 年 12 月 5 日，《深圳市人民政府制定深圳经济特区规章和拟定深圳经济特区法规草案的程序规定》出台，自即日起实施。

1992 年 12 月 5 日，《深圳市规范性文件备案规定》出台，自即日起实施。

1993 年 9 月 3 日，《广东省城市房屋拆迁管理规定》公布，自即日起实施。

1993 年 9 月 30 日，《广东省住房基金管理暂行规定》公布，1993 年 10 月 1 日起实施。

1994 年 3 月 25 日，《深圳经济特区无形资产评估管理办法》

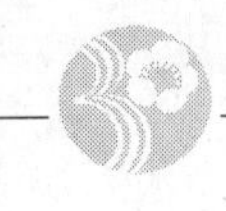

公布，自即日起实施。

1994年5月8日，《深圳市人民政府行政复议工作规则》公布，自即日起实施。

1994年5月19日，《深圳经济特区计划生育管理办法》公布，自即日起实施。

1994年6月13日，《广东省教育收费管理规定》公布，自即日起实施。

1994年6月14日，《广州市妇幼卫生管理办法》公布，自即日起实施。

1994年6月21日，《广东省医疗收费管理办法》公布，1994年8月1日起实施。

1994年8月22日，《广东省企业职工最低工资规定》公布，1994年9月1日起实施。

1994年9月10日，《广东省城镇解困房建设管理规定》公布，1994年10月1日起实施。

1994年11月24日，《深圳经济特区股份有限公司设立条件和设立程序规定》公布，自即日起实施。

1995年3月27日，《广东省企业劳动争议处理实施办法》公布，1995年5月1日起实施。

1995年4月7日，《广东省劳动合同管理规定》公布，1995年5月1日起实施。

1995年4月15日，《深圳经济特区内部审计办法》公布，自即日起实施。

1995年6月8日，《深圳经济特区文化市场管理条例实施细则》公布，自即日起实施。

1995年11月17日，《广州市随军家属就业安置规定》公布，1996年1月1日起实施。

1996年2月9日，《广州市罚没物资管理办法》公布，自即日起实施。

1996年3月18日，《广东省邮电通信管理条例实施细则》公

布，1996 年 4 月 1 日起实施。

1996 年 3 月 28 日，《深圳经济特区行政事业性收费管理若干规定》公布，自即日起实施。

1996 年 5 月 8 日，《广州经济技术开发区土地有偿出让和转让办法》公布，自即日起实施。

1996 年 6 月 3 日，《广州市国家公务员职务任免实施办法》公布，自即日起实施。

1996 年 6 月 3 日，《广州市国家公务员职位分类工作实施办法》公布，自即日起实施。

1996 年 6 月 3 日，《广州市国家公务员录用实施办法》公布，自即日起实施。

1996 年 7 月 10 日，《广州市成片开发住宅小区教育设施配套建设管理办法》公布，自即日起实施。

1996 年 9 月 4 日，《广州市制止不正当价格行为办法》公布，自即日起实施。

1996 年 9 月 6 日，《广州市房地产综合开发管理实施办法》公布，自即日起实施。

1996 年 10 月 15 日，《广州市国家公务员辞职辞退实施办法》公布，自即日起实施。

1996 年 11 月 21 日，《广东省经济开发试验区管理暂行规定》公布，1997 年 1 月 1 日起实施。

1997 年 1 月 26 日，《〈深圳经济特区行政监察工作规定〉实施细则》公布，自即日起实施。

1997 年 3 月 25 日，《深圳经济特区行政处罚听证程序试行规定》公布，自即日起实施。

1997 年 4 月 10 日，《广州市行政复议案件办理程序补充规定》公布，自即日起实施。

1997 年 5 月 4 日，《广州市建筑工程交易管理规定》公布，1997 年 5 月 8 日起实施。

1997 年 5 月 17 日，《〈深圳经济特区建设工程施工招标投标条例〉实施细则》公布，自即日起实施。

1997年8月11日，《广东省各级人民政府实施行政处罚规定》公布，自即日起实施。

1997年9月5日，《广东省国家公务员录用实施办法》公布，1997年11月1日起实施。

1997年9月8日，《广州市城镇土地分级与适用税额标准规定》公布，1997年10月1日起实施。

1997年11月5日，《广东省国家公务员培训暂行办法》公布，1997年12月1日起实施。

1997年12月30日，《广东省公路养路费征收管理实施细则》公布，1998年1月1日起实施。

1998年1月18日，《广东省公路收费站管理办法》公布，1998年2月1日起实施。

1998年2月6日，《深圳经济特区土地使用招标、拍卖规定》公布，自即日起实施。

1998年3月17日，《广州市市级重要商品储备实施办法》公布，自即日起实施。

1998年6月10日，《广东省契税实施办法》公布，1997年10月1日起实施。

1998年7月11日，《深圳经济特区法律援助办法》公布，自即日起实施。

1998年8月24日，《广州市劳动争议仲裁办法》公布，1998年9月15日起实施。

1998年8月26日，《深圳经济特区高新技术产业园区管理规定》公布，自即日起实施。

1998年9月14日，《深圳经济特区技术成果入股管理办法》公布，自即日起实施。

1998年11月2日，《深圳经济特区行政监查申诉处理办法》公布，自即日起实施。

1998年11月10日，《广州市房地产评估管理办法》公布，

1998 年 12 月 1 日起实施。

1998 年 11 月 12 日，《深圳经济特区出租房屋治安管理办法》公布，自即日起实施。

1998 年 12 月 10 日，《广东省失业保险规定》公布，1999 年 1 月 1 日起实施。

1999 年 1 月 19 日，《广州市已购公有住房上市规定》公布，1999 年 2 月 1 日起实施。

1999 年 2 月 13 日，《深圳市审批制度改革若干规定》公布，自即日起实施。

1999 年 3 月 1 日，《广州市重点建设项目管理办法》公布，自即日起实施。

1999 年 5 月 26 日，《广州市外商投诉受理办法》公布，1999 年 6 月 1 日起实施。

1999 年 7 月 8 日，《广州市城市管理综合执法细则》公布，1999 年 8 月 1 日起实施。

1999 年 8 月 11 日，《广州市道路交通管理处罚规定》公布，1999 年 9 月 1 日起实施。

1999 年 9 月 7 日，《深圳市行政执法证件管理办法》公布，自即日起实施。

1999 年 11 月 1 日，《广东省行政处罚听证程序实施办法》公布，2000 年 1 月 1 日起实施。

1999 年 12 月 31 日，《广州市行政复议案件办理程序暂行规定》公布，自即日起实施。

2000 年 3 月 30 日，《广东省社会养老保险实施细则》公布，自即日起实施。

2000 年 4 月 5 日，《广东省社会工伤保险条例实施细则》公布，自即日起实施。

2000 年 8 月 2 日，《广州市按比例安排残疾人就业办法实施细则》公布，自即日起实施。

2000 年 9 月 1 日，《广东省科学技术奖励办法》公布，2000 年

10月1日起实施。

2000年10月11日，《深圳市创业资本投资高新技术产业暂行规定》公布，自即日起实施。

2000年10月20日，《深圳市行政机关规范性文件管理规定》公布，2001年1月1日起实施。

2000年10月20日，《深圳市人民政府公告管理规定》公布，2001年1月1日起实施。

2000年12月5日，《深圳市人民政府行政复议工作规则》公布，自即日起实施。

2001年2月23日，《深圳市国家行政机关负责人安全管理奖惩办法》公布，自即日起实施。

2001年3月6日，《深圳市土地交易市场管理规定》公布，自即日起实施。

2001年3月23日，《广州市科学技术奖励办法》公布，2001年4月1日起实施。

2001年3月23日，《广州市物业管理办法》公布，自即日起实施。

2001年5月18日，《广州市商品住宅建设项目验收管理办法》公布，自即日起实施。

2001年5月18日，《广州市农村村民住宅建设用地管理规定》公布，2001年10月1日起实施。

2001年6月13日，《广州市老年人优待办法》公布，2001年10月1日起实施。

2001年8月9日，《广州市促进风险投资业发展若干规定》公布，2001年9月1日起实施。

2001年10月22日，《深圳市审批登记制度若干规定》公布，2001年11月1日起实施。

2001年11月1日，《广州市城镇职工基本医疗保险试行办法》公布，2001年12月1日起实施。

2001年11月14日，《〈广东省法律援助条例〉实施细则》公

布，自即日起实施。

2002 年 2 月 1 日，《深圳市企业负责人安全管理责任追究办法》公布，自即日起实施。

2002 年 2 月 11 日，《深圳市城乡居民最低生活保障办法》公布，2002 年 3 月 1 日起实施。

2002 年 7 月 1 日，《深圳市行政事业性收费管理若干规定》公布，自即日起实施。

2002 年 7 月 22 日，《深圳市残疾人特殊困难救济补助办法》公布，2002 年 8 月 30 日起实施。

2002 年 7 月 24 日，《〈深圳经济特区工伤保险条例〉实施细则》公布，2002 年 9 月 1 日起实施。

2002 年 7 月 26 日，《广东省自然灾害救济工作规定》公布，2002 年 9 月 1 日起实施。

2002 年 8 月 21 日，《深圳市征用土地实施办法》公布，2002 年 10 月 1 日起实施。

2002 年 9 月 25 日，《广州市人民政府规章制定办法》公布，2002 年 11 月 1 日起实施。

2002 年 10 月 31 日，《广东省土地使用权交易市场管理规定》公布，2002 年 12 月 1 日起实施。

2002 年 11 月 6 日，《广州市政府信息公开规定》公布，2003 年 1 月 1 日起实施。

2002 年 11 月 19 日，《深圳市企业信用征信和评估管理办法》公布，2003 年 1 月 1 日起实施。

2002 年 12 月 2 日，《广东省重大安全事故行政责任追究规定》公布，2003 年 1 月 1 日起实施。

2003 年 2 月 10 日，《深圳市国有集体企业产权交易办法》公布，2003 年 4 月 1 日起实施。

2003 年 3 月 21 日，《深圳市公用事业特许经营办法》公布，2003 年 5 月 1 日起实施。

2003 年 4 月 19 日，《广州市闲置土地处理办法》公布，2003

年6月1日起实施。

2003年5月27日，《深圳市城镇职工社会医疗保险办法》公布，2003年7月1日起实施。

2003年5月31日，《深圳市行政执法主体公告管理规定》公布，2003年8月1日起实施。

2003年9月24日，《广东省资源综合利用管理办法》公布，2003年11月1日起实施。

2003年12月27日，《广州市行政规范性文件管理规定》公布，2004年1月1日起实施。

2004年2月16日，《深圳市人民政府规章解释规定》公布，2004年3月1日起实施。

2004年2月25日，《深圳市政府信息网上公开办法》公布，2004年4月1日起实施。

2004年4月12日，《深圳市实施行政许可若干规定》公布，2004年5月1日起实施。

2004年4月28日，《广州市食品安全监督管理办法》公布，2004年4月1日起实施。

2004年5月2日，《广州市行政复议规定》公布，2004年6月1日实施。

2004年6月23日，《深圳市机关事业单位雇员管理试行办法》公布，2004年8月1日起实施。

2004年6月14日，《深圳市人民政府行政执法协调办法》公布，2004年7月1日起实施。

2004年6月29日，《广东省人民政府第三轮行政审批事项调整目录》（第一批）发布，2004年7月1日起实施。

2004年12月23日，《深圳市地铁运营管理暂行办法》公布，2004年12月28日起实施。

2004年12月23日，《广东省行政机关规范性文件管理规定》发布，2005年2月1日起实施。

2004年11月15日，《广州市人口与计划生育管理办法》公

布，2005 年 2 月 1 日起实施。

2005 年 3 月 19 日，《广州市房屋租赁管理规定》公布，2005 年 5 月 1 日起实施。

2005 年 5 月 26 日，《广东省第一批扩大县级政府管理权限事项目录》发布，自即日起实施。

2005 年 6 月 23 日，《广东省集体建设用地使用权流转管理办法》公布，2005 年 10 月 1 日起实施。

2005 年 10 月 14 日，《深圳市基本生态控制线管理规定》公布，2005 年 11 月 1 日起实施。

2005 年 11 月 29 日，《广州市人民政府关于修改〈广州市行政规范性文件管理规定〉的决定》公布，2006 年 1 月 1 日起实施。

2005 年 12 月 2 日，《深圳市扶助残疾人办法》公布，2006 年 2 月 1 日起实施。

2005 年 12 月 19 日，《广州市人民政府关于行政执法协调规定》公布，2006 年 3 月 1 日起实施。

2006 年 4 月 4 日，《深圳市临时用地和临时建筑管理规定》公布，2006 年 5 月 1 日起实施。

2006 年 5 月 30 日，《深圳市非行政许可审批和登记若干规定》公布，2006 年 7 月 1 日起实施。

2006 年 6 月 5 日，《深圳市土地储备管理办法》公布，2006 年 8 月 1 日起实施。

2006 年 6 月 27 日，《广州市规章制定公众参与办法》公布，2007 年 1 月 1 日起实施。

2006 年 8 月 9 日，《广东省农村集体经济组织管理规定》公布，2006 年 10 月 1 日起实施。

2006 年 6 月 15 日，《深圳市人民政府重大决策公示暂行办法》公布，2006 年 7 月 1 日起实施。

2006 年 6 月 27 日，《深圳市人民政府常务会议工作规则》公布，2006 年 7 月 1 日起实施。

2006 年 8 月 3 日，《深圳市政府信息公开规定》公布，2006 年

9月1日起实施。

2006年9月15日，《深圳市行政听证办法》公布，2006年10月1日起实施。

2006年9月21日，《广东省实施〈信访条例〉办法》公布，2007年1月1日起实施。

2006年9月26日，《广州市商品交易市场管理规定》公布，2007年1月1日起实施。

2006年10月17日，《深圳市城市生活垃圾处理费征收和使用管理办法》公布，2007年1月1日起实施。

2006年10月27日，《深圳市民办教育管理若干规定》公布，2006年12月1日起实施。

2006年12月28日，《广州市依申请公开政府信息办法》公布，2007年5月1日起实施。

2007年2月17日，《深圳市公共基础设施建设项目房屋拆迁管理办法》公布，2007年3月15日起实施。

2007年3月30日，《广东省扶助残疾人办法》公布，2007年5月1日起实施。

2007年3月1日，《广州市公共安全视频系统管理规定》公布，2007年5月1日起实施。

2007年4月20日，《广州市行政执法评议考核办法》出台，2007年6月1日起实施。

2007年6月18日，《广东省排污费征收使用管理办法》公布，2007年8月1日起实施。

2007年11月5日，《广东省行政审批管理监督办法》公布，2008年1月1日起实施。

二、30年来广东行政执法大事记

1993年5月，省政府下发《关于全面加强政府法制工作的通知》，确定了行政执法人员实行持证上岗制度。

1994年8月24日，广东省人大常委会和省政府联合召开了省

直国家行政机关建立执法责任制动员大会；省人大常委会办公厅和省政府法制局、省普法办联合编印了省直国家行政机关《执法责任制手册》。

1995 年 5 月 8 日，省政府下发《关于加强执法责任制建设和执法监督工作的通知》，就省政府各部门如何建立本部门的执法责任制提出了具体要求。

1996 年 2 月 2—8 日，省八届人大四次会议召开。会议代表提出了《清理整顿行政执法队伍及其“三乱”问题的议案》，交由省政府办理，具体由省政府法制局牵头主办，各有关部门协办。

1996 年 4 月 11 日，省政府办公厅发出《关于全面清理整顿行政执法队伍及其“三乱”问题的通知》，着手开展执法队伍清理整顿工作。

1996 年 5 月 9 日，省政府下发《关于规范政府行为简化国有企业办事程序的通知》。

1996 年 5 月 23 日，省政府下发《省人民政府转发国务院关于贯彻实施〈行政处罚法〉的通知》，要求各级人民政府建立投诉、督察等制度，查处其职能部门及下级人民政府的违法行政行为。

1996 年 8 月 22 日，省委作出了《中共广东省委关于进一步加强依法治省工作的决定》，要求各级政府要坚持依法行政，切实落实执法责任制。

1996 年 9 月 25 日，省人大常委会通过了《广东省规章设定罚款限额规定》。

1996 年 10 月 16 日，依法治省工作领导小组成立，中共中央政治局委员、省委书记谢非任领导小组组长，确立了依法治省的领导体制。

1996 年 11 月 15 日，省编委（办）发布《关于设立广东省人民政府行政执法督察办公室的通知》，批准设立广东省人民政府行政执法督察办公室。

1996 年 12 月 3 日，省八届人大常委会第二十五次会议审议通过了省政府《关于清理整顿行政执法队伍及其“三乱”问题议案的办理方案报告》，由省政府组织实施。

1996年12月24日，经省政府同意，省政府办公厅发出通知，明确省政府行政执法督察办公室“具体负责对重大行政执法活动的协调督察，依法纠正违法或者不当的行政执法行为”。

1997年6月9日，省政府颁布《广东省〈行政执法证〉管理办法》。

1997年8月11日，省政府颁布《广东省各级人民政府实施行政处罚规定》。

1997年8月29日，省政府发出《关于在省直国家行政机关开展建立和健全执法责任制情况检查工作的通知》。

1997年9月22日，省人大常委会通过《广东省行政执法队伍管理条例》。

1997年10月，省人大常委会办公厅、省依法治省办和省政府法制局联合对省经委、建委、卫生厅、工商局等8个省直单位建立行政执法责任制的情况进行了检查。

1997年10月31日，省政府向国务院提出在广州市开展城市管理综合执法试点工作的请示。

1997年11月，省人大常委会办公厅和省政府办公厅联合召开了广东省行政机关执法责任制建设经验交流会，总结推广了省工商局、省卫生厅、深圳市规划国土局、湛江市工商局和佛山市建立健全行政执法责任制的经验。行政执法责任制建设开始在全省铺开。

1997年12月1日，省人大常委会通过《广东省各级人民政府行政执法监督条例》。

1997年12月24日，国务院法制局批准广东省政府在广州市开展相对集中行政处罚权试点工作。

1998年2月19日，省依法治省工作领导小组第三次会议提出，要把抓省直国家行政机关依法行政、抓基层民主建设，在国家行政机关建立行政执法责任制和过错责任追究制作为依法治省工作的重点。

1998年9月，省人大常委会和省政府又联合对省经委、公安

厅、财政厅、技术监督局等8个省直单位建立健全行政执法责任制的情况进行了检查。

1998年11月24日，省政府发出《关于设立广州市城市管理综合执法队伍的公告》。

1998年12月，省政府办公厅、省依法治省办公室联合举办了省直国家行政机关法规（法制）处处长行政执法责任制和依法治省问题培训班。

1999年7月1日至2000年6月30日，省政府组织开展了第一轮行政审批制度改革，对本级政府及有关部门原有的行政审批事项进行清理和规范。

1999年9月28日，广州市城市管理综合执法支队挂牌成立，相对集中行政处罚权试点工作正式实施。

1999年11月15日，省政府颁布《广东省行政处罚听证程序实施办法》。

1999年11月17日至18日，省政府法制局在珠海市召开了广州市及三个经济特区所在市政府法制局参加的关于授权审批行政执法队伍问题座谈会，研究授权四个较大市自行审批行政执法队伍的有关问题。

1999年11月27日，省人大常委会通过了《广东省行政执法责任制条例》，我省的行政执法责任制建设开始走上法制化、规范化、制度化的轨道。同年，省依法治省办、省人大常委会研究室、省人大法委和省政府法制局联合编印了主要面向基层的《行政执法责任制问答》一书。

1999年12月8日，省政府转发了《国务院关于全面推进依法行政的决定》，就如何贯彻执行《决定》精神提出了具体要求。

2000年，省人大常委会对全省各级行政机关、司法机关贯彻实施《行政诉讼法》、《行政处罚法》、《行政复议法》的情况进行了全面检查。2000年9月7日上午，省人大常委会执法检查组听取了省政府关于贯彻上述三法的情况汇报。2000年9月7日下午，省人大常委会主任朱森林亲自带队到省法制办，检查该办贯彻落实

上述三法的情况。

2000年4月5日，经国务院法制办批准，省政府发出《关于在深圳市开展城市管理综合执法试点工作的通知》。

2000年4月17日，省政府办公厅发出《印发广东省人民政府法制办公室职能配置、内设机构和人员编制规定的通知》，省政府法制局改为省政府法制办公室，确定了省政府法制办公室的职能配置、内设机构和人员编制。

2000年4月20日，省政府发出《关于在全省开展“依法行政年”活动的通知》，明确了“依法行政年”活动的主要内容，要求全省各地、各部门结合实际，创造性地开展“依法行政年”活动，深入贯彻《国务院关于全面推进依法行政的决定》精神。

2000年4月25—26日，省政府召开全省依法行政工作会议，部署在全省开展“依法行政年”活动，深入贯彻《国务院关于全面推进依法行政的决定》。

2000年7月9日—9月28日，省政府法制办公室对全省开展“依法行政年”活动的情况进行了全面检查。检查情况表明，我省依法行政的氛围已经开始形成。

2000年7月10—12日，国务院法制办公室在深圳市召开全国相对集中行政处罚权试点工作座谈会，总结、交流相对集中行政处罚权试点工作的经验，提出进一步推进相对集中行政处罚权工作的措施。

2000年7月13日，省政府印发了《关于省人民政府审批制度改革及各部门审批核准事项清理审核有关问题的通知》，公布了省政府第一轮行政审批制度改革的重要成果。

2000年7月26日，省政府下发了《关于认真做好〈广东省行政执法责任制条例〉贯彻实施工作的通知》，就如何建立行政执法责任制的各项配套制度、乡镇和街道应如何建立健全行政执法责任制、各级政府法制机构在行政执法责任制建设中应如何发挥有效作用等问题提出了具体的指导性意见。

2000年7月，省委在深圳市召开了全省依法治省工作经验交

流会。

2000 年 11 月 29 日，省政府办公厅向省直各单位发出《关于开展深化省政府审批制度改革工作的通知》，开展了新一轮审批制度改革工作。

2000 年 12 月 15 日，经省政府领导同意，省法制办印发了《广东省各级人民政府受理行政执法投诉办法》。

2000 年 12 月 20 日，省政府办公厅发出了《关于我省开展“依法行政年”活动情况的通报》。

2001 年 4 月 3 日，经国务院法制办批准，省政府发出《关于在顺德市开展相对集中行政处罚权试点工作的通知》。

2001 年 4 月 4 日，经国务院法制办批准，省政府发出《关于在汕头市开展相对集中行政处罚权试点工作的通知》。

2001 年 4 月 28 日，省编办、法制办、财政厅联合下发了《关于清理整顿市县行政执法队伍的通知》，提出结合市县乡镇机构改革，清理整顿行政执法队伍。

2001 年 5 月 15 日，经省政府同意，省法制办下发了《关于贯彻〈广东省行政执法责任制条例〉做好行政执法职权核准界定公告工作的通知》，着手开展对省政府各工作部门行政执法职权的核准界定公告工作。

2001 年 5 月 22 日，经国务院法制办批准，省政府发出《关于在揭阳市开展相对集中行政处罚权试点工作的通知》。

2001 年 5 月 22 日，经国务院法制办批准，省政府发出《关于在中山市开展相对集中行政处罚权试点工作的通知》。

2001 年 5 月 22 日，经国务院法制办批准，省政府发出《关于在珠海市开展相对集中行政处罚权试点工作的通知》。

2001 年 7 月 11—13 日，省法制办在珠海市召开全省相对集中行政处罚权试点工作座谈会，研究依法规范试点工作问题。

2001 年 8 月 31 日，经国务院法制办批准，省政府发出《关于在南海市开展相对集中行政处罚权试点工作的通知》。

2001 年 8 月 31 日，经国务院法制办批准，省政府发出《关于在佛山市开展相对集中行政处罚权试点工作的通知》。

2001年9月21日，省政府在《南方日报》上刊登了《关于在顺德市开展相对集中行政处罚权试点工作的公告》。

2001年9月21日，顺德市行政执法局挂牌成立，相对集中行政处罚权试点工作正式实施。

2001年10月17日，省政府下发了《广东省行政执法队伍审批和公告办法》。

2001年10月29日，省政府下发《关于进一步做好相对集中行政处罚权试点工作的通知》。

2001年11月29日，省政府在《南方日报》上刊登了《关于在深圳市开展相对集中行政处罚权试点工作的公告》。

2001年12月1日，深圳市城市管理行政执法局挂牌成立，相对集中行政处罚权试点工作正式实施。

2001年12月30日，省政府在《南方日报》上刊登了《关于在珠海市开展相对集中行政处罚权试点工作的公告》。

2001年12月31日，珠海市城市管理行政执法局挂牌成立，相对集中行政处罚权试点工作正式实施。

2002年1月14日，省政府在《南方日报》上刊登了《关于在揭阳市开展相对集中行政处罚权试点工作的公告》。

2002年1月17日，揭阳市城市管理行政执法局挂牌成立，相对集中行政处罚权试点工作正式实施。

2002年1月29日，省政府向国务院上报《关于授权我省自行审批决定相对集中行政处罚权试点的请示》。

2002年2月20日，省政府发出《关于进一步优化广东投资软环境的若干意见》，提出要深化政府行政审批制度改革，提高办事效率和服务水平；加强文明法制建设，创造良好的社会环境。

2002年4月23日，省委办公厅、省政府办公厅发文，要求全省县以上政府机关全面实行政务公开制度，拉开了全省行政机关开展政务公开工作的序幕。

2002年5月27日，省政府对批准成立的广东省质量技术监督

局稽查总队进行公告。

2002年5月29日—6月21日，省政府组织力量，对全省各地、各部门办理省人大代表议案、清理整顿行政执法队伍及其“三乱”工作的情况进行了全面检查，摸清了全省行政执法队伍的现状，提出了进一步清理整顿行政执法队伍的措施。

2002年8月22日，国务院下发《国务院关于进一步推进相对集中行政处罚权工作的决定》，正式授权各省、自治区、直辖市人民政府自行决定开展相对集中行政处罚权工作。

2003年1月6日，省政府发出《广东省人民政府关于在中山市开展相对集中行政处罚权工作的公告》。

2003年5月14日，省政府发出《广东省人民政府关于在佛山市南海区开展相对集中行政处罚权工作的公告》。

2004年2月23—25日，省政府召开了全省贯彻实施行政许可法的工作会议，会议传达了全国贯彻实施行政许可法工作会议的精神，总结了我省前一阶段贯彻实施这部法律的准备情况，对贯彻全国会议精神的具体措施和下一步的工作任务进行了周密部署，并就如何贯彻落实全国和全省会议精神、切实抓好贯彻实施行政许可法的各项准备工作提出了具体、明确的要求。

2004年2月26日，省政府发出《广东省人民政府关于在佛山市开展相对集中行政处罚权工作的公告》。

2004年3月25日，省政府发出《广东省人民政府关于在广州市南沙开发区开展相对集中行政处罚权工作的公告》。

2004年4月1日，省政府发出《广东省人民政府关于在湛江市开展相对集中行政处罚权工作的公告》。

2004年6月28日，省政府召开全省依法行政工作电视电话会议。

2004年8月8日，省政府制定《关于贯彻落实〈全面推进依法行政实施纲要〉的意见》，提出要率先建立法治政府。

2004年9月14日，省政府发出《广东省人民政府关于食品药品监督管理机构履行保健品、化妆品行政处罚职能的公告》。

2004年11月12日，省政府办公厅经省政府同意，发出了《关于全面推进依法行政工作职责分工的通知》。

2004年11月16日，省依法治省工作领导小组在广州召开了全省依法行政工作经验交流会。会议全面总结了广东依法行政工作取得的成效和基本经验，并就如何创新行政管理体制、行政决策机制、行政执法机制、行政监督机制和法制宣传教育机制，确保广东率先建设以依法行政为核心的文明法治社会环境作出了全面部署。

2005年1月31日，省政府办公厅经省人民政府批准，公布《广东省综合行政执法试点方案》，推进综合执法改革工作。

2005年9月21日，省政府办公厅经省政府同意，发出《转发国务院办公厅关于推行行政执法责任制的若干意见的通知》，提出推进行政执法责任制的若干意见。

2005年11月28日，省办公厅发出《关于开展行政执法职权核准界定公告工作的通知》，落实省政府在全省逐级逐步开展行政执法职权核准、界定、公告工作的决定。

2006年10月30日，省政府发布《关于省直部门行政执法职权及依据的公告》，分批在省政府门户网站及省法制办门户网站公布广东省省直部门的行政执法依据。

2007年9月17日，省政府办公厅下发了《关于进一步推进行政执法职权公开透明运行工作的意见》，进一步推进行政执法职权公开透明运行工作。

2007年9月27日，省政府召开了全省市县政府依法行政工作会议，会议传达贯彻了全国市县政府依法行政工作会议精神，总结交流了广东省各市县（区）推进依法行政的经验，深入分析了当前市县（区）政府依法行政工作存在的问题，研究部署了新形势下推进市县（区）政府依法行政的任务和措施。

2007年9月30日，省政府下发《关于加快推进市县（区）政府依法行政的意见》，就加快推进市县（区）政府依法行政作出了八项重要部署。

2007年11月24—26日，全国副省级城市政府法制工作座谈会

2007 年年会在深圳召开。

三、30 年来广东行政复议大事记

1991 年 5 月 10 日，广州市人民政府颁布《广州市行政复议案件办理程序规定》，自 1991 年 6 月 1 日起实施。

1991 年 12 月 18 日，广州市人民政府颁布《广州市行政复议管辖实施办法》，自 1992 年 1 月 1 日起实施。

1992 年 9 月 16 日，广东省人民政府颁布《广东省行政复议实施办法》，自 1992 年 10 月 1 日起实施。

1997 年 1 月 13 日，广东省人民政府颁布《广东省行政复议实施办法补充规定》，自即日起实施。

1997 年 4 月 10 日，广州市人民政府颁布《广州市行政复议案件办理程序补充规定》，自即日起实施。

1999 年 12 月 31 日，广州市人民政府颁布《广州市行政复议案件办理程序暂行规定》，自即日起实施。

2000 年 2 月 5 日，深圳市人民政府颁布《深圳市人民政府行政复议工作规则》，自即日起实施。

2003 年 7 月 25 日，广东省人大常委会颁布《广东省行政复议工作规定》，自 2003 年 10 月 1 日起实施。

2004 年 5 月 2 日，广州市人民政府颁布《广州市行政复议规定》，自 2004 年 6 月 1 日起实施。

2006 年 4 月 28 日，深圳市人民政府颁布《深圳市人民政府办理行政复议案件若干规定》，自即日起实施。

附录三 30年来广东检察制度和审判制度大事记

一、30年来广东检察制度大事记

1978年6月30日，广东省人民检察院重新建立，任命赵练为代理检察长。

1979年12月，广东省第五届人民代表大会第二次会议选举寇庆延为广东省人民检察院检察长，免去赵练代检察长职务。

1980年1月，广东省人民检察院成立检察委员会。

1980年2月，全国人大常委会第十三次会议批准任命寇庆延为广东省人民检察院检察长。

1982年12月，广东省人民检察院汕头分院依法对原中共汕头地委政法委员会副主任王仲贪污受贿罪案提起公诉。

1983年4月，全国人大常委会批准任命赵练为广东省人民检察院检察长。

1986年5月，广东省第六届人民代表大会第五次会议选举肖扬为广东省人民检察院检察长。

1987年3月，全国铁路运输检察院广州分院更名为广东省人民检察院广州铁路运输分院，归属广东省人民检察院领导。

1988年1月，广东省第七届人民代表大会第一次会议再次选举肖扬为广东省人民检察院检察长。

1988年3月，深圳市人民检察院经济罪案举报中心成立，成为在全国成立的第一个举报中心。

1988年4月，海南检察分院和海南自治州检察院脱离广东省人民检察院管辖，随海南建省划转给海南省。

1988年9月，广东省人民检察院贪污贿赂举报中心成立。

1989年8月，广东省人民检察院反贪污贿赂工作局成立。

1991年1月，广东省第七届人大常委会第十七次会议任命张培宇为广东省检察院代检察长。

1991年3月，广东省第七届人民代表大会第四次会议选举王骏为广东省人民检察院检察长。第七届全国人大常委会第十九次会议批准任命王骏为广东省检察院检察长。

1993年3月，第七届全国人大常委会第三十三次会议批准任命王骏为广东省人民检察院检察长。

1998年2月，第八届全国人民代表大会常务委员会第三十次会议批准任命张学军为广东省人民检察院检察长。

1998年10月，广州市人民检察院依法对张子强等36人非法买卖、运输、储存爆炸物；非法买卖、运输、储存枪支、弹药；走私武器；绑架、抢劫；私藏枪支、弹药案提起公诉，检察人员依法履行国家公诉人职责，出席广州市中级人民法院审判大会支持公诉。

1998年11月，广东省人民检察院完成首次评定检察官等级的工作。

1999年4月，广东省检察机关密切配合中央、最高人民检察院和省委，查办湛江特大走私案中涉及国家工作人员职务犯罪案件，起诉64件65人。其中，湛江市原市委书记陈同庆、湛江市原海关关长曹秀康、原茂名市海关关长杨洪中等人被依法查处。

2000年1月，广东省作为全国检察系统录用检察人员的唯一试点，面向全国公开招考高素质检察人员。

2001年11月，广东省人民检察院协助最高人民检察院在广州成功举办了亚欧国家总检察长会议和亚欧执法机构保护儿童福利会议。这两个国际会议不但进一步向全世界宣传了我国、广东省改革开放、社会主义现代化建设和法制建设的伟大成就，有利于进一步改善投资环境，而且也为我国、广东省今后加强与外国的司法交流与合作、共同打击跨国有组织犯罪打下了广泛的基础。最高人民检察院因此来函赞扬广东检察干警良好的素质和精神风貌，韩杼滨检察长表扬广东检察机关“功不可没”，鼓励广东省检察工作继续走在全国前列。

2003年2月，第九届全国人民代表大会常务委员会第三十二次会议批准任命张学军为广东省人民检察院检察长。

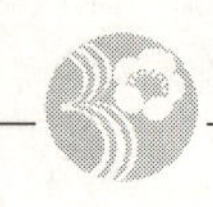

2004年，在最高人民检察院和中央有关部门支持下，广东省人民检察院将潜逃到美国的原中国银行开平支行行长余振东缉捕归案。检察机关很快查清了余振东10年贪污、挪用公款2亿多美元的犯罪事实，依法追究了刑事责任。

2005年，按照中央、省委的统一部署和高检院的要求，广东省检察院机关认真开展了保持共产党员先进性教育活动。对人民群众提出的意见和建议，逐条认真分析，逐项认真整改，达到了预期目标，测评满意率96.3%。省委督导组认为省检察院机关先进性教育做到了“四个到位”（认识到位，组织领导到位，措施到位，整改到位），取得了实实在在的成效。

2008年1月，广东省第十届人民代表大会第一次会议选举郑红为广东省人民检察院院长。

二、30年来广东审判制度大事记

1977年12月7日，广东省第五届人民代表大会第一次会议选举马芳为广东省高级人民法院院长。

1979年12月26日，广东省第五届人民代表大会第二次会议选举汤光礼为广东省高级人民法院院长。

1980年1月21日，广东省高级人民法院进行机构调整，成立经济审判庭、研究室，将原刑事审判庭分为刑事审判第一庭和刑事审判第二庭。

1981年6月14、15日，广东省高级人民法院召集参见省政法工作会议的中级人民法院、县、市（区）人民法院院长开会，部署整顿社会治安、依法从重从快惩处严重刑事犯罪分子的工作。

1982年9月19日，广东省高级人民法院与广东省司法厅联合发出通知，原由省司法厅主管的有关人民法院的司法行政工作，自1982年9月25日起由省高级人民法院主管。

1983年4月3—16日，广东省第六届人民代表大会第一次会议在广州召开，会议再次选举汤光礼为广东省高级人民法院院长。

1984年6月11日，广州海事法院成立。

1985 年 9 月 24 日，广东省高级人民法院通知增设刑事审判第三庭（管辖经济犯罪案件）、法医技术室、司法行政处，并从 10 月 1 日起开展业务工作。

1987 年 4 月 15 日，广州铁路运输中级法院及下属 3 个基层法院从即日起划归广东省高级人民法院管辖。

1987 年 10 月，广东省高级人民法院行政庭成立。

1988 年 1 月，广东省第七届人民代表大会第一次会议选举麦崇楷为广东省高级人民法院院长。

1993 年 1 月，广东省第八届人民代表大会第一次会议再次选举麦崇楷为广东省高级人民法院院长。

1994 年 1 月，广东省高级人民法院知识产权庭成立。

1998 年 1 月，广东省第九届人民代表大会第一次会议选举吕伯涛为广东省高级人民法院院长。

1998 年 12 月 5 日，广东省高级人民法院公开开庭宣判张子强等 36 人非法买卖弹药、运输爆炸物，非法买卖、运输枪支、弹药，私藏枪支、弹药，走私武器、弹药，绑架、抢劫、窝赃案，驳回张子强等部分被告人上诉，并根据最高法院授权，依法核准张子强、陈智浩、马尚忠、梁辉、钱汉寿死刑，剥夺政治权利终身。终审判决后，张子强等 5 名罪犯被押赴刑场，执行枪决。

1999 年 6 月 16 日，在广州海事法院举行“广州海事法院管理体制移交仪式”。交通部副部长洪善祥与广东省副省长欧广源在《关于理顺广州海事法院管理体制有关问题的协议》上签字。省法院吕伯涛院长参加了移交仪式。

1999 年 6 月 17 日，广东省高级人民法院分别在广州、深圳、湛江、佛山市同时召开宣判大会，对湛江“898”系列案首批案件 31 人进行宣判。在湛江吕伯涛院长受最高人民法院委托对被告人曹秀康、朱向成宣判死刑，立即执行，并对杨洪中、邓野、陈恩、陈均等人进行宣判。湛江市参加宣判大会的干部、各界群众有 1400 多名。

2000 年 1 月 17 日，广东省高级人民法院举行法官等级证书颁发仪式，广东省人大常委会主任朱森林、最高人民法院副院长曹建明、中共广东省委政法委秘书长王广寿等领导出席了仪式，并向部分法官代表颁发了法官等级证书。

2000年1月31日，广东省高级人民法院隆重举行建院50周年庆祝活动。

2002年10月，广东省高级人民法院对部分内设机构进行了调整和撤并。机构改革后，全院共设政治部、执行局和22个内设机构以及1个直属行政单位、2个事业单位。其中调整比较大的是：将执行庭改为执行局；将民事审判庭、经济审判第一、二庭、知识产权庭改设为4个民事审判庭；增设了书记员处；把计财技术装备处改为司法行政装备管理处；撤销了编辑室和法医室，分别并入办公室和司法行政装备管理处建制；把机关事务管理处改为事业编制的机关事务服务中心，法官学院改为事业编制。还调整了若干个合议庭、科、室。

2003年1月，广东省第九届人民代表大会第一次会议再次选举吕伯涛为广东省高级人民法院院长。

2003年2月，广东省高级人民法院召开新闻发布会，宣告广东国投破产案终结破产程序。该案从1999年初进入破产还债程序，历时4年，共进行3次破产财产分配，分配破产财产25.36亿元，债权清偿率达到12.52%。

2005年，按照中央和省委的要求，广东省高级人民法院组织各级法院深入开展保持共产党先进性教育活动，大力加强班子和队伍的理想、责任、能力、形象建设，努力增强队伍的凝聚力、创造力和战斗力，为全省法院工作的深入开展提供有力的组织保障。

2008年1月，广东省第十届人民代表大会第一次会议选举郑鄂为广东省高级人民法院院长。

附录四　30 年来广东司法行政工作大事记

1955 年 2 月，广东省司法厅成立，1959 年 4 月被撤销。

1978 年广东省广州市南方公证处（原广东省公证处）成立。

1979 年 12 月，马芳同志任广东省司法厅厅长。

1980 年 2 月，广东省人民政府决定恢复成立省司法厅；3 月，广东省司法厅正式挂牌办公；6 月，广东省法学会在广州举行成立大会；8 月，广东省劳动教养管理委员会成立；12 月，广东省律师协会成立。

1982 年 9 月，原由司法行政机关管理的法院机构设置、编制、助理审判员的任免、审判制度、司法统计、装备和经费等工作划归法院。

1983 年 7 月，原由公安部门管理的劳动改造、劳动教养工作移交司法行政机关。

1983 年 7 月，全国第一家由法律顾问处改为律师事务所的“深圳市蛇口工业区律师事务所”正式成立。

1984 年全省律师事务所实施《广东律师收费标准（试行）》。

1985 年 1 月，省司法厅召开全省法学教育工作会议。

1985 年 8 月，成立省普及法律常识领导小组，同年省人大常委会通过《关于全省公民普及法律常识的决定》。

1987 年 6 月，省司法厅召开全省律师管理工作会议。

1988 年 5 月，全国第一家合作制律师事务所，即深圳段毅武伟文刘雪坛律师事务所成立。

1990 年省司法厅发布《广东省公证工作暂行规定》，自 11 月 1 日起实施。

1990 年 12 月，省司法厅基层处共审批全省 523 个乡镇法律服务所。

1991 年 9 月，省政府批复同意建立省戒毒劳动教养管理所。

1994 年 4 月，省司法厅通过《广东省司法厅关于公证工作改革的意见》。

1995年2月，省政府批准同意广东省劳改工作局，改为广东省监狱管理局；6月，省政府批复同意《广东省司法厅关于深化律师体制改革的方案》；11月，全国首家政府法律援助机构、首家市级法律援助中心——广州市法律援助中心成立。

1999年8月，广东省九届人大常委会通过了《广东省法律援助条例》。

2000年4月18日，广东省机构改革方案确定司法厅是主管司法行政工作的省人民政府组成部门。

1980年首建了乡镇司法办公室，2001年3月又实现了司法所"立户定编"。目前，广东省已建成和在建的司法所共256个，法律服务所1914个，基层司法服务工作者6016名。

2003年7月，建立公职律师，进一步解决了社会困难群体打官司难的问题。

2005年底，广东省依托司法所成立1336个工作站或联络站，设立366个法律援助服务组织和112个涉军法律事务援助机构；广东省法律援助机构专职人员达到555人。

2006年6月28日，泛珠9省区司法行政系统代表在广州签署《泛珠三角9省区司法行政合作框架协议》，进一步建立和完善了泛珠三角司法行政领域合作机制。

后　记

为纪念改革开放30年，广东省委宣传部委托中山大学承担《广东改革开放30年研究丛书》的研究和写作任务，《走向法治——广东法制建设30年》一书是这一系列研究中法律专题研究的成果。

本课题的研究和书稿的写作，由我主持。参加者是：中山大学法学院副教授刘诚博士，中山大学法学院副教授张亮博士，中山大学法学院讲师韩光明博士。2007年5月，在确定了写作的具体分工之后，课题组成员进行了为期3个月的调研，深入广东省各级人民代表大会及其常委会、各级人民政府及其工作部门、人民法院、人民检察院、公安、法学教育和研究等机关或社团的有关工作部门进行细致的调研工作。在前期调研的基础上，2007年8月，课题组成员各自开始了为期2个月的写作，2007年10月初稿完成。此后，课题组成员进行了多次内部讨论，相互对书稿提出修改意见，先后五易其稿，至2008年7月最终定稿。

这套丛书从策划到完成，得到了广东省委常委、宣传部长林雄同志的大力支持。林雄部长对丛书提出了指导性意见，并多次询问丛书的进展情况。省委宣传部蒋斌副部长，省委宣传部理论处杜新山处长等同志对丛书的写作给予了具体指导。丛书立项作为广东社科基金规划项目，得到了广东省社科规划办的支持。在此一并致谢！

中山大学对这套丛书高度重视，成立了丛书课题组，由党委书记郑德涛同志牵头，党委副书记梁庆寅同志具体负责，蔡禾教授，社科处李仲飞处长，刘运国副处长具体组织实施。从2007年4月到2008年8月，课题组先后召开了开题报告会和四次讨论会，丛书完成初稿后，组织了校内外专家匿名审稿和会议审稿。这套丛书的顺利完成，是与上述同志和专家的关心、支持和辛勤劳动分不开的。

本课题在研究和写作的过程中得到了很多相关同行毫无保留的帮助，他们是：广东省委法制办陈春生先生，广东省人大法制委员会袁古洁女士，广东省司法厅法学教育处叶港先生，广州市委法制办所静女士，广东省人大法制委员会曹宇波先生，广东省司法厅法学教育饶裕兴先生，在此向他们致谢！此外，还要特别感谢广东省人民检察院、广东省高级人民法院、广州市人民检察院、广州市中级人民法院、广州市海珠区人民检察院、广州市黄埔区人民检察院等单位及相关人士的大力支持。

刘　恒

2008年8月2日